Tous Continents

Collection dirigée par
Anne-Marie Villeneuve

De la même auteure

Romans

Mon cri pour toi, Montréal, Éditions Québec Amérique, 2008.

D'un silence à l'autre, Tome III – *Les promesses de l'aube*, Chicoutimi, Éditions JCL, 2007.

D'un silence à l'autre, Tome II – *La lumière des mots*, Chicoutimi, Éditions JCL, 2007.

D'un silence à l'autre, Tome I – *Le temps des orages*, Chicoutimi, Éditions JCL, 2006.

Jardins interdits, Chicoutimi, Éditions JCL, 2005.

Les Lendemains de novembre, Chicoutimi, Éditions JCL, 2004.

Plume et pinceaux, Chicoutimi, Éditions JCL, 2002.

Clé de cœur, Chicoutimi, Éditions JCL, 2000.

Récit

Mon grand, Chicoutimi, Éditions JCL, 2003.

Au bout de l'exil

Tome 1– La Grande Illusion

Catalogage avant publication de Bibliothèque et Archives nationales du Québec et Bibliothèque et Archives Canada

Duff, Micheline,
Au bout de l'exil
(Tous continents)
Sommaire: t. 1. La grande illusion.
ISBN 978-2-7644-0689-2 (v. 1)
I. Titre. II. Titre: La grande illusion. III. Collection: Tous continents.

PS8557.U283A9 2009   C843'.6   C2009-940625-X
PS9557.U283A9 2009

 Conseil des Arts   Canada Council
du Canada   for the Arts

Nous reconnaissons l'aide financière du gouvernement du Canada par l'entremise du Programme d'aide au développement de l'industrie de l'édition (PADIÉ) pour nos activités d'édition.

Gouvernement du Québec – Programme de crédit d'impôt pour l'édition de livres – Gestion SODEC.

Les Éditions Québec Amérique bénéficient du programme de subvention globale du Conseil des Arts du Canada. Elles tiennent également à remercier la SODEC pour son appui financier.

Québec Amérique
329, rue de la Commune Ouest, 3e étage
Montréal (Québec) Canada H2Y 2E1
Téléphone : 514 499-3000, télécopieur : 514 499-3010

Dépôt légal : 2e trimestre 2009
Bibliothèque nationale du Québec
Bibliothèque nationale du Canada

Révision linguistique : Diane-Monique Daviau et Claude Frappier
Conception graphique : Célia Provencher-Galarneau
Montage : André Vallée – Atelier typo Jane

Imprimé au Canada

Micheline Duff

Au bout
de l'exil

Tome 1– La Grande Illusion

ROMAN

QUÉBEC AMÉRIQUE

« Les illusions perdues sont, hélas !
des feuilles tombées de l'arbre du cœur. »

José de Espronceda

*À Monique
et à tous les arrachés de la terre
qui ont eu à s'enraciner dans un
ailleurs au nom de l'espoir.*

1

Joseph repoussa la porte avec impatience mais eut le temps de recevoir la gifle cinglante du vent qui sifflait avec rage autour de la maison. À travers les nuages, une lune presque pleine tentait de se frayer une ouverture. Il frissonna.

— Es-tu certain, Joseph ? Je peux rester pour veiller avec toi, si tu veux. Je n'ai pas envie de t'abandonner, ça n'a pas de sens ! Je pourrais préparer du thé…

— Non, non, non et non ! Va-t-il falloir te le répéter cent fois, la sœur ? Cette nuit, je préfère rester seul avec Rébecca. C'est la dernière fois, tu devrais comprendre ça. T'en fais pas pour moi ! Plus tard, je vais monter me coucher avec Camille. La nuit va passer rapidement et demain matin, à huit heures, les petites et moi, on sera prêts pour les funérailles.

Hélène haussa les épaules. Même écrasé par le deuil, son frère se montrait toujours aussi revêche. Les voisins et la parenté n'en finissaient plus de partir. À part la famille de Rébecca originaire de Sherbrooke, ils avaient défilé toute la journée auprès de la dépouille étendue dans le cercueil de pin blanc qu'on avait installé sur des chaises au milieu du salon, entre deux cierges. Tous s'étaient effondrés devant le corps refroidi dont la pâleur égalait celle de la blouse de dentelle que Joseph lui avait enfilée avec l'aide de sa sœur.

Partir si jeune, au bout de son sang, un bébé mort encore présent au fond de ses entrailles, quelle horreur ! Une mère de trois jeunes enfants dont le quatrième n'aura pas vu le jour... Joseph ne saurait jamais s'il venait de perdre un fils ou une autre fille. Qu'importe ! Sa femme venait de disparaître sans crier gare, et il s'agissait de la pire catastrophe de son existence.

Un mal aigu s'était déclaré la veille, et Rébecca s'était mise, pour une raison inexpliquée, à vomir sans arrêt. Puis un sang épais et abondant avait commencé à paraître dans ses sous-vêtements. À bout de forces, elle avait dû garder le lit, puis elle avait perdu conscience. Quelques heures plus tard, une hémorragie massive l'avait emportée avant même l'arrivée du médecin que Joseph aurait dû aller chercher plus rapidement.

Maintenant, il était trop tard, Rébecca ne reviendrait plus jamais. Demain matin, on la conduirait en terre derrière l'église de Saint-Alexis de Grande-Baie. Sur la croix de bois, on inscrirait 1849-1880. On pleurerait un bon moment, on s'embrasserait, on se serrerait les uns contre les autres en jetant des regards éplorés sur le veuf et sa famille, on tenterait de consoler les enfants en leur inventant des histoires d'anges auxquelles on essayait désespérément de croire, puis chacun s'en retournerait chez soi pour vaquer à ses occupations. À la longue, on oublierait. Joseph resterait seul avec sa peine et ses trois orphelines. En cette triste fin d'été, sa femme, Rébecca Allaire, venait de rejoindre, à trente et un ans, le monde du silence. Et de l'absence.

Une fois la porte refermée, l'homme s'approcha lentement de la dépouille de sa femme et se pencha au-dessus d'elle. Il la regarda sans verser une larme. Enfin tous partis ! Depuis deux jours, il avait été emporté dans un tourbillon sans fin : la sage-femme venue pour tenter de sauver le bébé, le docteur qui n'avait pu que constater le décès, le curé avec son extrême-onction, les voisins et la famille en larmes, sans oublier la transformation de la maison en chapelle ardente et l'organisation des funérailles... Cris, pleurs, lamentations, prières, ça n'avait pas arrêté.

Plus que tout au monde, il désirait passer les dernières heures en solitaire auprès de Rébecca. Non que leur union eût connu un bonheur incomparable, non que sa femme lui eût jamais manifesté un amour enthousiaste et inconditionnel, non qu'il eût goûté avec elle cette complicité qui fusionne les couples et rend leur union harmonieuse. Non… À ses yeux, son épouse était demeurée une femme secrète et repliée sur elle-même. Mystérieuse, même. Oh! comme mère, elle s'était toujours montrée parfaite. Pour le soin et l'éducation des enfants, pour le ménage, il n'avait rien eu à redire. Mais comme épouse, il aurait souhaité partager sa vie avec une amoureuse plus ardente et plus fougueuse. Hélas! Rébecca s'était toujours comportée en femme de devoir, plutôt froide et distante. Il l'avait adorée, pourtant, et comblée de petits soins. Mais ses gentillesses semblaient la laisser indifférente. D'une grande beauté, non seulement elle attirait l'admiration et le désir des hommes, mais elle suscitait aussi l'envie des autres femmes sans même s'en rendre compte. Chaque hiver, lorsqu'il la quittait malgré lui pour les chantiers, Joseph se languissait d'elle sans bon sens, envieux de tous ceux qui passaient la saison froide à Grande-Baie. Souvent, ses compagnons se moquaient de lui :

— Moi, être marié à une belle créature de même, je ferais attention pour pas me la faire voler!

Il y faisait attention, en effet. Il se montrait même très jaloux! Jaloux du beau-frère qui ne tarissait pas d'éloges à son sujet, jaloux du voisin, ce veuf joyeux et coureur de jupons, jaloux du docteur qui posait la main sur son ventre et farfouillait parfois dans ses parties intimes, jaloux du curé qui recevait ses confidences dans le secret du confessionnal. Jaloux maladif, jaloux jour et nuit, jaloux à en perdre l'esprit.

Au printemps, dès son retour du camp de bûcherons, il l'observait longuement et ne cessait de l'interroger, dévoré de soupçons. Elle l'accueillait pourtant à bras ouverts même si elle ne répondait que vaguement à ses questions. Puis il s'en allait travailler aux champs pour tirer de la terre léguée par son père la subsistance de sa famille. Souvent, il revenait à la maison, au beau milieu de la journée, simplement pour jeter, mine de rien, un œil scrutateur et possessif sur sa « créature ».

L'autre jour, cependant, il ne l'avait trouvée nulle part, ni dans la maison ni aux alentours. Il avait pensé devenir fou en la voyant revenir de chez le voisin par le sentier longeant le ruisseau. Quand Rébecca avait prétendu être tout bonnement allée lui porter quelques pots de ses confitures de gadelles en compagnie de Camille, il était entré dans une grande fureur. Sa femme n'avait pas le droit de se rendre seule dans la maison d'un autre homme, même accompagnée d'un enfant ! Surtout pas chez cet escogriffe qu'il avait toujours détesté ! Qu'est-ce qu'elle faisait là, hein ? Ses confitures et ses petits plats, elle devait les cuisiner uniquement pour son mari et sa famille. Pas pour le blanc-bec d'à côté ! Rébecca appartenait à lui seul, elle lui devait l'exclusivité, elle lui devait fidélité et obéissance, et son devoir consistait à demeurer dans sa maison et son jardin.

Blanc de colère, Joseph avait ordonné qu'elle ne sorte plus à l'extérieur en son absence. Rébecca avait monté les marches en pleurant et la petite Camille, la seule des filles qui n'allait pas encore à l'école, n'avait pas compris pourquoi ses parents se querellaient de la sorte.

C'est au lendemain de ce fameux jour que Rébecca avait subitement commencé à se sentir malade. Elle se trouvait bien avancée, là, maintenant, immobile dans son cercueil. Elle ne rirait plus jamais, elle ne serait plus jamais belle. Et elle n'irait jamais plus chez le voisin. Tant pis pour elle ! Étrangement, Joseph se sentait soulagé. Il n'aurait plus à la surveiller ni à se tourmenter à son sujet. Le sentiment de paix qui l'envahissait soudain n'allégeait pas, cependant, son chagrin de l'avoir perdue.

Il se versa un verre d'eau-de-vie et l'avala d'un trait.

« Tiens ! ma femme, à défaut de boire à ta santé, laisse-moi au moins boire à ma nouvelle liberté ! »

Il sentit une chaleur réconfortante l'envahir. Il n'avait pourtant aucune raison de se réjouir. Son regard se porta sur les bouquets de fleurs disposés autour de la dépouille. D'humbles petites fleurs des champs cueillies par ses filles... Quand elles s'étaient mises à sangloter, trop impressionnées de voir leur mère inerte et glacée, couchée dans une boîte, il n'avait pas su trouver les mots pour les réconforter et avait préféré créer une diversion en les envoyant chercher des fleurs pour « maman qui sera sûrement contente de partir pour le ciel dans un cercueil bien décoré ». Elles les avaient rapportées d'une main hésitante, la larme à l'œil.

Pauvres petites… Il les aimait pourtant, mais comme le plus maladroit des pères, incapable de trouver les mots et les gestes pour leur exprimer son affection ou pour les consoler. L'essentiel avait toujours consisté, pour lui, à assurer leur bien-être et à combler leurs besoins concrets, laissant les cajoleries et autres manifestations de tendresse à la mère.

Depuis le dernier soupir de Rébecca, il n'avait guère eu le temps de songer à elles. Comment allaient-elles se remettre de cette lourde perte ? À treize ans, Marguerite restait une enfant plutôt secrète, mais déterminée comme sa mère. Comment vivrait-elle la séparation d'avec l'unique personne à qui elle acceptait de s'ouvrir un peu ? De deux ans plus jeune, Anne, véritable sosie de sa sœur, s'en tirerait mieux. Insouciante et enjouée, elle s'adaptait plus facilement à toutes les situations. Quant à Camille, ce bébé gâté, elle n'aurait pas le choix de s'habituer à l'absence de celle qui faisait tous ses caprices. À six ans, la benjamine ne réalisait pas vraiment la gravité du drame qui venait de survenir dans sa vie.

Joseph se versa une autre rasade. Combien lui en faudrait-il pour se donner le courage d'accomplir le geste qu'il avait secrètement planifié depuis quelque temps ? Tirer le rideau sur ce cauchemar, y mettre un point final et tourner enfin la page. Changer de vie, repartir à zéro… La mort de sa femme ne suffisait pas à lui en donner la force. Demain, le soleil se lèverait sur le même horizon, la même misère. Ces durs hivers à arracher le pain quotidien des siens à coups de hache sur l'écorce pour un misérable salaire, ces trop courts étés à s'acharner sur ce terrain rocailleux, soumis à l'épuisement comme aux périodes de sécheresse ou de déluge. Soumis aux prix du marché aussi… Cette existence en équilibre précaire entre un bonheur familial médiocre et la responsabilité d'élever des enfants dans cette maison de bois trop étroite et mal isolée… Tout cela ne lui disait plus rien.

Une seule chose l'obsédait maintenant : en finir, prendre la fuite, se sauver au loin pour arriver à oublier tout ça. Pour recommencer à neuf. Pour réinventer le bonheur qu'il n'avait jamais connu auprès d'une femme qui avait toujours refusé de lui appartenir tout entière.

L'eau-de-vie brûlait la gorge de Joseph. Le feu… Seul le feu peut purifier. Il est la lumière, il réchauffe, il enrichit la terre et régénère les forêts. Il efface tout, le feu, et il permet de renaître. Il est puissant, plus puissant que l'homme. Plus fort que Joseph, traqué dans ce salon maudit où la morte semblait le narguer derrière son masque de paix vissé sur le visage.

Eh bien ! elle ne gagnerait pas, la morte ! C'était lui, Joseph, le maître, qui sortirait vainqueur de ce drame. Il se leva d'un bond et manqua de perdre pied en butant contre la bouteille d'alcool vide traînant par terre. « Allons, mon vieux, le temps est venu. Un peu de cran, que diable ! Tu l'as tellement voulu… »

Il ne lui restait plus qu'à atteler Belle et à transporter les enfants dans la charrette, enveloppées dans leur édredon. Au cours de la journée, personne n'avait remarqué, au fond du hangar, la voiture remplie de vêtements et de victuailles qu'il avait préparée en douce, la nuit précédente, après le départ du docteur et du prêtre. Les visites de condoléances, tout au long de la journée, n'avaient fait que le conforter dans son projet infernal. Si le bonheur se trouvait ailleurs, au bout de l'exil, il irait jusque-là. Il devait à lui-même et à ses enfants de s'y rendre.

Plongées dans un sommeil alourdi par la forte dose de sirop qu'il leur avait fait ingurgiter avant de les mettre au lit, la veille, les fillettes épuisées n'eurent pas conscience qu'on les transportait une à une sur une couche de paille étendue au fond de la charrette. Quand la lune apparaîtrait à travers ses écheveaux de ouate, la vieille picouille Belle saurait bien trouver son chemin en direction du sud, sur la route même qu'elle empruntait pour transférer les colons vers les coupes de bois à l'automne et pour les ramener au printemps. Ces hommes de fer, durs à l'ouvrage, qui avaient charrié leurs rêves d'émancipation jusque dans cette région sauvage, sur les bords du Saguenay, aux confins du monde… Ils n'y avaient rencontré que la misère et l'exploitation par les maudites compagnies anglaises. Georges Laurin, son père, avait bien fait de quitter sa terre de Grande-Baie pour retourner à Baie-Saint-Paul d'où il venait. Lui, son fils Joseph, ferait encore mieux.

Quand tout se trouva en place, Joseph pénétra dans la maison pour une dernière fois. Saisissant deux lampes à huile, il en déversa le contenu sur le cadavre de sa femme, sur les rideaux et le long des murs. Puis il y jeta le feu avec un des cierges encore allumés.

— Bon voyage en enfer, Rébecca!

Il grimpa ensuite d'un seul saut sur la voiture, s'installa sur la banquette et, sifflant Belle discrètement, mit l'équipage en branle vers sa nouvelle destinée.

2

Au lever du jour, les outardes traversaient le ciel, l'une derrière l'autre, en brodant au point de croix des flèches en direction du sud. Elles aussi s'en allaient chercher le bien-être loin de ce pays de froidure. Cette terre de Caïn.

Joseph aurait voulu accélérer la cadence pour s'éloigner au plus vite de ce qu'il laissait derrière lui. Fuir, malgré le passé auquel il n'échapperait guère : dans la charrette dormaient ses trois fillettes. Il leur jeta un coup d'œil anxieux. Le plus longtemps elles dormiraient, le mieux cela vaudrait.

Ils traversèrent les dernières rues du village en direction de Grande-Baie et longèrent la baie des Ha! Ha! bien longtemps avant le chant du coq. Personne ne les vit passer. Les rares cultivateurs dormaient encore et à peine un chien avait-il aboyé, une fois ou deux. Quelques milles plus loin, l'équipage mit définitivement le cap vers le sud.

La lune avait disparu. «Pourvu qu'il ne se mette pas à pleuvoir», songea Joseph. La charrette roula cahin-caha au rythme lent de Belle sur le chemin rendu quasi impraticable par les pluies diluviennes des premiers jours de septembre. Dégrisé, le père tentait de rester sur la bonne voie. À peine reconnaissait-il le sentier caillouteux qui le menait chaque automne vers les chantiers de la Price

Brothers and Co. La route longea d'abord la rivière des Ha! Ha! et ensuite la rivière Hamel, serpentant à travers les vallées et contournant les montagnes recouvertes de pins et de bouleaux jaunes.

.L'aube enlumina peu à peu le paysage. Cette journée promettait d'être chaude. Joseph songea à s'arrêter un peu. Belle, le poitrail déjà ruisselant de sueur, commençait à manifester des signes de fatigue. Il ne put s'empêcher de remarquer les taches de sang accrochées par le début de l'automne à la cime des arbres, ravivant des souvenirs cauchemardesques qu'il valait mieux oublier. Tout ce sang qu'avait perdu Rébecca… Il préféra regarder ailleurs.

Plus il s'éloignait de Grande-Baie, plus l'homme se sentait revivre, délivré d'un poids sans mesure. Qu'importe ce qui se passait là-bas en cet instant précis. Il imaginait, non sans l'ébauche d'un sourire, l'effarement du voisin devant les ruines fumantes de la maison et celui du curé et des enfants de chœur, en surplis de dentelle et encensoir à la main, à la porte de l'église de la paroisse Saint-Alexis, dans l'attente du convoi funèbre. Hé! Hé! le diable pouvait bien aller s'étouffer dans les émanations d'encens, Rébecca n'avait plus besoin de ça. Sa femme n'existait plus. Ni pour les gens de Grande-Baie, ni pour lui, Joseph son mari, ni pour ses enfants, ni même pour le bon Dieu. Le feu avait fait place nette. Tout nettoyé, tout fait disparaître. Dieu bénisse le feu…

Le cri des bernaches bien plus que les soubresauts du chemin tirèrent Marguerite du sommeil. Ce teint de lait, ces traits parfaits, cette abondante chevelure blonde… « Trop belle! Une autre qu'il faudra garder à l'œil avant longtemps », songea Joseph. Mais, pour l'instant, il s'agissait de la rassurer, de lui expliquer la situation.

— On s'en va où, papa?

— Chut! Marguerite! Tu vas réveiller tes sœurs! On s'en va loin, très loin, ma chouette. On s'en va à l'autre bout du monde.

— Mais… maman?

— Elle n'est plus là, maman, tu le sais bien. Et elle ne sera plus jamais là.

— On devait l'amener à l'église, ce matin. Monsieur le curé…

— Ta mère n'a pas besoin de ça, ces cérémonies-là!

— Elle est déjà rendue au ciel ?

— Euh… On peut toujours le souhaiter !

— Moi, je veux aller à l'église et reconduire ensuite maman au cimetière. Je veux connaître l'endroit où elle va dormir pour toujours.

La jeune fille se mit à geindre, le visage enfoui dans ses mains.

— Arrête ! Je ne veux plus entendre parler d'elle, c'est clair ?

Marguerite sursauta. Pourquoi cesser d'évoquer sa mère ? Elle n'avait qu'une envie, en cet étrange matin : aller retrouver celle qu'elle adorait pour lui parler encore et encore, la supplier de ne pas l'abandonner du haut du ciel, elle, son modèle, sa protectrice, son guide, son ange gardien. Elle, la meilleure maman du monde. Retourner à Grande-Baie pour contempler son visage une dernière fois, pour lui faire ses adieux.

D'ailleurs, que faisait-elle là, en ce petit matin frais, couchée au fond de la charrette sur une route perdue ? Où se trouvait sa maison, sa chambre, son nid chaud et douillet ? Normalement, elle aurait dû, comme tous les enfants du monde, partir pour l'école du rang avec sa sœur Anne à côté d'elle, son dîner dans un sac et ses devoirs sous le bras. Comme tous les enfants qui n'avaient pas perdu leur mère, emportée par une affreuse maladie. Ses pleurs redoublèrent.

Les deux autres fillettes, ankylosées par le voyage, ne mirent pas de temps à rejoindre leur aînée dans ses lamentations.

— Maman, maman…

Joseph sentit la moutarde lui monter au nez. Il n'avait pas organisé cette fuite pour entendre ses enfants appeler la morte dans un concert de pleurnichages.

— Ça suffit ! Vous m'entendez ? Je ne veux plus entendre prononcer ce nom-là. Plus jamais ! Qu'il n'en soit plus question ! Maman n'est plus là et il ne sert à rien de l'appeler. Elle ne reviendra plus. La première d'entre vous qui parle encore d'elle, je la fais descendre de la charrette et je la laisse en plan sur le chemin.

Ahuries, les enfants ravalèrent leur salive et gardèrent le silence, trop candides pour réaliser que, dorénavant, plus rien ne serait pareil. La petite Camille ne cessait de pousser des soupirs entrecoupés de sanglots. Les autres se rapprochèrent d'elle et les trois orphelines de mère formèrent un bloc compact et immobile. Un bloc qui ne remplacerait jamais la disparue mais un bloc qui posait déjà un premier jalon sur le chemin inconnu où le malheur les conduisait. Dieu seul savait ce que leur réservait l'avenir. La voiture reprit la route dans un silence funèbre.

Le soleil était déjà haut quand on s'arrêta de nouveau près de la rivière pour prendre une bouchée et laisser reposer la jument. Joseph avait tout prévu : un quignon de pain, du lard salé, un pot de confitures et quelques pommes. Trop contentes de se délier enfin les jambes, les fillettes se mirent à sautiller sur les roches émergeant de la rivière jusqu'à ce qu'Anne, la plus téméraire, perde pied et s'étale de tout son long au milieu du cours d'eau heureusement peu profond.

Joseph bondit sur ses pieds.

— Vilaine ! Je t'avais dit de rester tranquille !

Le coude éraflé et les vêtements complètement trempés, la fillette se mit à brailler à fendre l'âme.

— Maman, je veux ma maman…

La gifle partit comme un éclair.

— Je vous ai dit de ne plus prononcer ce nom-là ! Allez, les filles, on repart !

Effarée, Marguerite jeta un regard de reproche à son père et se pencha sur sa sœur pour la consoler.

><><

La voiture poursuivit lentement sa route en direction de Baie-Saint-Paul, petit bourg installé sur la rive nord du fleuve Saint-Laurent. Quand vint le temps de traverser le lac des Ha!Ha! à l'endroit où il se rétrécissait passablement, Joseph resta perplexe. La construction de la route régionale entre Grande-Baie et le fleuve en chantier depuis une dizaine d'années était loin d'être achevée. On traversait encore l'étranglement sur un bac à billes tiré à l'aide de câbles métalliques. Mais le père n'arrivait pas à l'actionner seul et il ne trouva pas âme qui vive aux alentours pour l'aider dans son entreprise. Qu'à cela ne tienne ! Il décida de faire traverser la charrette à gué, l'eau paraissant peu profonde.

Il s'y enfonça jusqu'à la taille, jurant et vociférant, tirant de toutes ses forces sur Belle qui refusait d'avancer, paralysée de frayeur. Les fillettes, tout aussi apeurées, restaient agrippées les unes aux autres. Quand l'eau commença à envahir la charrette, elles se mirent à crier.

— Cramponnez-vous, les filles. On va y arriver !

Ils y arrivèrent, en effet, mais tous les vêtements, non seulement ceux qu'elles portaient mais aussi tous ceux contenus dans les ballots, se trouvèrent trempés. Même les provisions de nourriture furent perdues. Deux jarres roulèrent hors de la voiture, les confitures et les marinades se fracassèrent sur les ridelles, le pâté de canard et les rillettes cuits par Rébecca au début de la semaine partirent à la dérive, emportés par le courant. Joseph garda son sang-froid et réussit à sauver quelques sacs. Une fois sur l'autre rive, tous poussèrent un soupir de soulagement.

— C'est bon, les filles ! On n'ira pas plus loin, aujourd'hui. Voici ce que vous allez faire : d'abord enlever vos jupes et vos blouses et les étendre sur l'herbe. Puis, vous allez cueillir des branches de bois mort. Beaucoup de branches. Nous allons allumer un grand feu pour faire sécher tout ça. Le feu, ça règle toujours tout…

L'étonnante lueur qui enflamma, l'espace d'une seconde, le regard de l'homme en prononçant ces dernières paroles, n'échappa pas à Marguerite. À vrai dire, elle connaissait mal son père. Il passait ses hivers aux chantiers et ses étés dans les champs. Quand il se trouvait à la maison, il régnait en seigneur. Toute la famille, à commencer par la mère, lui obéissait au doigt et à l'œil et se pliait à ses caprices sans regimber. Son départ annuel pour quelques mois représentait un allègement que la fillette n'avait jamais osé exprimer.

Ce soir-là, un brasier fumant éclaira le campement jusque tard dans la nuit. Si Camille réussit tant bien que mal à trouver le sommeil, les pleurs étouffés de ses deux grandes sœurs se mêlèrent longtemps aux hurlements des loups, plus haut dans la montagne.

Mais leur père, gavé d'eau-de-vie, ne les entendit pas.

3

Yvette Laurin, penchée dans son jardin, n'en revenait pas de voir surgir, au tournant de la rue, son fils Joseph accompagné de ses trois petites-filles chéries. Quelle belle surprise ! Elle déchanta vite devant leur mine défaite. Les enfants restaient muettes et se contentaient de la dévisager tristement. Quant au père, il semblait passablement perturbé. Elle remarqua alors leurs vêtements souillés et humides, leurs visages sales, leurs cheveux défaits. Elle porta la main à la bouche.

— Oh ! mon Dieu ! Où est Rébecca ? Est-il arrivé un malheur ? Que se passe-t-il ? Dites quelque chose, pour l'amour du ciel !

Joseph baissa la tête.

— Un grand malheur, maman. Rébecca a rendu l'âme il y a trois jours en l'espace de quelques heures.

— Ah ! je m'étais bien doutée qu'une tragédie allait s'abattre sur la famille. L'autre nuit, en allant fermer une fenêtre d'en haut, j'ai vu un corbeau noir quitter la mansarde à tire d'aile, en croassant en direction de la lune. Ce genre de signe ne trompe pas : il s'agissait du diable. Ne me dis pas que Rébecca a encore fait une fausse couche ! La troisième en quatre ans…

— Pas cette fois. Je viens de vous le dire, maman, Rébecca est morte ! Le bébé semblait pourtant bien vivant dans son ventre, mais elle s'est mise à vomir du sang tout à coup, comme ça, sans raison. Puis, ça a commencé à lui sortir de partout. C'est à n'y rien comprendre. Elle est morte au bout de son sang quelques heures plus tard. L'enfant a dû mourir en même temps qu'elle. C'est effrayant!

La grand-mère se signa et alla entourer ses petites-filles de ses bras.

— Mes pauvres, pauvres enfants… Et toi, mon chéri, que vas-tu faire? Je n'en reviens pas…

— Ne pleurez pas, maman. Rébecca est sûrement bien, là où elle se trouve maintenant. Quant à nous… Où est papa? Je vais avoir besoin de lui.

— Il est parti acheter des provisions au magasin général. Je l'attends d'une minute à l'autre.

Depuis son accident au moulin à scie de Grande-Baie, une vingtaine d'années auparavant, Georges Laurin et sa femme étaient redescendus vivre près du fleuve, à Baie-Saint-Paul, avec leurs enfants, laissant seulement dans la région du Saguenay leurs deux aînés, Joseph et sa sœur Hélène. Pour le reste de la famille, l'aventure de la colonisation avait pris fin à ce moment-là. Comment le père aurait-il pu continuer à travailler au moulin, puis à défricher et cultiver la terre avec un seul bras? Ce malheureux coup du destin avait jeté par terre tous ses projets.

Un certain matin de juin 1838, Georges Laurin était pourtant arrivé dans la région du Saguenay, sur la goélette de son ami Thomas Simard, avec une âme de pionnier, bien décidé à développer l'industrie forestière avec ses treize compagnons. Courageusement, les hommes avaient monté un abri de fortune et entrepris l'exploitation de la pinière entre la rivière Ha! Ha! et la rivière à Mars. Le père de Joseph avait alors vingt ans.

Quelques mois plus tard, sa bien-aimée, la belle Yvette, était partie de La Malbaie avec d'autres hommes, femmes et enfants, pour rejoindre l'homme de sa vie. Une nuée d'insectes avait accueilli les familles, et les rigueurs du climat n'avaient pas tardé à les tyranniser. Mais rien n'avait réussi à décourager ces bâtisseurs de pays. On s'était rapidement organisé et on avait construit des refuges à la hâte. Un premier moulin n'avait pas tardé à s'ériger. On s'était alors lancé dans la construction de goélettes pour profiter de la voie navigable du Saguenay et transporter les madriers de bois destinés à l'exportation vers l'Angleterre, pour le compte du richissime William Price.

Grâce à leur amour et leur courage, Yvette et Georges avaient résisté à la rudesse de l'existence dans ce lieu de colonisation, et onze beaux et vigoureux enfants étaient venus remplir leur maison de gaieté. Fiers de leur famille, ils faisaient l'envie de leur entourage.

Hélas, un grave accident à la scierie avait mis un terme à ce beau rêve. D'un commun accord, le couple avait pris la décision de ramener la famille dans Charlevoix où les perspectives d'embauche, pour un manchot, seraient sans doute plus nombreuses. L'aînée, Hélène, déjà mariée et mère de famille, avait préféré demeurer à Grande-Baie. Joseph, le plus vieux des garçons, hérita de la maison familiale et de la terre à moitié défrichée par son père. Le jeune homme s'empressa de faire la « grande demande » à Rébecca, la plus belle demoiselle du canton. L'année suivante, leur première fille, Marguerite, venait au monde.

Dans leur petite maison de la rue Sainte-Anne, à Baie-Saint-Paul, les grands-parents Laurin avaient coulé des jours heureux malgré le handicap du père. Devenu maître de poste, Georges avait honnêtement gagné la pitance de sa progéniture. Au fil du temps, les enfants avaient quitté le foyer, un à un, pour aller fonder une famille à leur tour. Tous étaient restés dans la région de Charlevoix, à l'exception de Léontine qui avait émigré aux États-Unis avec les siens.

L'attitude bizarre, voire quelquefois inquiétante, de leur fils Joseph préoccupait Yvette et Georges et constituait une entorse à leur bonheur. Ces dernières années, il lui arrivait parfois de surgir, seul et à l'improviste, et de demeurer chez eux sans prononcer une parole durant plusieurs jours. Sa mère avait beau le questionner pour savoir s'il s'était disputé avec Rébecca ou s'il avait eu des ennuis au travail ou sur sa terre, il se contentait de hausser les épaules. Puis il repartait sans avertir, comme il était arrivé. Ce genre de visites énervait la grand-mère qui n'osait, les rares fois où elle la rencontrait, interroger sa belle-fille sur les agissements de son mari.

Enfant, Joseph adoptait très souvent un comportement marginal. Solitaire et renfermé, il se mêlait rarement aux jeux des autres garçons. Ou bien il y semait la zizanie, agaçant l'un, agressant l'autre, dérogeant constamment aux règles du jeu. Au bout du compte, il se mettait invariablement à bouder, réfugié dans un silence inexplicable. Jamais il n'exprimait le fond de sa pensée, ni ses satisfactions ni ses déceptions, encore moins ses joies et ses chagrins.

À une occasion, vers l'âge de quinze ans, il avait disparu durant quatre jours. Affolés, les parents et les voisins l'avaient cherché partout, le croyant noyé dans le Saguenay. Mais un bon matin, il était réapparu à la lisière du bois sans donner d'explications. Yvette s'en rappellerait toujours : ce même matin, précisément, un terrible incendie s'était déclaré dans le village voisin, du côté de L'Anse-Saint-Jean, et tous ceux qui avaient participé aux recherches du garçon avaient dû, après son retour au bercail, se mobiliser de nouveau pour aller contrer le feu.

Personne n'avait pu savoir où Joseph était allé, pas même sa mère. Georges avait prétendu, en riant jaune, qu'une « créature » du village d'à côté avait probablement mis le grappin sur son fils pour une couple de jours. Mais il savait bien, au fond, qu'il n'en était rien. Un doute terrible l'avait alors effleuré, mais il n'avait pas trouvé le courage d'en parler.

Plus tard, quand Joseph avait rencontré Rébecca, joli brin de fille arrivée récemment dans la paroisse de Bagotville, la mère s'était remise à espérer que son fils mènerait enfin une vie simple et normale. Il n'en fut rien. Une fois marié, Joseph se montra jaloux et autoritaire envers sa femme et trop sévère avec ses enfants. Rébecca persistait à envoyer à sa belle-mère des lettres rassurantes mais trop polies et trop concises. Yvette savait toutefois lire entre les lignes : le bonheur ne foisonnait pas dans la famille de son singulier fils.

Bien sûr, la perte subite de sa femme n'arrangerait pas les choses pour les trois fillettes. Mais, devant la quantité de bagages entassés dans la charrette, la grand-mère se prit à penser, folle de joie, que son fils avait abandonné sa terre et venait définitivement s'installer à Baie-Saint-Paul auprès du reste de la famille. Hélas, Joseph ne mit pas de temps à éteindre d'aussi belles illusions.

— Vous voulez rire, maman! J'en ai fini avec ce pays de misère! Je m'en vais aux États-Unis. Là où il fait bon vivre.

— D'après les lettres de ta sœur Léontine, mon fils, l'argent ne pousse pas dans les arbres, là-bas non plus. Il se gagne même assez durement, semble-t-il.

— On verra bien.

— Laisse-nous les petites, au moins. Le temps de t'installer quelque part...

— Pas question! Mes filles viennent avec moi.

— As-tu une adresse où aller? Tu devrais avertir ta sœur Léontine.

— Fichez-moi la paix avec ma sœur Léontine! Je ne veux dépendre de personne. Surtout pas d'elle! Je peux me débrouiller tout seul. J'ai trente-huit ans, maman!

— Mais Camille n'a que six ans. C'est un trop long voyage pour elle. Prends au moins le train. On a ouvert la ligne du Grand Tronc, paraît-il.

Joseph sentit la moutarde lui monter au nez. Il regrettait soudain son passage chez ses parents. Par contre, Belle, sa vieille jument, tirait de la patte. De toute évidence, il lui fallait changer de cheval. Consolider la charrette aussi, et lui trouver une nouvelle bâche. Avec l'aide de son père, bien entendu. Sans oublier de remplacer les provisions tombées au fond du lac lors du passage à gué et, peut-être même, emprunter un peu d'argent. Sa mère y verrait, il n'en doutait pas un instant. Et puis, une visite chez les grands-parents ferait du bien aux enfants. Ça leur changerait les idées. Après tout, elles avaient un deuil à vivre.

Par le carreau de la fenêtre, il les voyait virevolter, le visage rayonnant, sur les balançoires suspendues au grand chêne, en compagnie de leurs cousins et cousines de la rue d'à côté. Déjà, elles semblaient avoir oublié leur malheur, et cela le rendit fort aise.

Quand le grand-père Georges se manifesta au bout du chemin, les enfants coururent vers lui et lui sautèrent au cou. Joseph soupira et se dit que le bonheur devait bien se trouver quelque part. À lui de le trouver.

⧓

Trois jours plus tard, une charrette entièrement retapée et remplie à ras bord de victuailles traversait le village de Baie-Saint-Paul, tirée par une jeune et puissante bête de trait. Avec ses lourdes pattes poilues et son énorme poitrail, Titan ne les mènerait certes pas au grand galop jusqu'à la frontière américaine, mais le brave cheval portait bien son nom : il possédait la force et l'endurance d'un véritable titan. Il ne les abandonnerait pas en cours de route.

Si Joseph leur avait au moins donné une idée précise de sa destination, cela aurait rassuré les grands-parents debout sur le pas de la porte à les regarder partir sans trop d'espoir de les revoir un jour tous les quatre. Joseph avait dû, cruellement, arracher ses filles, une à une, des bras de leur grand-mère éplorée.

— Du courage, que diable ! Allons, les parents ! Vous viendrez nous voir aux États quand on sera installés. Les enfants vont vous écrire, maman.

— Oui, oui, renchérit Camille, je vais vous envoyer de beaux dessins, mémère.

Croyant à peine à cette dernière promesse, Yvette, en larmes, se pencha encore une fois pour embrasser ses petites-filles.

— Soyez heureux, mes amours, et n'oubliez que, quelque part, dans la belle province de Québec, quelqu'un vous aime et pense à vous souvent. Puis… revenez nous voir un de ces jours. Au revoir !

Marguerite, suffisamment mature pour réaliser le tragique de la situation, se promit de ne pas oublier cette invitation.

4

Lorsque la charrette s'approcha de l'embarcation amarrée au quai de bois du port de Québec, Titan, pas plus docile que Belle, s'arrêta net et refusa obstinément de franchir la passerelle menant sur le traversier. Joseph fulminait. Plus il haussait le ton et plus il fouettait le cheval rageusement, moins celui-ci bougeait.

— T'as peur des feux follets, hein, mon maudit lâche! Ben, ils ne vont pas nous avoir, les feux follets, cré-moé! Hue! Dia! Avance donc, sale bête!

Ils se mirent à quatre hommes avant de réussir enfin à faire passer la charrette et ses passagères sur le nouvel engin à vapeur communément appelé *horse-boat*, qui transportait les voitures et les chevaux entre Québec et Lévis.

Ce soir-là, le vent charroyait d'épais nuages noirs et soulevait d'énormes vagues à la surface de l'eau. De toute évidence, un violent orage montait. Toutefois, cela ne semblait nullement déranger les membres de l'équipage. Leur air indifférent finit par rassurer les Saguenayens. Mais quand le bac s'engagea sur le fleuve sous les grondements du tonnerre, les petites Laurin se tapirent sous la bâche, saisies de terreur. Anne risqua tout de même une question.

— C'est quoi, papa, des feux follets?

Joseph approcha son visage de sa fille. Dans la pénombre, elle crut voir briller une étincelle au fond des pupilles de son père et elle se demanda s'il ne s'agissait pas là précisément des fameux feux follets. Une haleine de tabac et d'eau-de-vie l'effleura. Joseph avait bu, encore une fois, tout en conduisant la charrette.

— Les feux follets sont les âmes des trépassés. La nuit, elles remontent des profondeurs de l'abîme sous forme de flammes errantes et elles viennent terroriser les voyageurs, surtout ceux qui se transportent sur l'eau.

— Qu'est-ce que ça veut dire « des trépassés » ?

— Ça signifie des morts, ma fille. Et des mortes.

— Pensez-vous que maman pourrait revenir ?

— Seule l'âme des mécréants peut revenir.

— Ah ! bon. Maman était croyante et bonne. Et pourquoi nous ferait-elle peur ? Moi, je pense qu'elle reviendrait plutôt pour nous embrasser.

— Ça reste à prouver, ça, ma fille…

Joseph s'approcha du bord de l'embarcation et ne remua plus, laissant derrière lui ses trois filles plus effrayées par les feux follets que par l'orage. Dès les premiers éclatements des éclairs au-dessus de l'eau noire, elles se mirent à hurler. Curieusement, elles n'appelaient pas Joseph à leur secours mais, à travers leurs pleurs, on pouvait les entendre implorer leur mère : « Maman, maman… »

Joseph ne broncha pas durant toute la traversée, le visage tourné vers le large. Même les paquets de pluie qui lui cinglaient la figure ne le ramenèrent pas sous l'abri où s'étaient réfugiées les enfants.

L'heure que mit l'embarcation pour atteindre l'autre rive contre vents et marées parut une éternité. Au débarquement, Titan s'ébroua et, cette fois, il ne se fit pas prier pour traverser d'un pas rapide la plate-forme vers la terre ferme. Il faisait une nuit d'encre et Joseph décida, à la grande joie des enfants, de demander le gîte aux religieuses du couvent Notre-Dame-de-toutes-Grâces de Lévis dressé sur la falaise au-dessus du port, plutôt que de bivouaquer sous la charrette à la pluie battante.

Si la traversée avait figuré les couleurs de l'apocalypse, le court séjour chez les sœurs de la Charité eut l'heur de faire oublier les derniers événements aux enfants. La grande bâtisse de briques beiges, haute de quatre étages, prit vite des allures de paradis avec son calme et son silence, son intérieur propret, ses parquets sentant bon la cire et ses statues entourées de plantes à l'extrémité des corridors. L'instinct maternel, bien plus que l'élan de charité, anima les saintes femmes à la vue des trois orphelines éplorées qui grelottaient à leur porte. On les gava de douceurs, on les lava, dorlota, bichonna. Elles dormirent dans des draps secs au fond d'un dortoir, après un repas chaud et abondant, non sans avoir raconté aux religieuses, en long et en large, les malheurs survenus dans leur existence, ces derniers temps.

De son côté, Joseph, seul représentant de la gent masculine dans ce refuge de femmes, fut envoyé dans la nouvelle partie de l'édifice dont la construction s'achevait et servait déjà d'hospice et d'hôpital pour les prêtres âgés ou malades. Dans le réfectoire de cette section, le lendemain matin, un tout jeune prêtre, plutôt blême et décharné, tenta d'engager la conversation avec lui, en dépit de son attitude peu avenante.

— Bonjour ! Je suis le père Antoine Lacroix, missionnaire chez les Oblats. Vous venez de perdre votre femme, paraît-il ? Permettez-moi de vous offrir mes condoléances, monsieur.

— Comment savez-vous ça ?

— Les nouvelles vont vite dans cet endroit. Et… on m'a dit que vous vous dirigez vers les États-Unis ?

— Ouais…

— Vous n'êtes pas le seul, vous savez. Des dizaines de milliers de Canadiens français ont fait comme vous, même si, ces dernières années, le flot s'est quelque peu interrompu à cause de la récession. Je reviens de Lowell, au Massachusetts. J'y ai travaillé comme missionnaire pour la communauté francophone. Malheureusement, un début de tuberculose m'a ramené ici, il y a quelques mois. On m'oblige à l'inaction et au repos. Dieu merci, je me porte mieux maintenant, et j'ai bon espoir d'y retourner sous peu.

Joseph s'arrêta brusquement de manger, cuillère en l'air. Le prêtre nota la montée d'intérêt et poursuivit son questionnement.

— Où comptez-vous installer vos pénates ? Connaissez-vous quelqu'un là-bas pour vous accueillir ?

L'espace d'une seconde, Joseph entrevit l'image de sa sœur Léontine installée justement à Lowell avec sa famille, et pour laquelle il ressentait peu d'affinité. Non, il ne dépendrait pas d'elle. Ni d'elle ni de personne.

— Je compte justement me rendre jusqu'à Lowell mais je n'ai pas de lien, là-bas.

— Ah ! vous allez aimer cette ville industrielle. Quoique la vie n'y soit pas aussi facile qu'on veut bien le faire croire. Les promoteurs américains qui parcourent la province à la recherche d'immigrants abusent de la crédulité des gens et dorent un peu trop la médaille. Mon meilleur ami, André-Marie Garin, exerce là-bas la fonction de curé dans l'unique paroisse francophone. Si jamais vous avez besoin d'assistance, ne vous gênez pas pour le contacter. Il vous aidera à trouver un logement, peut-être même du travail. Saluez-le pour moi et dites-lui que j'ai bon espoir de le rejoindre bientôt.

L'homme inscrivit un mot pour son ami sur un bout de papier qu'il glissa dans une enveloppe tirée d'un pan de sa soutane, comme s'il avait prévu cette rencontre matinale. Joseph empocha machinalement l'enveloppe, puis il serra la main du prêtre en le remerciant froidement. De quoi se mêlait-il, celui-là ?

Au milieu de la matinée, les trois filles quittèrent les religieuses à regret, non seulement les bras chargés de provisions, mais le cœur plus léger, rassurées par les promesses des sœurs de prier pour elles et pour le repos de l'âme de leur maman. Tout se passerait bien, les « épouses du Seigneur » l'avaient dit ! De plus, sœur Sainte-Vitaline avait expliqué que les feux follets n'existaient pas, sauf dans l'imagination des humains. Jamais personne ne reviendrait pour leur faire du mal, surtout pas leur mère ! Bien au contraire, Rébecca veillait sûrement sur ses filles et son mari. Les petites n'avaient qu'à lui parler dans le secret de leur cœur, et leur maman les entendrait.

Maigre consolation pour des orphelines impitoyablement déracinées, extirpées sans crier gare du nid où elles avaient vécu heureuses. En soupirant, les sœurs suivirent la charrette des yeux jusqu'à sa disparition au détour du grand chemin. Si seulement leur père ne se montrait pas aussi renfrogné, aussi replié sur lui-même… Perdu dans sa bulle, Joseph Laurin donnait l'impression d'habiter un univers connu de lui seul. Bien sûr, ses filles semblaient ne pas manquer de l'essentiel, il voyait à ce qu'elles mangent et dorment au sec et en sécurité, mais son attention s'arrêtait là. Leurs questions sans réponse, leur chagrin, leur déroute, leur désarroi, il ne les voyait guère, sans doute anéanti lui-même par son propre malheur.

Le convoi prit la direction de Sherbrooke, en passant par Saint-Gilles, sur l'ancien chemin Craig cahoteux et boueux. On traversa Lower Ireland[1] et on fit une pause à Irelande pour se restaurer derrière le presbytère de la petite église anglicane Holy Trinity, sise au croisement des chemins Craig et Gosford.

Joseph prenait conscience de la présence anglophone dans la région, signe indéniable qu'on approchait des États-Unis où l'on parlait exclusivement une langue étrangère qu'il ignorait totalement. Y avait-il seulement songé un instant? Comment se débrouillerait-il, là-bas? Déjà, il ne comprenait pas un traître mot de ce que les gens rencontrés ici, sur la route, lui disaient.

Au cours de la journée, plusieurs personnes lui avaient courtoisement adressé la parole en anglais et il s'était contenté de hocher la tête. L'un d'eux l'avait finalement pris par le bras et obligé à descendre sur le côté de la charrette pour lui montrer, d'un geste de la main, une roue sur le point de se détacher.

Pour la première fois, un doute s'insinua dans l'esprit du Saguenayen pendant qu'il effectuait la réparation. Il avait beau se sentir fort et brave, comment se tirerait-il d'affaire dans un lieu à la culture et aux mœurs si différentes? Arriverait-il à se faire une place au soleil dans ce pays lointain et rempli d'étrangers?

---

1. Ancien nom donné au village de Saint-Jean-de-Brébeuf à cause de la présence anglophone dans le canton.

Il se rappela la lettre que Rébecca avait reçue de Léontine, l'été dernier. Il l'avait lue et relue à plusieurs reprises, et c'est à ce moment-là précisément que l'idée d'émigrer avait commencé à germer dans son esprit. Rébecca, elle, ne voulait rien entendre de s'expatrier. Nulle part, dans sa lettre, sa sœur Léontine ne faisait allusion à des problèmes de langue ou de vie sociale. Au contraire, elle semblait apprécier son existence à Lowell, dans la collectivité francophone de plus en plus nombreuse. Ce que le missionnaire lui avait confirmé, ce matin même. Non, il n'y avait pas lieu de s'inquiéter. Le bonheur, et surtout la paix, semblaient possibles dans cet ailleurs qui le faisait rêver.

En passant dans la région de Sherbrooke, Marguerite aurait bien aimé revoir ses petits cousins Allaire dont elle avait conservé un souvenir flou avant que son oncle Alfred, frère de Rébecca, ne quitte Jonquière, après quelques années, pour retourner avec les siens dans les Cantons de l'Est, pour l'exploitation des mines d'amiante. Mais Joseph haussa les épaules quand elle en fit mention. La parenté ne l'intéressait pas, surtout celle du côté de sa femme. Rien ne l'intéressait d'ailleurs. Rien d'autre que sa folle odyssée vers cette contrée inconnue où s'étaient exilés d'autres Canadiens français dont on n'entendait plus parler, sinon pour lire leurs lettres vantardes qui éveillaient les fantasmes des pauvres et cultivaient les ambitions les plus démesurées.

Écrasés par la chaleur humide et suffocante, inattendue pour la saison, on reprit la route à la sortie de Sherbrooke, et les enfants arrivèrent difficilement à somnoler au fond de la charrette. Titan manifesta des signes de fatigue en fin d'après-midi, les narines dilatées et les yeux exorbités. Il avait péniblement avancé pendant plusieurs heures avec une lenteur mortelle sur les terrains marécageux longeant une rivière. Puis, petit à petit, le chemin était devenu raviné et avait commencé à serpenter entre les collines qui se transformèrent bientôt en hautes montagnes, premiers contreforts de la chaîne des Appalaches.

Joseph décida de s'arrêter sur le bord d'un petit lac pour établir le campement. Après tout, rien ne pressait, personne ne l'attendait nulle part. Personne ne l'attendrait plus jamais. Il pourrait disparaître ici avec ses trois filles et nul n'en saurait jamais rien. Perdue à l'autre bout du monde, la famille de Joseph Laurin ! Seule au milieu des épinettes. Sans liens, sans attaches, sans amis. Même plus de parenté. Rien ! La pleine liberté ou plutôt la pleine libération. Et la pleine solitude. Joseph avait coupé tous les ponts, maintenant. Sauf celui qui le rattachait encore à ses enfants.

Les malheureuses petites, que deviendraient-elles aux États-Unis ? À la vérité, il ne s'était pas vraiment posé la question. Il les emmenait comme on emporte son manteau et ses bottes. Parce qu'elles faisaient partie de son existence. Peut-être aurait-il dû les abandonner à leur grand-mère à Baie-Saint-Paul ou, même, les laisser dormir là-haut, au moment de mettre le feu à la maison ? Elles seraient maintenant parties pour l'au-delà avec leur mère et n'auraient pas à vivre cette terrible séparation. Et lui, il pourrait jouir d'une liberté plus complète, plus réelle. Mais il ne servait à rien d'y songer. Il les avait sur les bras, à présent. Qu'allait-il en faire ?

— Papa, est-ce qu'on peut aller se baigner sur la plage, là-bas ?

La petite Camille le regardait avec ses grands yeux innocents, le visage dévasté par des morsures d'insectes. Qu'il la trouvait mignonne, celle-là ! Sa préférée. Sa princesse… La seule, avec ses cheveux bruns et ses yeux noisette, qui ne ressemblait ni à lui ni à Rébecca. Ni à ses sœurs. Un ange…

Conciliant, il accorda sa permission. Les deux autres ne se firent pas prier pour retirer leurs longues jupes et se jeter dans l'eau fraîche avec des cris de joie. Joseph s'allongea dans l'herbe et les regarda batifoler. Avec le temps, le bonheur reviendrait. Il se surprit à sourire et décida d'« arroser ça » avec quelques lampées d'alcool.

⚜

La nuit était passablement avancée quand une envie pressante d'uriner réveilla Anne. Avec précaution, elle enjamba ses sœurs endormies sur les ballots de vêtements et dégringola hors de la charrette. Des braises se consumaient quelques pieds plus loin mais personne ne se trouvait autour.

— Papa? Où êtes-vous, papa?

Le huard, sur le lac, entendit-il l'appel de l'enfant? Il répondit par son cri plaintif et obsédant. Elle eut beau dilater les paupières et fouiller à tâtons dans la charrette et autour du feu, elle ne trouva nulle trace de son père et, tout aussi inquiétant, du cheval. Rien ne bougeait en cette nuit étoilée, pas même un souffle de vent pour agiter la moindre feuille. N'y tenant plus, elle s'accroupit en relevant sa robe de nuit. Au moins se libérer d'abord de ça…

C'est alors qu'elle l'aperçut, immobile derrière un buisson. S'y trouvait-il au moment où elle avait quitté la voiture? Ses grands yeux brillaient comme des charbons ardents. Il se leva soudain sur ses pattes de derrière et émit un grognement sourd. Paralysée de frayeur, l'enfant se sentait incapable de faire un mouvement.

— Papa! Papa! Il y a un ours! Vite, papa, j'ai peur!

Sans doute impressionné par les cris de l'enfant, l'ours détala sans demander son reste. Les hurlements d'Anne n'affolèrent pas que l'animal. Les deux autres sœurs ne mirent pas de temps à partager sa frayeur.

— Papa est parti avec Titan, et j'ai vu un ours! Maman, maman, j'ai peur…

Marguerite, tout aussi épouvantée, tenta de se faire rassurante autant pour elle-même que pour ses sœurs.

— L'ours est parti, là! Et il ne reviendra plus. Les ours, ça craint les humains, surtout ceux qui crient. Vite, grimpe dans la charrette!

— Mais… papa?

— Il va rappliquer, voyons! Peut-être qu'il n'arrivait pas à s'endormir et a décidé d'aller faire un tour sur le dos de Titan. Ou bien, il est parti chercher du bois sec pour attiser le feu et il s'est égaré à la noirceur.

— Oui, oui, c'est ça: il a perdu son chemin et il attend la clarté pour revenir. Et s'il rencontrait l'ours?

À peine rassurées, les trois sœurs commencèrent à crier « Papa, papa! » à pleins poumons. Mais leurs petites voix chevrotantes se perdaient dans la nuit. À part un faible écho, nul ne répondit. Ni l'ours, ni le huard, ni le père. Le silence effroyable qui se mit à les entourer leur donna la chair de poule. Elles s'enfouirent sous les couvertures sans fermer l'œil du reste de la nuit. Leur unique consolation fut la longue prière que Marguerite adressa à haute voix à Rébecca pour lui demander de les protéger. Ses petites filles s'ennuyaient d'elle sans bon sens, elles se sentaient seules et épuisées, elles avaient peur. Il fallait que leur maman leur vienne en aide…

Il faisait encore sombre quand Camille se leva d'un bond.

— Je vois des feux follets, je vois des feux follets !

— Où ça ? Ça n'existe pas, des feux follets ! La religieuse du couvent nous l'a dit : il s'agit d'une légende.

— Là, derrière ces sapins, j'ai vu du feu. On dirait que ça bouge. Je n'ai pas rêvé, je l'ai vraiment vu !

Malgré elle, Marguerite plissa les yeux pour scruter l'arrière des sapins. Elle lança un cri d'effroi en voyant effectivement une petite flamme s'agiter derrière les arbres.

— Ah ! mon Dieu ! Ah ! mon Dieu !

Tremblantes et muettes de peur, les fillettes virent la lueur s'approcher. C'est Camille, la première, qui reconnut son père monté sur Titan. Il tenait un tison enflammé à la main et dessinait des arabesques dans les airs. Elles se mirent à pleurer de soulagement.

— Papa, papa, où étiez-vous ?

— J'étais allé faire un tour, tout simplement. Je me suis éclairé avec cette torche.

On a eu peur, vous savez. Il y avait un ours…

— Tout est fini, maintenant. Je suis revenu exprès pour toi, ma princesse. Et pour vous aussi, mes grandes.

— Vous n'allez plus vous en aller et nous laisser encore toutes seules, hein papa ?

— Dites donc, les filles, je meurs de faim, moi ! Si on mangeait un peu ?

5

Quand il découvrit la pancarte à peine visible au ras du sol, Joseph leva les bras en l'air en criant « Victoire ! » comme s'il venait de franchir l'ultime pas entre le malheur et le bonheur. Comme si cette ligne virtuelle de démarcation entre son pays et le pays voisin signifiait la fin de tous ses problèmes. *New Hampshire, USA*. D'un côté, le dénuement, de l'autre, la prospérité. D'un côté, le deuil et les souvenirs amers, de l'autre, la résurrection et le recommencement. Comme une renaissance. Comme si Joseph Laurin venait de reprendre vie dans une autre dimension, une autre existence.

La pensée de l'inconnu ne le tourmentait plus. Il allait faire fortune aux États-Unis, il en avait la certitude. Oh *yesssss* ! Léontine l'avait écrit dans sa lettre : à Lowell, l'ouvrage ne manquait pas, il se trouvait même à la portée de la main, presque au coin de la rue. Joseph jouissait d'une réputation de bon travailleur, de ceux qui n'ont pas peur de retrousser leurs manches. En peu de temps, il réorganiserait sa vie et celle de sa famille. Il ne vivrait plus de longs hivers rigoureux dans les bois, loin des siens, et il n'aurait plus à en arracher pour cultiver une terre peu fertile soumise aux intempéries. Encore quelques jours de voyagement, et il allait offrir à ses filles une existence de princesses. Oh ! il ne fallait pas se leurrer : ce ne serait pas l'éden au début, et il faudrait y mettre le temps et l'énergie. Il se sentait prêt.

À l'instar de leur père, les enfants se mirent à applaudir et à danser de joie au milieu de la route sans trop comprendre l'objet de cet élan spontané d'enthousiasme.

— C'est ici les États-Unis, papa ? Ça ressemble beaucoup à chez nous, on dirait !

— Attends, ma belle Marguerite, attends d'arriver dans une grande ville, t'en reviendras pas !

À vrai dire, Marguerite comprenait mal l'exaltation de son père. Elle ne voyait que montagnes, cours d'eau et forêts à perte de vue. Sans doute s'était-elle illusionnée sur le soi-disant paradis terrestre où les menait Joseph. La ville, la ville… Qu'était-ce donc que cette merveille plus extraordinaire que Bagotville, Québec, Lévis ou Sherbrooke ? À quoi ressemblait cette agglomération où l'industrialisation galopante générait autant de pouvoirs financiers ? Tous ces mots dont elle ne comprenait pas le sens et que son père ne cessait de rabâcher…

La jeune fille soupira. « Encore quelques jours de trajet », avait dit Joseph. Tout cela l'inquiétait. Lui faudrait-il retourner aux études dans une langue étrangère ou bien existait-il des écoles pour les francophones dans ce pays ? Et où habiteraient-ils ? Elle aimait bien sa maison de Grande-Baie, elle ! Son père aurait-il suffisamment d'argent et de temps pour en rebâtir une semblable ? Et pour leur procurer des vêtements d'hiver, surtout à elle qui avait passablement grandi dernièrement ? Déjà que ses souliers la blessaient, tant ils étaient étroits et usés.

Et ses sœurs ? Ni l'une ni l'autre ne semblait comprendre les raisons de cette expédition. Elles se laissaient ballotter sur la charrette sans poser de questions ni protester, subissant les désagréments du voyage comme une fatalité. De temps en temps, Joseph les laissait courir dans les sous-bois, histoire de se délier les jambes et de cueillir des petits fruits. Marguerite les regardait sautiller en chantonnant et elle enviait leur insouciance.

Ce mois-ci, Camille aurait dû commencer sa première année à l'école de Grande-Baie, son ancienne école et celle où Anne aurait dû retourner en septembre. Là où enseignait la douce mademoiselle Rose-Emma. Et là où se trouvaient ses bonnes amies. Elle était partie sans leur dire au revoir. Peut-être allaient-elles vite l'oublier, elle, Marguerite, la plus brillante du groupe de finissantes ? Cette année, c'est au couvent que sa mère avait promis de l'envoyer. Son inscription était même réglée. Songer à ce beau projet tombé à l'eau la rendait si nostalgique que, devant la pancarte à la peinture délavée, elle commença à pleurer sans pouvoir s'arrêter. Ses sœurs avaient beau minauder, l'encourager, rien n'y faisait. Anne la prit par la main.

— Pleure pas, Marguerite, ça va bien aller, tu vas voir. Papa l'a dit.

Joseph finit par s'en mêler, contenant difficilement sa colère.

— Ça va faire, le braillage ! C'est le temps de se réjouir, pas de se lamenter. Si tu n'apprécies pas ce que je fais pour vous, Marguerite, ça te regarde. Mais ne viens pas me taper sur les nerfs avec tes larmes de bébé. Et cesse donc de décourager tes sœurs !

— Pas de ma faute si je m'ennuie tout à coup de Grande-Baie. Et puis, maman…

— Grande-Baie ? Oublie ça ! Et cesse de parler de ta mère, compris ?

Marguerite ravala ses larmes et en voulut à son père de son incompréhension. Elle se promit qu'au contraire, elle n'oublierait jamais les lieux de son enfance et l'existence qu'elle y avait menée auprès de Rébecca. La tendresse de sa mère et la quiétude qu'elle ressentait quand elle se pressait contre sa poitrine lui manqueraient toujours. Un jour, quand elle serait devenue une adulte libre, elle retournerait à Grande-Baie à la recherche de ses souvenirs, et personne au monde ne l'en empêcherait, surtout pas son père ! Elle se le jura en cet instant précis, là, devant la vilaine pancarte à moitié effacée. *New Hampshire, USA…* Peuh ! des mots qu'elle ne savait même pas comment prononcer !

Une voiture chargée de passagers les doubla quelques milles plus loin. Le conducteur retira son chapeau et s'inclina pour saluer Joseph.

— Pierre Léger, de Saint-Hyacinthe. Alors, mon cher, on s'en va, comme nous, remplir son portefeuille aux États ?

Joseph fit mine de n'avoir pas entendu. L'homme insista.

— Eh ! les amis, d'où venez-vous ? Vous rendez-vous tout droit à Lowell ou vous avez l'intention de nicher ailleurs ?

— Nous, on vient de Grande-Baie ! s'écrièrent en chœur les sœurs Laurin. Et on s'en va à Lowell aussi !

Une fillette d'une douzaine d'années se souleva et se pencha dangereusement au-dessus de la rambarde.

— Tu parles d'une coïncidence ! Et où allez-vous habiter ? Nous, on s'en va chez un de nos oncles dans la rue Aïken. Et nous allons tous travailler à la même compagnie.

— Ah ! bon.

— Et vous ?

Anne et Marguerite se tournèrent vers Joseph qui restait sans réaction. Ainsi, cette famille-là avait organisé son séjour à l'avance. Tandis qu'eux… Comme Joseph persistait dans son mutisme, monsieur Léger ordonna à son cheval d'accélérer la cadence. Il n'avait pas de temps à perdre avec cet homme asocial.

— Hue, la Grise !… Et bonne chance, les amis ! On se reverra peut-être là-bas !

Quelques instants plus tard, l'équipage disparaissait au tournant du chemin. Les filles poussèrent un soupir. Cette rencontre aurait pu s'avérer intéressante. Elles auraient pu se faire des amis, passer un moment avec des gens qui paraissaient joyeux. Au lieu de cela…

Malgré la densité des nuages, une chaleur suffocante continuait d'imprégner la région. On poursuivit le voyage en silence, le corps baigné de sueur et l'esprit embrouillé, oscillant entre le dépit et le fol espoir.

⚜

Ce soir-là, le père décida d'installer le campement sous un pont couvert enjambant la rivière Connecticut. Si l'orage faisait encore des siennes, ils pourraient au moins se mettre à l'abri sous les vieilles planches de cèdre du pont.

Les provisions venaient sérieusement à manquer. Ne restaient que quelques pots de ketchup aux fruits et une jarre de lard salé pour nourrir les voyageurs. Joseph se fit néanmoins rassurant.

— Ce n'est pas grave. Demain, on parviendra à notre premier grand village américain. Presque une ville. Il me reste un peu d'argent, on fera provision au magasin général. Pour ce soir, je vais tenter d'attraper quelques truites. Et vous, les filles, si vous alliez aux alentours pour cueillir des champignons ou quelques petits fruits oubliés par les ours.

Il regretta ces dernières paroles. Terrifiées par l'évocation des ours, les filles refusèrent obstinément de descendre de la charrette.

— Bande de poules mouillées ! Allez jouer sur le pont, alors ! Les ours ne fréquentent pas les ponts couverts. Trop de bruit, trop d'activité. Allez, ouste ! Déguerpissez ! Je ne veux pas vous revoir d'ici une heure ou deux.

Il dut répéter la consigne par deux fois avant que les enfants ne se mettent en branle, d'un pas traînant. Trop craintives pour s'éloigner, elles préférèrent rester sur le pont plutôt que de se hasarder dans les boisés environnants. Papa l'avait dit : les ours ne viennent pas sur les ponts. Elles se mirent à organiser des courses à cloche-pied. La première qui perdait l'équilibre se trouvait automatiquement éliminée de la compétition. Bien sûr, la petite Camille, moins habile, perdait à tous les coups.

Emportées par leur jeu, les fillettes ne remarquèrent pas l'attelage qui se dirigeait à une vitesse folle vers le pont, au tournant du chemin. C'est le bruit infernal des sabots et des roues de la diligence s'engageant sur les poutres de bois qui leur fit tourner la tête. Marguerite et Anne eurent le réflexe de s'agripper à la paroi de treillis pour éviter d'être happées par la voiture. Mais Camille, figée de terreur à la vue des deux bêtes énormes qui galopaient vers elle, mit une seconde de trop avant de réagir et buta contre la poutre qui balisait le passage étroit. Le devant de la diligence la frappa de plein fouet et la projeta sur le muret. Elle s'écroula sur le tablier du pont, meurtrie et couverte de sang.

La voiture s'arrêta enfin quelques pieds plus loin, et le cocher s'en vint en courant trouver les enfants. De toute évidence, il ne s'était pas attendu à trouver dans le virage trois fillettes en train de s'amuser au milieu de la voie. Il avait eu du mal à ralentir les chevaux emportés à vive allure. Passablement énervé, l'homme se pencha au-dessus de Camille qui ne bougeait plus, inconsciente.

— *Oh! my God! Oh! my God!*

Prenant ses jambes à son cou, Anne s'en fut chercher Joseph immergé un peu plus loin dans la rivière jusqu'à la taille, une magnifique truite au bout de sa ligne. Il lâcha tout et accourut sur le pont pour constater que sa benjamine se trouvait dans un état pitoyable, inanimée et couverte de blessures. Il se mit à hurler.

— Non! Pas toi aussi! Camille, reviens à toi, je t'en supplie, reviens à toi… Pas toi aussi, ma princesse, non! non!

Le cocher s'approcha de lui, le prit par les épaules et le regarda directement dans les yeux pour tenter de le ressaisir. Il lui offrit d'amener l'enfant au plus vite chez un médecin.

— Quoi?

— *Doctor, DOC-TOR!*

Dans l'énervement, l'homme criait plutôt qu'il ne parlait. Comme le mot ressemblait à s'y méprendre à «docteur», Joseph fit oui de la tête, se demandant bien où l'énergumène dénicherait un médecin au milieu de cet endroit perdu. Mais, déconcerté, il ne pouvait que le laisser faire.

Avec mille précautions, on installa la blessée sur la banquette arrière de la diligence qui ne transportait heureusement aucun passager. Puis les autres prirent place sur le banc d'en face. Joseph, pâle et muet, ne cessait de secouer la tête. Rébecca n'allait tout de même pas se venger à ce point et lui ravir sa Camille. Elle n'en avait pas le droit!

Il prit tout à coup les mains de ses autres filles assises de chaque côté et, les rapprochant près de ses lèvres, il leur demanda, pour la première fois de sa vie, de prier avec lui pour leur petite sœur, lui qui n'allait jamais à l'église et ne prononçait jamais le nom de Dieu. On se mit alors à réciter des *Notre Père* et des *Je vous salue Marie*. Les voix fébriles se mirent à répéter sur un ton monocorde ces mots soudainement remplis de sens et s'accordèrent pour le plus pitoyable chant de détresse.

Le voyage ne dura pas longtemps malgré le rythme très lent imposé aux chevaux par le cocher à cause du chemin cahoteux. À peine trente minutes plus tard, la diligence pénétra dans une petite ville. La blessée n'avait pas bronché mais saignait abondamment.

De sa banquette, l'homme se pencha vers les voyageurs et leur annonça sur un ton soulagé :

— Colebrook.

Quelques secondes plus tard, l'équipage s'engageait dans la rue Parsons et s'arrêtait devant la plus grosse maison.

— *The doctor's house.*

6

— Commotion cérébrale, nombreuses fractures au bassin, cassure d'un os du poignet et de la jambe gauche, contusions multiples et large plaie ouverte au niveau de la hanche.

— Va-t-elle s'en sortir?

— Il faut prier très fort, monsieur…

Pour la première fois depuis trente-cinq ans, Joseph Laurin se mit à pleurer. La femme lui sourit avec compassion.

Par une coïncidence extraordinaire, l'épouse du docteur Lewis parlait français avec un accent de vieille Europe. La Française leur raconta avoir connu son mari lors du séjour de celui-ci à Paris pour perfectionner ses connaissances en médecine. Quelques mois plus tard, le brillant étudiant américain retraversait l'Atlantique en compagnie de sa belle fiancée en lui promettant mer et monde dans son pays en plein essor.

Angelina y avait trouvé le bonheur, en effet, auprès de Henry et de leur fils unique dont elle s'était occupée seule, la profession de médecin de campagne ayant tenu le père constamment éloigné. Hélas, le destin n'avait pas permis à la jeune femme de réaliser son rêve d'élever une famille nombreuse. Après de multiples fausses couches, elle avait dû se faire à l'idée : à part son fils venu au monde par miracle, aucune autre voix d'enfant ne viendrait jamais égayer leur vaste et somptueuse demeure. Pour contrer son désœuvrement, elle avait donc consacré sa vie à son mari comme secrétaire et aide-infirmière, en plus de remplir scrupuleusement son rôle d'éducatrice.

Maintenant au début de la cinquantaine, elle voyait l'ennui s'installer dans son quotidien. Avec la venue d'un autre médecin dans la région, le docteur Lewis vieillissant avait passablement réduit ses tâches et ses déplacements. Il se contentait de soigner quelques vieux résidents des environs et de les recevoir à son bureau situé dans une pièce de la maison.

Malgré son âge, l'homme en imposait par sa prestance. Grand, solide, les épaules larges, le regard droit et direct, il inspirait le respect et la confiance. Quand le docteur Lewis parlait de sa voix autoritaire, on écoutait. Et on obéissait. Son regard dégageait néanmoins une certaine profondeur imprégnée de bonté. Devant le piteux état de Camille, il posa une main chaude sur celle de Joseph.

— *I'm sorry… I'm doing my best.*[2]

Dans le lit placé au centre de la chambre aux murs recouverts de tapisserie à fleurs, Camille, aussi blanche que le drap sur lequel on l'avait étendue, semblait dormir. Le petit corps était recouvert de pansements, sa tête enveloppée d'un linge blanc, son bras et sa jambe fracturés immobilisés sur des attelles de bois. Sur la table, à côté du lit, on avait déposé des tubes de pommade, des gazes, des seringues, des sirops, des fioles de toutes sortes. Joseph ne doutait pas que sa fille fût entre bonnes mains.

Angelina Lewis traduisait avec une patience d'ange chacune des paroles du médecin.

— L'important est de lui faire reprendre conscience au plus vite.

Mais la petite blessée, plongée dans un état comateux, ne cillait pas aux tentatives du médecin de stimuler ses réflexes, ni aux sollicitations répétées de ses deux sœurs, ni aux supplications de son

---

2. Je suis désolé… Je fais de mon mieux.

père. Il arrivait cependant qu'elle porte la main à sa figure et émette quelques lamentations incohérentes.

— C'est bon signe ! Il faut garder espoir ! avait dit le docteur dans une langue à laquelle Joseph et ses filles ne comprenaient rien.

On passa toute la nuit au chevet de l'enfant. Il se faisait tard quand Angelina insista pour installer les deux fillettes dans une des chambres d'invités, à l'étage. Malgré leur chagrin et l'horreur des événements, Marguerite et Anne ne se firent pas prier pour se glisser sous les draps frais et empesés des lits jumeaux. La femme les borda gentiment et déposa un furtif baiser sur leur front.

— Bonne nuit, mes chéries. N'oubliez pas votre prière.

Marguerite ne put s'empêcher de songer qu'à peine quelques jours auparavant, leur mère accomplissait ces mêmes gestes et les gratifiait du même baiser sans se douter qu'il s'agissait de la dernière fois. Elle se mit à sangloter. Anne ne mit pas de temps à venir la rejoindre sous les couvertures. Anne qui ne riait plus, qui ne sautillait plus, Anne qui était devenue muette comme la tombe… Cramponnées l'une à l'autre avec le désespoir du condamné, les deux sœurs eurent du mal à plonger dans le sommeil.

Un sommeil peuplé d'images de mort.

❧

« Maman » fut le premier mot sensé et conscient prononcé par Camille après six jours de coma. Six jours affreux où Joseph et ses enfants ne la quittèrent pas d'une semelle. Anne bondit sur ses pieds.

— Elle a dit « maman », elle a dit « maman » ! Vite, madame Angelina ! Vite, papa ! Camille a parlé. Elle est guérie ! Elle a dit « maman » ! Ah ! merci, maman ! Notre mère l'a guérie ! Je le savais, je le savais !

Joseph eut le temps de jeter un œil réprobateur à sa fille avant de se pencher au-dessus de la malade. N'avait-il pas défendu de prononcer le nom de la morte ? Les yeux perdus de Camille cherchaient à s'accrocher à un visage connu.

— Allo, ma princesse ! Te voilà revenue parmi nous… Enfin ! Enfin ! Je n'arrive pas à y croire !

On se mit à lancer des cris de joie et à frapper des mains dans la chambre. Même Angelina se mêla à l'euphorie générale. Seul le médecin caressait sa barbe grise d'un air songeur. La réflexion qu'il demanda, d'une voix étouffée, à sa femme de traduire, eut l'effet d'un pavé dans la mare.

— Qu'ils ne se réjouissent pas trop tôt. Elle a peut-être repris connaissance mais l'infection la menace toujours. J'ai décelé un peu de fièvre, ce matin, et ça ne me dit rien de bon.

La petite malade entendit-elle ces paroles de malheur ? Elle tourna la tête vers son père.

— Où est maman ?

— Maman, elle est partie au ciel. L'as-tu oublié, ma princesse ? Maman ne reviendra plus, tu te rappelles ?

L'enfant n'entendit pas la réponse et se rendormit aussitôt.

Le répit ne dura qu'une journée. Les craintes du médecin s'avérèrent fondées : la gangrène avait déjà commencé à mettre la vie de l'enfant en péril. Les jours et les nuits d'angoisse et de veille interminable recommencèrent de plus belle. Pour Joseph, le sentiment d'impuissance devint insupportable. Il pensa devenir fou. Souvent, il sortait de la maison et se dirigeait vers la charrette stationnée dans la cour arrière pour revenir quelques heures plus tard puant l'alcool.

Brûlante de fièvre, Camille sombrait dans le délire la plupart du temps, mais il lui arrivait de reprendre conscience à certains moments, ce qui maintenait l'optimisme modéré du docteur Lewis. Incapable de bouger, repliée sur sa souffrance et trop affaiblie pour se concentrer sur ce qui se passait autour d'elle, elle gardait les yeux clos. Souvent, on pouvait l'entendre implorer sa mère d'une voix pâteuse pour lui dire qu'elle avait mal.

Un jour que la fièvre se fit plus redoutable et qu'on s'acharnait à la faire baisser en plaçant des serviettes trempées dans l'eau glacée sur la tête et le corps de l'enfant, Angelina proposa de faire venir le pasteur.

Le pasteur ? Anne écarquilla les yeux. Elle ne connaissait ce mot que pour l'avoir entendu une fois ou deux à l'église lors de la lecture d'une page des Saintes Écritures où on parlait d'un pasteur prenant soin de ses brebis !

— Un pasteur ? Pourquoi un pasteur ?

Joseph se contenta de hausser les épaules. Aux yeux du père, ni un pasteur, ni un prêtre, pas même un évêque ne pourrait ramener sa fille à la santé. Encore moins leur mère défunte qu'il croyait en enfer. Si enfer il y avait. Seul Dieu détenait un pouvoir sur la vie et la mort. Et Joseph ne se sentait pas en paix avec ce Créateur tout-puissant. Dieu, il l'avait éliminé de sa vie depuis belle lurette. Ou peut-être, à l'inverse, était-ce Dieu qui l'avait abandonné ? À vrai dire, pour Joseph Laurin, Dieu existait de moins en moins. S'il lui rendait sa princesse, tant mieux. Sinon, tant pis. Il en mourrait de chagrin et sans doute irait-il la rejoindre dans le néant au plus vite. Alors, tout serait fini. Finis, l'indigence et les durs labeurs à la sueur de son front, finis, les faux espoirs et les illusions. Finis, les recommencements, les tournages à vide, les chemins bordés d'obstacles et d'embuscades. Finie aussi, la responsabilité d'élever seul ses trois enfants. Fini, l'exil. Finis, les feux follets. Finis, finis, finis…

Le pasteur de la Monadnock Congregational Church, petite église de bois de la Main Street de Colebrook, se présenta l'après-midi même, drapé dans une redingote de serge noire, chemise blanche et nœud papillon. Il ne transportait ni saint chrême pour l'onction, ni hostie pour la communion, pas même de l'eau bénite pour chasser le démon. Il se contenta de tracer un signe sur le front de l'enfant et de marmonner une courte prière et quelques invocations auxquelles le médecin et sa femme répondirent à l'unisson. Joseph, stoïque, se tenait dans un coin de la chambre sans prononcer une parole, ses deux filles collées contre lui.

Le pasteur vint ensuite lui serrer la main et prononça, toujours en anglais, des paroles qui se voulaient sans doute réconfortantes. Puis, il tira sa révérence après avoir salué le docteur et sa femme et posé la main sur la tête de Marguerite et d'Anne. On le remercia chaleureusement mais Joseph, lui, demeura impassible.

Dieu finit par entendre les prières du pasteur et rendit à Joseph sa princesse, après une semaine d'équilibre précaire entre la vie et la mort. Un bon matin, Camille sembla définitivement hors de danger. On poussa un soupir de soulagement.

Joseph ne savait comment remercier ses hôtes. Pendant plus de deux semaines, le couple leur avait généreusement procuré le gîte et le couvert sans rien réclamer en retour. Bien sûr, à part l'incendie de la maison, Angelina avait été mise au courant de leur histoire. Tout de même, il devait la vie de son enfant à ce couple charitable.

— Comment pourrais-je vous remercier de toutes vos bontés? Je n'arriverai jamais à vous dédommager en argent comptant, mais peut-être pourrais-je repeindre votre maison, retaper votre cuisine d'été, consolider les poutres de la remise?

Il savait bien que ces gens riches n'avaient pas besoin de ses services et que tout, sur leur propriété, se trouvait dans un parfait état mais, pour le reste de ses jours, il leur serait redevable. Angelina lui répondit en souriant :

— Laissez-nous votre Camille pour un mois ou deux, le temps de sa convalescence. De toute évidence, elle n'est pas, pour le moment, en mesure de supporter les péripéties d'un voyage jusqu'à Lowell. Elle a encore besoin de soins et, une fois ses fractures guéries, elle devra se réhabituer à bouger et à marcher. Faites-nous confiance. Mon mari et moi allons continuer de nous occuper d'elle. Elle remplacera notre petit-fils que nous ne voyons jamais à cause de la distance. Vous en aurez bien assez de vous réorganiser avec vos deux autres filles !

Un peu plus, et Joseph se serait remis à pleurer, ému par tant de sollicitude.

— Mon intention était, et reste toujours, de me rendre à Lowell, dans la région de Boston. Mais, en attendant la guérison de Camille, je pourrais peut-être travailler dans une ferme des alentours. Je n'ai pas envie de m'éloigner de ma princesse, vous comprenez ? Vous ne connaîtriez pas quelqu'un qui…

— Vous dites ça… À la sortie de l'office religieux, dimanche dernier, madame Peel se plaignait justement du manque de main-d'œuvre. Aujourd'hui, tout le monde veut aller faire de l'argent dans les villes industrielles, et il devient de plus en plus difficile d'embaucher des travailleurs sur les fermes. Même si Colebrook reste encore très rural, il n'échappe pas au progrès. Déjà, quelques industries ont planté pavillon dans notre village en train de se transformer en ville. Ces compagnies avalent une grande partie des ouvriers disponibles. Madame Peel, mère de trois enfants, a perdu son mari le mois dernier et, franchement, elle semble dépassée par l'ampleur des travaux à exécuter sur sa ferme. Elle et son fils aîné ne suffisent pas et elle se cherche un employé. J'ignore, cependant, si elle accepterait de vous héberger avec vos filles.

— Ça reste à voir. Indiquez-moi l'adresse, je m'y rends de ce pas.

En attelant Titan, Joseph trouva des restes nauséabonds de victuailles au fond de la charrette reléguée dans l'arrière-cour : trois vieilles truites puantes, du pain rassis, un panier rempli de casseroles et d'ustensiles souillés, et puis des couvertures en désordre, les ballots humides remplis de vêtements mouillés et sentant la moisissure à plein nez.

Le chemin vers Stewartstown Hollow menant à la ferme Peel contournait, à quelques milles du village, une immense forêt de pins et débouchait, de l'autre côté d'une rivière, sur une bruyante cascade d'eau : Beaver Brook. Gêné par l'odeur fétide qui émanait de la charrette, Joseph songea à s'arrêter un moment pour se rafraîchir. Puis il décida d'allumer un feu de camp. Pourquoi ne pas brûler ces bagages malodorants et vraisemblablement irrécupérables qui traînaient dans la charrette depuis des semaines ? Il vida la plate-forme au complet et jeta le tout dans les flammes, mis à part son fusil de chasse et la douzaine de bouteilles d'eau-de-vie qu'il lui restait, enveloppées dans du papier journal.

Soudain, un petit étui roula par terre et attira son attention. Dieu du ciel ! Le sac de bijoux de Rébecca ! Il les avait oubliés au fond de sa besace et avait failli les jeter dans le brasier. Tiens ! Ça lui donnait une idée : peut-être Angelina aimait-elle les bijoux ? Il pourrait les lui offrir en guise de remerciement. Hélas, sa femme n'avait rien possédé de valable sauf un camée reçu en héritage de sa mère. À part ça, que des bricoles sans valeur : une minuscule croix en marcassite offerte en cadeau de noces, une broche en faux diamants et une horrible épingle à chapeau en forme d'araignée, héritée il ne savait de qui.

Il s'empara du camée et l'examina de plus près. La figurine sculptée au milieu d'un médaillon d'argent représentait une femme debout protégeant de ses bras deux jeunes enfants. Deux ? Pourquoi pas trois ? Y voyant un signe précurseur de malheur, Joseph sentit la colère monter.

— Ah ! tu as bien essayé de m'enlever ma troisième fille, hein, Rébecca ? Laisse-moi te dire que tu ne gagneras pas à ce jeu-là. Les enfants m'appartiennent maintenant. Et tu n'y toucheras pas !

Il empoigna le bijou et le lança à toute volée au milieu des braises.

— Tiens ! voilà pour toi, maudite !

Puis, il jeta ses vêtements par terre et s'en alla, nu comme un ver, se lancer dans la rivière au pied de la chute pendant que, sur la berge, brûlaient les derniers vestiges de son passé. Il se lava soigneusement dans l'eau glacée et en sortit frais et dispos avec le sentiment de reprendre sa vie à zéro, ou plutôt à moins de zéro, ne possédant maintenant rien d'autre au monde que lui-même et ses trois enfants.

Un vol de corneilles vint dessiner des arabesques en croassant au-dessus du ravin mais il ne les vit pas. Paisiblement, il reprit le chemin de la ferme Peel. L'avenir lui appartenait.

7

La propriété des Peel s'étalait sur cent acres. Une douzaine de bêtes à cornes paissaient dans les pâturages tandis que des animaux de basse-cour grouillaient derrière l'appentis. Si la vieille maison ne payait pas de mine, la grange accolée directement à la colline impressionnait par ses proportions gigantesques. On y accédait par une passerelle appuyée sur des poutres de bois que les vaches empruntaient deux fois par jour à l'heure de la traite.

Joseph attacha Titan à un piquet planté près de l'entrée de la maison sur lequel on avait suspendu une pancarte se balançant dans le vent : *Jo Peel's Farm, 1825*. Comme personne ne se présentait pour l'accueillir, il monta les trois marches d'un pas hésitant et frappa quelques coups timides sur la porte. On mit un certain temps avant d'entrouvrir. Une femme, au milieu de la trentaine, le toisa d'un air méfiant.

— *Yes ?*

— Euh… *me… job… work…*

Joseph n'avait pas réussi à apprendre par cœur le petit boniment que lui avait enseigné Angelina. Malgré sa bonne volonté, les rudiments de la langue anglaise pénétraient plus difficilement dans sa tête que dans celle de ses filles.

La femme referma la porte en faisant signe que non. Mais Joseph insista et se remit à cogner en brandissant un bout de papier à travers la vitre de la porte. Curieuse, la femme céda et tendit finalement le bras pour s'emparer du message écrit de la main du docteur Lewis. Le médecin recommandait hautement Joseph Laurin, Canadien français d'origine, veuf et père de trois enfants, comme travailleur de ferme très expérimenté. La fermière finit par ouvrir tout grand pour scruter le visage de l'inconnu.

Médusé, Joseph découvrit une femme d'une grande beauté. Ses longs cheveux brun foncé retenus sur la nuque par une boucle dégageaient un visage à l'ovale parfait dont les yeux bruns en forme de lune brillaient de mille paillettes. Sous la blouse bleue de coton resserrée à la taille, saillaient de gros seins rebondis. La jupe légèrement plissée laissait deviner des hanches d'une rondeur à faire rêver.

Joseph en perdit les derniers mots d'anglais enregistrés dans sa mémoire et se mit à rire nerveusement.

— Vous, veuve de Jo Peel? Non… belle-fille de Jo Peel? Vous…

La veuve expliqua, dans un anglais minutieusement prononcé, que Jo Peel était son beau-père. Elle s'appelait Jesse et oui, elle avait besoin d'aide. Son époux, Thomas Peel, avait rendu l'âme à l'été. Son fils John était trop jeune pour s'occuper d'une telle ferme. Elle se cherchait justement quelqu'un.

Joseph n'y comprit pas grand-chose mais on finit par s'entendre, davantage par signes que par mots. Pour un salaire minime, pension incluse, il assisterait cette femme et son fils dans l'exploitation agricole du domaine. Le cheval Titan devrait participer aux travaux pour gagner sa pitance. Anne et Marguerite pourraient habiter la maison avec les jeunes Peel, mais lui, Joseph, devrait se contenter de dormir dans un recoin de la grange. Quand Jesse lui fit comprendre cette consigne avec force gestes, Joseph vit passer une ombre de méfiance sur le visage de la femme, et cela le fit sourire intérieurement. « Hé! Hé! sauvageonne, la petite veuve! »

— *Me… commencer… now*?

— *Tomorrow will be O.K.*

Une femme âgée vint rejoindre Jesse toujours appuyée au cadre de la porte avec un panier de vêtements dans les mains, et elle jeta sur Joseph un regard hostile. Autant Jesse paraissait séduisante, autant sa belle-mère, la vieille madame Peel, lui fit une impression nettement antipathique. L'aïeule faisait presque peur avec ses rares cheveux dispersés sur un crâne d'œuf, sa peau fripée, son menton pointu et ses mains crochues. Une véritable sorcière! Mais qu'importe, à son âge, la vieille n'avait sûrement rien à voir avec le fonctionnement de la ferme. Il n'aurait pas affaire à elle.

Le lendemain, les filles de Joseph acceptèrent de mauvais gré de quitter la belle maison de la rue Parsons. À peine commençaient-elles à s'adapter à la vie chez les Lewis que déjà on les déplaçait. Non seulement elles y avaient trouvé la quiétude et une certaine stabilité depuis une vingtaine de jours, mais Angelina avait ramené la douceur et la chaleur dans leur existence. Elle les avait couvées de son aile maternelle et avait cuisiné leurs plats préférés, leur avait raconté plein de choses sur sa vie en Europe et aux États-Unis, après la prière du soir, assise sur le bord de leurs lits. Les filles de Joseph ne voulaient pas partir. Dieu sait ce qui les attendait dans cette ferme inconnue, loin du centre de Colebrook et parmi d'autres étrangers qui ne parlaient pas leur langue.

Et puis, elles n'avaient pas envie de se séparer de leur petite sœur Camille qui, vraiment, n'en menait pas large. Bien sûr, elle prenait un peu de mieux et avait commencé à avaler les bouillons préparés par Angelina, mais elle demeurait encore immobile dans le grand lit qu'on lui avait maintenant installé au rez-de-chaussée «afin qu'elle se sente moins seule», avait dit la femme du docteur. Sous l'effet des médicaments, l'enfant dormait toute la journée et demeurait plutôt silencieuse. Les deux grandes s'étaient relayées pour la faire manger ou lui montrer des livres d'images. Lui arracher un sourire constituait une victoire.

Étrangement, c'est envers le docteur Lewis que la malade manifestait le plus d'intérêt. Quand il s'approchait du lit, elle s'agitait et regardait son sauveur avec des yeux rieurs. Pourtant, il la piquait souvent avec ses aiguilles, l'obligeait à avaler des remèdes à saveur dégoûtante, et il s'obstinait à faire bouger quotidiennement chacun de ses membres malgré ses cris de douleur.

Joseph, lui, était resté en retrait. Souvent, il était parti tôt le matin, monté sur Titan pour ne revenir que le soir, à la tombée de la nuit, veiller sur sa fille endormie. Sans doute l'ancien bûcheron préférait-il trouver refuge dans la campagne plutôt que dans les luxueux fauteuils de brocart du salon des Lewis. Il s'était montré peu loquace et avait manifesté peu d'émotions. Angelina s'était expliqué ce mutisme par la difficulté de l'homme à s'adapter à sa nouvelle condition de veuf. Tant de changements en un si court laps de temps… Tant de souffrances aussi. Cela ne suffisait-il pas pour expliquer la carapace d'indifférence sous laquelle le Canadien avait donné l'impression de s'abriter?

Ce matin-là, quand Joseph ordonna à ses filles de ramasser leurs rares affaires, car on partait immédiatement pour la ferme Peel, elles fondirent en larmes. Il tenta vainement de les rassurer.

— Il s'agit d'une situation temporaire. Dès que Camille sera guérie, nous partirons ensemble pour Lowell.

Lowell, Lowell… Il n'avait que ce mot-là à la bouche! À Lowell se trouvait la vie simple et heureuse, le travail aisé à dénicher, l'argent facile à ramasser. Presque sur les trottoirs! promettait-il. L'abondance, l'opulence, le bonheur total! À Lowell existaient des rues bordées de magasins, des logements à loyer, une communauté francophone, et même une certaine tante Léontine que les enfants ne connaissaient pas. Lowell représentait le bout du chemin, la destinée suprême. La fin du monde, quoi! Et la porte d'entrée du paradis terrestre. Les fillettes écoutaient les promesses de leur père en reniflant, les yeux pleins de rêve. Déjà, elles pensaient moins à leur mère perdue, abandonnée sur les planches du salon dans un passé de plus en plus lointain dans leur esprit, cet autre univers auquel on les avait contraintes de tourner le dos.

À leur arrivée à la ferme Peel, elles se butèrent aux regards hostiles de la grand-mère et à l'attitude arrogante de John, le fils de dix-sept ans au visage couvert d'acné, nouveau maître des lieux depuis la mort de son père, quelques semaines plus tôt. À peine daigna-t-il leur serrer la main avec un air condescendant. Que Jesse embauche quelqu'un pour l'aider à gérer la ferme, soit. Mais qu'elle s'encombre de deux fillettes frêles et tout à fait inutiles lui paraissait une erreur impardonnable. Deux autres bouches à nourrir ! Décidément, sa mère ne possédait pas la bosse des affaires !

Par contre, Jesse leur ouvrit les bras avec un sourire bienveillant.

— *Welcome, « Kenédjiunnes ! »*

Qui, mieux que cette femme, pouvait compatir à la douleur d'avoir perdu un être cher, elle qui venait tout juste d'enterrer l'homme de sa vie ? Elle leur désigna gentiment le coin du grenier où elles dormiraient. Un grand lit était aménagé près d'une mansarde. Marguerite nota immédiatement la vue grandiose sur laquelle s'ouvrait la fenêtre. Allons, ce nouveau changement ne s'avérerait peut-être pas aussi pénible qu'il paraissait au premier abord. Elles posséderaient au moins un coin bien à elles sous les combles. Après tout, les Américains s'étaient montrés compatissants depuis leur arrivée. Et aux dires de leur père, elles habiteraient ce lieu pour une courte période de temps seulement.

À ce sujet, Joseph les avait bien mises en garde : pas question de prononcer le mot Lowell devant les Peel. Jesse avait embauché Joseph sur une base permanente et il ne servait à rien de lui mettre la puce à l'oreille au sujet de leur départ imminent. On aviserait en temps et lieu quand Camille serait guérie.

Quant aux deux autres enfants de la maisonnée, Betty, treize ans, et son frère Terry, huit ans, ils accueillirent les nouvelles venues avec plaisir malgré la barrière de la langue. Dès leur arrivée, ils s'offrirent pour faire visiter la ferme en compagnie de Buck, le chien de garde des lieux.

Quelques minutes plus tard, des rires d'enfants résonnaient déjà derrière la colline, accompagnés de jappements joyeux.

Joseph se dit qu'il avait pris la bonne décision.

8

Les foins, comme les semences au printemps, se faisaient champ par champ. Dès son lever, Joseph s'attelait à la tâche à un rythme effréné, du levant jusqu'au couchant. Évidemment, il ne faisait pas bon ménage avec John, le fils de la maison. Imbu de lui-même et fort de sa courte expérience, lui qui avait assisté son père dès l'âge de quatorze ans, le jeune homme acceptait mal de voir un étranger prendre en charge le fonctionnement de la ferme. Il suffisait que Joseph lui donne une directive dans son anglais médiocre pour que l'adolescent fasse exactement le contraire. Sa mère avait beau lui expliquer que la récolte urgeait à ce temps-ci de l'année et que Joseph s'avérait un homme expérimenté et un excellent travailleur, John s'était mis à détester l'intrus.

Malgré tout, le mil et le trèfle commencèrent à tomber à un rythme régulier sous les faux affûtées, jusqu'à la disparition totale des tiges. Étendu sur le sol, le foin séchait au soleil durant toute la journée. Le lendemain, Jesse et les enfants le retournaient à l'aide de fourches de bois pour assurer un séchage uniforme. Si le beau temps le permettait, on le ramassait et l'attachait ensuite en bottes, et les bras vigoureux de Joseph et de John les chargeaient sur la charrette tirée par Titan ou Oxo, le puissant bœuf du troupeau. Le grand plaisir des jeunes, trop contents de participer à la corvée, consistait à grimper sur la charrette pour fouler les gerbes qu'on allait ensuite déverser au fond du fenil. Les animaux ne manqueraient pas de fourrage durant la saison froide.

Quoiqu'elle mît plus de temps que sa sœur à s'adapter à leur nouvelle existence, Marguerite sympathisa immédiatement avec Betty, de quelques mois plus âgée. Chaque jour, elle guettait le retour de l'école de la jeune fille qu'elle finit par considérer comme son modèle, son ange gardien, son professeur d'anglais et presque sa grande sœur. Une certaine complicité s'était établie entre les deux adolescentes. Ensemble, elles se pâmaient sur la beauté du petit voisin ou la coquetterie d'un collet de dentelle, elles se moquaient des accoutrements de la vieille madame Peel et elles levaient les yeux au ciel sur certains ordres de leur parent respectif.

Marguerite voyait Betty et Terry partir pour l'école avec envie. Chaque jour, un voisin faisait monter les jeunes Peel dans son boggie pour les conduire, en compagnie de ses propres enfants, à l'école primaire de Colebrook dans la Main Street. La jeune Américaine fréquentait l'institution pour la dernière année. L'an prochain, elle irait dans un couvent, comme aurait dû le faire Marguerite cet automne. Quant à John, il avait abandonné l'école après la mort de son père.

Jesse ne se gênait pas pour garder ses enfants à la maison lors des journées de corvée, à la grande joie des petites Laurin. Joseph, lui, avait décidé de ne pas inscrire ses filles à l'école pour le moment. La session se trouvait déjà largement entamée et elles ne maîtrisaient pas suffisamment l'anglais pour se tirer d'embarras. En fait, la véritable raison, non énoncée, était la durée aléatoire de leur séjour dans la région. Une fois rendu à Lowell, il aviserait. Pour l'instant, les activités de la ferme à l'extérieur, quoique harassantes, suffisaient à leur changer les idées et à les tenir occupées.

Joseph lui-même appréciait ces moments privilégiés autour de la charrette, au milieu des champs. Quand les foins seraient terminés, on se mettrait à la récolte de l'avoine dont on déchargerait les gerbes dans la grange avec précaution. Joseph y ferait le travail de battage afin de séparer les graines des épis, à la fin des labours. Il s'occuperait ensuite de la coupe du bois pour l'hiver.

Mis à part la mauvaise humeur de John, tout le monde semblait s'amuser en dépit de la lourdeur de la tâche et du souvenir des deuils qui ne manquaient pas de serrer les cœurs de temps à autre.

Un jour, Joseph perdit patience et prit rudement le garçon par le bras. Malgré les consignes, le fanfaron lui tenait tête et s'obstinait à couper les tiges de foin trop courtes. Pour la centième fois, Joseph lui expliqua d'un geste, en serrant les dents, qu'il devait tailler plus bas, à quelques pouces du sol.

— Imbécile, tu ne comprends donc rien? Je t'ai dit : coupe plus bas, près de la terre. Sinon, on n'arrivera pas à les attacher en ballots. C'est pas sorcier, ça! *More low…* Compreniche? *MORE LOW!*

Anne, qui écoutait la conversation, corrigea la langue boiteuse de son père.

— *Lower*, papa, *CUT LOWER…*[3]

Joseph regarda le fils droit dans les yeux et insista sur un ton impératif.

— *Cotte lôweure*, espèce de gnochon! *LÔWEURE…*

Le jeune releva la tête et soutint effrontément le regard de l'homme qui ne tenait plus en place. Un peu plus et Joseph lui aurait craché à la figure, à ce petit morveux, ce sale jars de la dernière couvée. Mais John haussa les épaules et préféra s'éloigner à l'autre bout du champ pour travailler en paix et continuer à couper les tiges à sa manière.

Loin de lâcher prise, Joseph revint à la charge une demi-heure plus tard et recommença ses explications sur un ton qui en disait long sur son impatience.

— *LÔWEURE*, je t'ai dit! Tu ne gagnèras pas avec moi, maudite tête de cochon! Si tu ne comprends rien quand on te parle comme un homme civilisé, je connais d'autres moyens, moi!

Hors de lui, John lança sa faux en direction de Joseph. Puis il prit ses jambes à son cou et se dirigea vers la forêt en ne demandant

---

3. Plus bas, papa, coupe plus bas…

pas son reste, sans réaliser que le manche de bois de sa faux venait de heurter violemment la cheville de l'homme. Avait-il volontairement voulu le frapper ou s'agissait-il d'un geste maladroit mû par la colère ?

Joseph n'eut pas le temps de se le demander, l'esprit embrouillé par une douleur aiguë. Il s'en retourna vers la maison en claudiquant, remerciant le ciel que la lame ne l'ait pas touché.

Témoin de la scène à travers la fenêtre, Jesse reçut le boiteux d'un air éploré et promit que son fils serait sévèrement puni. Elle fit pénétrer Joseph dans la maison en lui offrant son épaule pour le soutenir. Plus foudroyante que la douleur à son pied, la sensation de toucher cette femme mit Joseph dans tous ses états. Cette suavité, cette peau chaude et satinée, cette odeur de femme, ces cheveux soyeux qui lui frôlaient la joue, le rendirent fou. Jesse se rendit-elle compte de l'effet qu'elle produisait chez le blessé ? Elle l'installa aussitôt dans le meilleur fauteuil du salon et déposa délicatement son pied sur un coussin. Puis, elle s'employa à appliquer doucement des compresses humides et froides sur l'enflure qui prenait de plus en plus une teinte violacée.

— *It won't be so bad…*[4]

Joseph ne comprit pas mais se dit qu'il ne pouvait se trouver dans une meilleure situation : au repos forcé et soumis aux petits soins de la plus belle et la plus gentille Américaine de la planète !

Personne ne sut quelle punition fut infligée à John, si punition il y eut. Le garçon ignora le blessé et ne lui adressa plus la parole pendant tout le temps qu'il passa sur le divan du salon, pas plus qu'il ne s'informa de l'état de sa cheville. Obligé de faire le train et de rentrer les jarres d'eau, il se contentait d'effectuer l'essentiel. Soir et matin, il quittait la maison pour rapporter le lait nécessaire à la consommation quotidienne. Le reste du liquide était déposé dans des contenants de fer-blanc qu'il plongeait au fond d'un puits pour maintenir le liquide au frais en attendant que le fromager vienne lui-même le cueillir chaque jour. Quant aux récoltes, elles étaient

---

4. Ce ne sera pas trop grave…

momentanément laissées en plan. John refusait de s'en occuper. Cela pouvait attendre puisque seul l'employé de sa mère s'avérait compétent ! Il n'avait qu'à s'arranger !

Le jeune homme ne quittait pas sa chambre du reste de la journée, pas même pour les repas apportés fidèlement par sa grand-mère. Châtiment prescrit par Jesse ? Bouderie ? Bisbille avec sa mère ? Révolte ? Joseph n'en savait rien et s'en contrefichait. Mais l'atmosphère agréable des premières heures finit par s'envenimer et par devenir insupportable malgré les efforts de Jesse pour se montrer aimable. Même la vieille madame Peel qui, d'habitude, rongeait son frein silencieusement sur la chaise berçante devant la fenêtre, se montrait rébarbative à la présence du blessé dans la maison. Joseph ne comprenait rien aux discours qu'elle tenait à sa belle-fille sur un ton cinglant et en louchant de son côté, mais il devinait qu'ils le concernaient directement. Un étranger qui dort dans la maison d'une veuve était mal vu aux yeux puritains de la communauté protestante tout autant qu'à ceux des catholiques.

Au bout de trois jours, n'en pouvant plus, Joseph se déclara guéri et se dirigea vers les bâtiments en clopinant, non sans un pincement au cœur : il ne ferait plus l'objet des douces attentions de la belle Jesse.

John ne se montra plus, et Joseph dut s'occuper seul, avec ses filles, de la traite biquotidienne des vaches, de l'écrémage du lait, de la fabrication du beurre à l'aide d'une baratte dont il apprit l'usage grâce aux enseignements de Jesse. Il lui fallut aussi laver les auges et nettoyer l'étable à fond. Le pauvre mari foudroyé par une pneumonie n'avait pas eu le temps de s'en occuper avant de mourir. L'hiver approchait à grands pas et il importait de terminer les récoltes et de préparer les moulées. De plus, il faudrait faire entrer les animaux de trait à l'intérieur avant longtemps.

Les poules, elles, étaient encore laissées en liberté dehors mais, bientôt, elles aussi devraient réintégrer leurs nids à l'intérieur, leurs juchoirs et la trémie. Les enfants se faisaient un plaisir de leur lancer des poignées de grains secs deux ou trois fois par jour et de rapporter des œufs à la maison.

Quand Betty et Terry passaient la journée à l'école et que Joseph n'avait pas besoin d'elles, la veuve enseignait à Marguerite et à Anne les menus travaux ménagers de nettoyage, préparation des repas, mise en conserve, couture, raccommodage. Leurs vêtements ayant, pour la plupart, été mis au feu par Joseph, Jesse avait fouillé dans les coffres du grenier pour leur dénicher quelques robes et manteaux qu'elle dut ajuster à leur taille. Les deux grandes apprenaient facilement aussi bien les rudiments de la langue anglaise que les habiletés manuelles. Somme toute, une apparence de bonheur semblait vouloir réintégrer leur existence auprès de la fermière bienveillante et maternelle.

Le soir, quand Jesse soufflait sur les lampes à huile de la maison, le sommeil ne tardait pas à venir. Seul John se tournait et se retournait dans son lit à la recherche d'un quelconque apaisement. Il haïssait ces étrangers qui avaient envahi son territoire. Il détestait surtout l'homme. Ce sans-gêne monopolisait toute l'attention de sa mère, elle, la veuve qui aurait dû porter le voile noir du deuil et afficher un visage larmoyant. Au lieu de cela, il l'entendait rire et badiner avec les enfants et Joseph. Pire, l'autre soir, il l'avait surprise à chanter *London Bridge is Falling Down* devant eux. Fou de rage, il avait claqué la porte et s'en était allé marcher au clair de lune jusqu'au village en rongeant son frein. On ne chante pas quand on pleure un mort! Sa mère était en train de perdre la tête. Le détestable Canadien n'allait tout de même pas remplacer son père, que diable!

De retour aux petites heures du matin, une idée saugrenue lui était passée par la tête. Et si l'emmerdeur décidait de coucher avec sa mère? Ah! ça, non! Il ne le supporterait pas. Pourquoi ne pas vérifier? Il n'avait pas hésité une seconde, avait allumé une torche et s'était introduit furtivement à l'intérieur de la grange. Joseph avait sursauté et s'était levé d'un bond en entendant grincer les portes. Il n'avait mis qu'une seconde à descendre par l'échelle de bois.

— Qui va là?

— *Oh! I'm sorry!*

Bien sûr, Joseph ne fut pas dupe des motifs de cette visite insolite. Il avait saisi le jeune homme par le collet et avait rapproché son visage du sien.

— Toi, mon tornon, de quoi te mêles-tu ? Tu ne vas pas commencer à m'espionner, tout de même ! Sacre-moi ton camp d'ici, et vite ! *Out !* As-tu compris ? *OUT !*

Le garçon ne se l'était pas fait dire deux fois et s'était enfui à toutes jambes sans avoir prononcé une parole.

Exaspéré, Joseph était retourné à sa solitude et à sa dernière bouteille d'eau-de-vie.

9

Gibecière en bandoulière et fusil à la main, Joseph marchait à pas feutrés le long de la rivière, à l'extrémité des terres de la famille Peel. Pourquoi ne pas agrémenter les menus de Jesse de quelques gélinottes ou de lièvres ? L'œil aux aguets, concentré à poser un pied léger sur les feuilles mortes afin de ne pas effaroucher une proie éventuelle, il ne vit pas que deux yeux l'observaient derrière un monticule de terre.

Ces heures trop brèves écoulées à la chasse, seul au milieu de la forêt touffue et hors des sentiers battus, le revigoraient. Loin de lui, la tâche ardue de préparer la ferme pour l'hiver ; loin de lui, les inquiétudes au sujet de Camille et la responsabilité de superviser ses filles ; loin de lui, les problèmes d'argent et la déception de voir ses projets interrompus ; loin de lui, le sale caractère du fils de la maison ; loin de lui, la pensée de dormir inconfortablement sur un tas de foin au fond d'une grange ; loin de lui, les attraits de la belle Américaine… Loin de lui, les feux follets allumés dans son esprit et qui ne cessaient de le poursuivre !

En ce moment béni, il demeurait seul face à la nature. Droit et solide, sur ce terrain boisé dont les grands chênes tendaient leurs bras aux rafales sans se laisser déraciner ni amoindrir. La tempête l'avait pourtant arraché de sa terre ancestrale, lui, Joseph Laurin, qui se croyait fort comme un chêne. Mais au moins, il pouvait se consoler en songeant qu'il avançait en toute liberté, la tête haute, et marchait fièrement vers son but malgré les embûches qui ne cessaient de ralentir son pas. Lowell… Il y arriverait bien un jour! Rien ne l'arrêterait. Pas même ses enfants. La maladie de Camille ne constituait qu'un arrêt temporaire. Hélas, cela semblait vouloir s'éterniser. Mais une fois là-bas, il prendrait racine, il se l'était juré, et il s'incrusterait comme ces arbres majestueux qui se tenaient dignement debout. La situation présente ne pouvait durer. Joseph Laurin, s'il possédait l'essence d'un chêne, se devait de s'installer définitivement pour survivre.

Il s'assit sur une roche plate et enfonça profondément son bonnet de laine sur sa tête. Le temps devenait plus frisquet. Il tira de sa poche un flacon de whisky, celui-là même dérobé dans le cabinet du salon de Jesse. Ses provisions d'alcool se trouvaient à sec. De l'eau-de-vie rapportée de Grande-Baie, il ne restait plus une goutte. Non pas qu'il fût un véritable ivrogne ni même un buveur compulsif, du moins il essayait de s'en convaincre, mais il aimait bien, le soir, prendre un petit coup pour se réchauffer.

Qu'à cela ne tienne, il avait installé à la dérobée, dans un recoin du fenil, un vieux baril de chêne déniché derrière les bâtiments. Dès que les vents plus frais avaient commencé à balancer les fruits mûrs gorgés de suc sur le bout des branches, il y avait accumulé tout ce qu'il avait pu trouver de raisins, cerises, mûres, pommettes et groseilles sauvages. Puis il avait jeté sur le tout une poche de sucre subtilisée à la cuisine. Le mélange avait fermenté quelque temps. Certes, la *baboche* récoltée avait un goût un peu bizarre mais au moins elle contenait suffisamment d'alcool pour ragaillardir son homme certains soirs de nostalgie.

Évidemment, cette boisson n'avait rien à voir avec le goût parfumé du whisky importé d'Écosse trouvé dans la réserve des Peel et dont il remplissait son petit flacon de temps à autre en l'absence de la fermière. Il n'osait songer au drame qui allait se produire quand elle découvrirait ces larcins. Bof! Après tout, il fallait garder le moral des troupes. Et il mettait tant d'ardeur au travail, il le méritait bien. De toute manière, Jesse recevait peu de visiteurs et n'ouvrait jamais son cabinet pour offrir un verre. À part le voisin qui se pointait de temps à autre et le docteur Lewis qui venait ausculter la grand-mère, personne ne frappait à la porte de Jesse Peel.

Le soleil baissait à l'horizon. Avant longtemps, il lui faudrait rentrer s'il ne voulait pas se faire attraper par la brunante en territoire peu connu. Une dernière gorgée et hop! le chasseur rentrerait bredouille mais revigoré et affamé. Prêt à se remettre à la tâche.

Il allait se lever quand tout à coup, là, juste devant lui, un grand lièvre bondit parmi les fougères. Distrait, il ne l'avait pas vu venir. Le temps d'épauler son fusil, il n'arriva à tirer qu'un unique coup avant de voir l'animal détaler derrière un massif de sapins.

Mais, à l'instant même, un deuxième coup de feu éclata, et Joseph entendit une balle lui siffler dans les oreilles. Quoi? Quelqu'un avait tiré de derrière? Mais qui? Quel était l'imbécile qui venait de lui envoyer une balle par la tête? Il se retourna d'un bloc pour apercevoir John qui le tenait en joue avec le fusil de son défunt père pointé dans sa direction. Le jeune homme, les cheveux en bataille et le visage mangé par une barbe touffue, éclata d'un rire sardonique. Fou de rage, Joseph se retenait à grand peine pour ne pas lui sauter à la figure. L'audace de l'adolescent ne lui disait rien de bon.

— Mais tu es fou! Tu aurais pu me tuer!

John s'approcha du chasseur en titubant. Il semblait avoir bu lui aussi. Joseph étendit prudemment le bras pour tenter d'agripper le fusil, mais l'autre esquiva le geste. Il ne riait plus.

— *I hate you, son of a bitch. Go back where you belong!*[5]

— Donne-moi ça! Ce n'est pas un jouet pour les enfants!

Joseph réalisa, en ce moment précis, que l'adolescent avait dû le suivre de loin, Dieu sait avec quel plan diabolique dans la tête. Si le jeune homme avait réellement voulu l'accompagner à la chasse, il n'aurait certainement pas procédé de cette façon. Sans doute avait-il guetté sa chance pour l'abattre à bout portant en faisant croire à un

---

5. Je te déteste, enfant de chienne! Retourne d'où tu viens!

accident. Il n'avait pas tiré sur le lièvre mais sur lui, Joseph. Et s'il avait raté son but, sans doute devait-il l'imprécision de son tir à l'effet de l'alcool.

Joseph n'hésita pas une seconde. Plus lucide que son adversaire, il s'élança et se jeta sur lui. Surpris, John appuya de nouveau sur la gâchette en trébuchant et, une fois de plus, manqua la cible. Hors d'équilibre, il tomba par terre. Joseph en profita pour lui retirer l'arme et la lancer au loin. Puis, il se mit à assener des coups de pied au garçon sur tout le corps.

— Maudit rat! Lève-toi et défends-toi! Si tu veux jouer à l'homme, on va jouer ça à deux. Ah! tu voulais me descendre, hein? Tu vas voir comment Joseph Laurin se défend contre des rapaces comme toi!

Il aurait pu le tuer bêtement tant la rage lui donnait de l'énergie, mais la pensée de Jesse ralentit ses ardeurs. Après tout ce qu'elle avait souffert, ces derniers mois, la pauvre femme ne méritait pas de perdre son fils, pas plus que lui-même, Joseph, ne méritait d'être séparé de sa Camille après le décès de Rébecca.

John se roulait par terre de douleur, les bras enroulés autour de la tête pour se protéger. Mais aucun son ne sortait de sa bouche. Et ce mutisme, plus que tout, confirma les doutes de Joseph : le garçon avait réellement eu l'intention de le tuer, sinon, il aurait au moins protesté de son innocence et se serait excusé. L'homme lui envoya un dernier coup dans les reins.

— Lève-toi, je t'ai dit!

C'était maintenant à son tour de le tenir en joue à la pointe de son fusil.

— Hé! Hé! Les accidents de chasse, ça peut se produire dans les deux sens, hein? T'es chanceux en maudit d'avoir une mère comme la tienne, mon ti-Pit. C'est pour elle que je t'épargne, pour elle seulement, espèce de moron!

Les yeux toujours braqués sur sa victime, Joseph s'en fut quérir le fusil du père et le lança au milieu de la rivière, profonde à cet endroit.

— Des fois qu'il te prendrait l'envie de le retrouver…

Puis il obligea le garçon à marcher devant lui en direction de la maison. Les deux hommes s'y rendirent en silence, d'un pas lent mais régulier. Dépouillé de sa besace et de son couteau de chasse lui aussi projeté dans l'eau, le garçon marchait devant en boitillant légèrement, mains en l'air et le regard vide.

En ouvrant la porte de la maison, un délicieux arôme de soupe au chou chatouilla le nez de Joseph. Jesse, affairée au-dessus de ses casseroles, lui sourit chaleureusement.

— *How many grouses*? Euh... combien de « jellynotes » ?

— Juste une.

Il saisit John par le collet et le poussa à l'intérieur de la cuisine malgré sa résistance.

— Le voilà, mon trophée de chasse !

À la vue de l'œil tuméfié et des caillots de sang au bord des narines de son fils, la mère lança un cri.

— *Oh! my God! What happened?*

Joseph ne répondit pas. Il s'approcha plutôt de l'escalier et ordonna aux enfants de descendre. Tous arrondirent les yeux à la vue du garçon affalé sur une chaise, la tête entre ses mains, ne desserrant pas les dents. Joseph demanda alors à Anne et Marguerite de s'approcher, et il s'adressa directement à elles.

— Écoutez-moi bien, les filles. Vous maîtrisez l'anglais mieux que moi, c'est un fait. Vous allez donc traduire mot à mot pour Jesse ce que je vais vous dire. Faites bien attention, c'est très sérieux. Il faut tout lui expliquer clairement, compris ?

Les deux fillettes, conscientes de la gravité du moment et gonflées de leur importance, hochèrent la tête en signe d'acquiescement.

— Ton fils, ma chère Jesse, a essayé froidement de me tuer. Il a tiré deux coups dans ma direction. Il m'a raté par maladresse, mais tu comprendras que je ne peux pas accepter ça. L'un de nous deux doit s'en aller d'ici. Moi ou lui. Un groupe d'hommes s'apprête à partir pour les chantiers, demain matin. Je conseille à ton fils de les rejoindre. S'il part, je suis prêt à passer l'éponge. S'il refuse, j'irai déclarer son agression à la police et, chose certaine, je déguerpirai immédiatement avec mes filles. Penses-y, Jesse, c'est moi ou lui. *Me or him…*

Marguerite commença à traduire chaque mot d'une voix étranglée mais dut s'interrompre un moment à l'annonce de la tentative de meurtre. Elle n'en croyait pas ses oreilles. Comment John aurait-il pu commettre un tel crime ? Lui si séduisant avec son petit air frondeur et son regard implacablement bleu, comme s'il se trouvait au-dessus des gens et des choses… Les premiers temps, il avait ignoré complètement l'existence des deux Canadiennes, mais récemment, il semblait s'intéresser à elles, surtout à Marguerite, maintenant qu'elle comprenait mieux l'anglais. L'autre jour, il avait même déposé un furtif baiser sur sa joue en posant la main sur sa hanche, et elle s'était sentie troublée. Elle ne pouvait croire que ce garçon-là avait pu agir de la sorte envers Joseph. Son père devait se tromper, il avait toujours tendance à exagérer ! Mais pourquoi John ne protestait-il pas de son innocence et ne criait-il pas au mensonge ? Un geste maladroit, une gaucherie, c'est si vite arrivé ! Et ça peut s'expliquer, non ?

En entendant l'accusation, Jesse, les yeux pleins de larmes, ne broncha pas, figée de stupéfaction. Betty étouffa un cri et se mordit les lèvres en regardant méchamment son frère. Spontanément, elle saisit le petit Terry par la main et se rapprocha d'Anne et de Marguerite, pâles comme des mortes. Les quatre jeunes semblaient vouloir faire front commun contre John qui rongeait son frein, tassé dans un coin. Un silence oppressant remplit la cuisine.

Betty et Terry auraient dû prendre spontanément la défense de leur frère. Pour quelle raison acceptaient-ils d'emblée la version de Joseph ? Cet étrange mutisme n'échappa pas à Jesse. Elle frissonna et se tourna vers Marguerite sans un regard pour Joseph dressé comme un coq. Elle la somma d'aviser son père qu'elle lui ferait part de sa décision le lendemain matin. En attendant, s'il y en a qui voulaient manger, il y avait de la soupe sur le poêle. Elle, elle allait monter dans sa chambre car elle n'en pouvait plus.

— *All of this kills me. Good night! And, please, don't bother me!*[6]

Elle se retourna et plongea ses yeux d'ambre dans ceux de Joseph. Il n'y vit que du feu et s'empressa d'ajouter :

— Moi aussi, je m'en vais me coucher.

Sans remarquer le crachat lancé derrière lui par la grand-mère, il sortit lentement et se dirigea vers la grange, l'unique lieu où il se sentait réellement chez lui et en paix. Mais, pour la première fois, il pensa à actionner la barre derrière la porte.

Cette nuit-là, Anne et Marguerite trouvèrent difficilement le sommeil. La bourrasque se déchaînait et une pluie glaciale fouettait les fenêtres de la lucarne. Nuit d'horreur où l'odieux d'une tentative de meurtre avait tenu chacun des habitants de la ferme réveillé, en proie à d'abominables pensées. On aurait dit qu'un spectre s'amusait à secouer les persiennes et le battant des portes dans une danse cauchemardesque. Aux petites heures du matin, Anne, n'y tenant plus, se colla contre sa sœur et se mit à pleurnicher.

— J'ai peur, Marguerite.

— Cesse de pleurer. Y a pas de danger, c'est juste le vent.

— J'ai peur des feux follets et des loups-garous. S'il fallait que le fantôme du père de John revienne pour défendre son fils… Il pourrait nous tuer !

Marguerite frissonna. Et si le tueur potentiel lui-même se mettait à exiger d'elle autre chose qu'un chaste baiser sur la joue ? Puisqu'il semblait capable de toutes les audaces…

— Moi, c'est John qui me fait peur. J'espère qu'il va partir. Allons, sœurette, il n'arrivera rien ! T'inquiète pas, maman nous protège.

---

6. Tout cela me tue. Bonne nuit ! Et, s'il vous plaît, ne me dérangez pas !

Seul l'épuisement parvint à calmer les deux sœurs blotties dans les bras l'une de l'autre, chapelet en main et yeux rivés sur la porte de leur chambre.

Le lendemain, la matinée se trouvait déjà avancée quand Joseph sortit de la grange, abruti par l'alcool frelaté qu'il avait ingurgité toute la nuit. Au tournant du chemin, il aperçut la charrette qui revenait à la ferme, conduite par Jesse installée seule sur la banquette. Une fois arrêtée dans l'allée, elle en descendit et pénétra dans la maison après lui avoir jeté un regard courroucé.

À partir de ce moment, on ne revit plus le fils.

10

— Je m'ennuie de Camille…
— Moi aussi.

Chaque dimanche, Joseph déposait Jesse, Betty et Terry à la Congregational Church et filait avec ses filles chez les Lewis, rue Parsons. Le service religieux protestant ne lui disait rien qui vaille. Pas plus qu'autrefois la messe catholique, d'ailleurs. Après la célébration, les enfants de Jesse assistaient aux cours d'enseignement religieux de la paroisse, ce qui laissait suffisamment de temps aux Canadiens pour visiter la petite malade.

Anne, et surtout Marguerite plutôt introvertie et mystique, avaient bien réclamé, les premiers temps, d'aller à la confesse et de recevoir la communion à l'église. Mais comme il n'existait pas de communauté catholique à Colebrook, elles cessèrent leurs requêtes. De toute manière, rendre visite à leur sœur chez le docteur Lewis leur paraissait infiniment plus excitant que d'aller bayer aux corneilles à l'office protestant dans la petite chapelle de bois et d'entendre, dans une langue étrangère, le sermon et la lecture de textes anciens auxquels elles ne comprenaient strictement rien.

Ce jour-là, assises de chaque côté de leur père sur la banquette de la charrette, elles brûlaient d'impatience de voir apparaître la grande maison aux colonnes blanches et aux persiennes noires.

Angelina et son mari les recevaient toujours avec un plaisir évident, et il n'était pas rare que la femme trouve quelque friandise ou gâterie au fond de la poche de son tablier pour les grandes sœurs de Camille pendant que le docteur servait un grog au père.

La benjamine faisait pourtant pitié à voir : considérablement amaigrie, elle parlait peu et de façon parfois incohérente, et elle ne marchait que soutenue par Angelina. D'une semaine à l'autre, les progrès étaient à peine perceptibles. Ce matin-là, elle accueillit pourtant ses visiteurs avec une joie manifeste. Mais, une fois de plus, l'explosion ne dura qu'un court moment. L'enfant, épuisée, regagna son lit et reprit son air abattu.

Consciente de la déconvenue du père et de ses filles, Angelina s'employa à alléger l'atmosphère. Elle offrit un cigare à Joseph, puis raconta la naissance de triplés dans un village voisin, la veille, supervisée par le docteur Lewis.

— D'adorables petits trésors. Vous devriez voir ça !

De toute évidence, cette femme adorait les enfants. La vie ne l'avait pas trop gâtée à cet égard et, naturellement, son fils unique avait fait l'objet de toute l'attention et la tendresse de ses parents. Médecin comme son père, le jeune homme avait épousé, à vingt ans, une Californienne d'origine et il s'était finalement établi dans l'Ouest du pays, à l'autre bout du continent. Angelina et Henry Lewis ne connaissaient pas leur petit-fils, et cela constituait la plus dure épreuve de leur existence.

Voyant Anne et Marguerite tourner en rond, la femme les amena dans le cabanon derrière la maison pour contempler la portée de chatons mis au monde par la chatte Kitty, la semaine précédente. Puis, elle leur servit une large pointe de sa fameuse tarte aux pommes. Cela les changerait du lait caillé arrosé de sucre que la fermière Jesse ne devait pas manquer de leur servir quotidiennement.

Mais rien n'y fit : le moral restait à la baisse. Même Joseph serrait les dents à la vue de sa princesse si mal en point, elle qui semblait pourtant prendre du mieux, quelques semaines auparavant.

Allait-elle enfin se remettre de ce maudit accident ? Dans combien de jours, dans combien d'autres semaines seraient-ils en mesure de déguerpir de ce coin perdu ? Plus le temps passait, plus la perspective de Lowell s'éloignait. Déjà, avec la saison froide, le travail de la ferme devenait moins astreignant. Les labours dormaient sous la gelée, les animaux avaient pris possession de l'étable, le bois de chauffage s'accumulait en piles sur le côté de la maison. Joseph n'allait tout de même pas ronger son frein et dormir sur la paille durant tout l'hiver ! Il en avait déjà assez de regarder le temps passer à travers les murs fissurés de la grange en vivant à l'ombre de la veuve. Elle n'avait pas besoin d'un employé durant l'hiver, la veuve !

D'un autre côté, Jesse lui embrouillait les idées. Veuve joyeuse s'il en est mais tout autant inaccessible… Il chassa vite l'image de cette femme merveilleuse qui remontait constamment à la surface de ses pensées. Évidemment, elle l'avait boudé pendant un certain temps à la suite du départ de John pour les chantiers. Mais l'absence du semeur de troubles avait fini par détendre l'atmosphère. La bonne humeur naturelle et la gentillesse de la fermière avaient repris le dessus rapidement. Joseph aimait l'entendre rire. L'autre matin, se croyant seule dans la maison, elle s'était mise à chanter. En l'écoutant, il avait laissé son imagination l'emporter vers des sphères de plaisir assurément interdit.

Hélas, s'il se trouvait fort aise en compagnie de Jesse, il ne devait pas oublier qu'inhérente à la vie de cette femme, se trouvait la responsabilité d'une famille, d'un fils exécrable et d'une belle-mère haïssable. À l'image de Jesse se liait une somme de travail astronomique sur la terre agricole qui lui était restée sur les bras et grâce à laquelle elle devait survivre. Pouah ! Cela suffisait pour empêcher Joseph d'ébaucher des projets d'avenir avec elle. Cette vie misérable de labeur, il ne l'avait que trop connue. Cette abomination qu'il tentait justement de fuir. Vite, partir au plus sacrant ! Vite, atteindre la ville et son abondance, la ville et ses plaisirs, la ville et ses facilités ! Si seulement Camille pouvait se remettre sur pied, bon Dieu de bon Dieu !

— Papa ! Camille ! Regardez le beau petit chaton !

Dans un sursaut d'énergie, la malade tenta de rabattre ses couvertures et de saisir l'adorable minet qu'Anne lui avait rapporté du cabanon. La petite bête ne demandait pas mieux que de se blottir contre le corps fiévreux de l'enfant. Joseph ne fut pas sans remarquer ses yeux cernés, la peau diaphane de ses mains et la teinte bleutée de l'extrémité de ses doigts filiformes. Devant son air interrogateur, le docteur souleva les épaules en guise d'impuissance. Angelina se sentit dans l'obligation de donner quelques explications au père démoralisé.

— Les fractures sont presque guéries, voilà au moins une bonne nouvelle. Mais l'infection ne s'est pas encore complètement résorbée. Mon mari appréhende une résurgence de la maladie sous forme d'endocardite ou quelque chose du genre.

— Endocardite ?

— Ça se produit quand les bactéries attaquent l'enveloppe du cœur.

— Et… on guérit de ça ?

— Oui, on peut… mais pas toujours. La convalescence peut s'avérer très longue. Des mois, parfois. Votre petite fille est courageuse, elle lutte bravement. Ayez confiance.

Joseph bondit sur ses pieds et vint se planter devant le médecin.

— Sauvez ma princesse, docteur, je vous en supplie ! À n'importe quel prix. Je payerai ce qu'il faut… *Understand ?*

Le médecin fit signe que oui de la tête et désigna sa femme pour répondre à sa place.

— Mon mari et moi faisons de notre mieux et, croyez-moi, il ne s'agit pas d'une question d'argent. Pas du tout !

On rejoignit Jesse, Betty et Terry dans la Main Street à la sortie des cours de religion. Joseph envia secrètement leur attitude désinvolte. Sur le chemin du retour vers la ferme, ni le père ni ses filles ne prononcèrent une parole. Jesse, consciente que les nouvelles n'auguraient rien de bon, posa silencieusement une main sur celle de Joseph. L'homme vit dans ce geste une telle compassion, une telle sollicitude qu'il faillit se mettre à pleurer tout bêtement, là, dans la voiture, au beau milieu de la forêt, en cet après-midi glacial de la fin de novembre.

Une petite neige fine se mit à danser dans l'air, au grand plaisir des enfants. On enfonça les bonnets et resserra les foulards, et on leva le nez pour se délecter des premiers chatouillements glacés sur le visage, signe précurseur de l'arrivée imminente du géant.

Déjà l'hiver! Qui aurait dit que Joseph Laurin et ses filles se trouveraient à quelques milles seulement au sud de la frontière canado-américaine plus de trois mois après leur départ? Tout ce temps perdu à vivoter sans ancrage, sans trop savoir ce que les lendemains leur réservaient... Joseph se secoua. Le temps était venu de prendre une décision.

Mais laquelle?

11

Malgré les quelques chutes de neige prématurées de novembre, les rafales du nordet tardèrent à se manifester. Décembre avançait à grands pas et le gel n'avait pas encore figé la surface de la rivière ni dessiné des fleurs de givre sur les carreaux des fenêtres.

Joseph tournait en rond, faisait les cent pas sur la grande galerie en tirant nerveusement sur sa pipe. Il n'avait finalement pris aucune décision, incapable de se résoudre à abandonner Camille pour se rendre à Lowell avec Marguerite et Anne, pas plus qu'à les laisser à la ferme pour aller couper du bois dans les chantiers.

Il attendait désespérément le temps froid pour enfin commencer à faire boucherie. L'inévitable immobilité saisonnière le tuait, surtout dans cet environnement si éloigné de son patelin. Il se sentait expatrié, prisonnier dans un lieu imprévu et non convoité. Faisait-il fausse route ? Voilà que le doute commençait à s'immiscer dans ses pensées. Évidemment, ce pays se montrait accueillant mais, certains jours, il s'y sentait plus étranger qu'il ne l'aurait imaginé. Cette langue et cette religion différentes, cette mentalité protestante... Il se prenait parfois à regretter sa bicoque délabrée de Grande-Baie aux murs décolorés et usés, la galerie de vieilles planches dénivelées, les fenêtres déboîtées, la toiture qui prenait l'eau, les bâtiments qui tombaient en ruine, l'arrière-cour jonchée de détritus... Qu'importe !

Au moins, là-bas, il se trouvait chez lui, dans ses affaires, lui, le chef de famille et le maître des lieux. Et il vivait à sa manière à lui.

Il n'y avait pas si longtemps, pourtant! Là-bas, seule Rébecca lui résistait. C'était cette ratoureuse qui avait déclenché la tempête meurtrière et fait chavirer sa barque, ce fameux jour où elle avait porté des confitures chez le voisin… Que le diable emporte son âme! Il préférait ne plus y penser.

Voilà qu'il se sentait de nouveau à la merci d'une femme, une étrangère en plus! Une femme susceptible de le mettre à la porte quand bon lui semblerait… Pendant ce temps, à quelques milles de là, sa princesse luttait depuis des mois pour sa vie dans une autre maison, entre les mains d'autres inconnus. L'impasse…

Joseph appréhendait que Jesse Peel ne se débarrasse de lui. Pourtant, n'avait-elle pas préféré acheminer son fils vers les chantiers plutôt que de les voir déguerpir, lui et ses filles? Il ne se leurrait pas cependant : il devait sa victoire aux sentiments maternels de Jesse, uniquement à cela. La mère, convaincue de l'assaut meurtrier de John et des menaces de dénonciation de Joseph, l'avait évidemment protégé en l'envoyant travailler dans les camps au lieu de le laisser enfermer derrière les barreaux. Bien sûr, durant la saison froide, elle n'avait besoin ni de son fils ni même d'un employé. Ni de trois bouches à nourrir, par surcroît! À bien y penser, tôt ou tard, Jesse était susceptible de congédier Joseph, car elle pouvait très bien s'organiser seule pour les travaux de la ferme avec l'aide de Betty. Durant la période hivernale à tout le moins.

Qu'allait-il lui arriver, au bout du compte? Plus rien ne lui appartenait, il n'était plus maître de rien. Marguerite et Anne se plaisaient sur cette ferme, il le voyait bien. Assurément, elles se fichaient des moyens financiers lamentables de leur père et de ses crises d'amertume. Les enfants, ça ne se fait pas de souci et ça oublie vite. Même les deuils! Habituées, à Grande-Baie, à se passer de la présence du paternel parti au camp de bûcherons durant la moitié de l'année, sans doute ne protesteraient-elles pas trop s'il les quittait pour retourner dans le bois, comme à l'accoutumée. Ah! partir…

Souvent, il songeait à John, en train d'abattre des arbres dans le Nord de l'État, et il l'enviait. En fermant les yeux, il pouvait entendre les cris des travailleurs, les coups de hache, le grincement des sciottes, le bruit des billots qu'on empile les uns sur les autres sur le bord des rivières. Travail viril, travail d'homme fort, grand et droit. Et solide… Travail qui justifiait de garder la tête haute. Il pouvait presque humer l'arôme de l'écorce qui cède sous le tranchant, et aussi le matin, dans le camp, celui des *bines* longuement mijotées, et encore celui des vêtements qui sèchent, le soir, suspendus sur les diables autour de la truie. Que dire de l'odeur des hommes durs à l'ouvrage, de ceux qui ne s'approchaient pas assez souvent des lavabos…

Les soirs et la journée du dimanche, les violons et les harmonicas se mettaient à chanter, les raconteurs à raconter, les joueurs de cartes à jouer. Les amoureux se languissaient de leurs blondes et leurs plumes barbouillaient des tonnes de papier. Lui aussi s'ennuyait de Rébecca, autrefois. Trop belle, la sauvage Rébecca… À la fin de mars, on fermait le chantier. Les draveurs s'occuperaient de transporter les billes déchargées sur les cours d'eau jusqu'au moulin à scie. Joseph rentrait alors à Grande-Baie, plus amoureux que jamais mais le cœur un peu anxieux de trouver un accueil tiède et banal.

Cette année, le contexte avait changé. Cette année, au prochain mois de mars, si jamais il se trouvait encore à la ferme, il verrait probablement John Peel rentrer au bercail.

❧

Joseph leva la masse en l'air, prit une profonde respiration et frappa de toutes ses forces la vache qui s'écroula d'un seul coup. Jesse poussa un soupir de satisfaction. L'homme avait bien fait son travail. Sans se concerter, les deux se penchèrent sur la bête et gardèrent le silence pendant un court instant. La mort, même voulue, décidée, planifiée, nécessaire, même celle d'un simple animal de ferme sacrifié volontairement, venait de nouveau de passer sous leurs yeux de veuf et de veuve. D'homme et de femme endeuillés par une mort récente plus cruelle et plus sournoise…

En ce lendemain de tempête et de gel, enfin, ils avaient profité du fait que les enfants s'amusaient à glisser sur la butte derrière le bâtiment, pour tuer la bête dont la famille se nourrirait au cours de l'hiver. Jesse ne voulait pas accomplir ces gestes devant ses jeunes enfants trop impressionnables. Ils apprendraient bien assez vite les réalités et les règles de la vie et de la mort. Celles de la survie aussi.

Étonné de ces scrupules, Joseph avait accepté d'emblée de l'assister. Quelle bonne mère de famille que cette femme ! Jamais lui-même n'aurait manifesté autant de délicatesse et de subtilité dans l'éducation de ses enfants. L'espace d'un moment, il se demanda si Rébecca éprouvait autrefois ce souci de ménager la sensibilité de ses filles. À la vérité, il l'ignorait. Il ne connaissait pas bien sa femme. Trop secrète, trop renfermée. Qu'importe, il était trop tard pour y songer maintenant.

Ils s'appliquèrent ensuite à retirer la peau de la vache et à débiter la viande. Quand Joseph voulut allumer un feu dans la cour pour brûler les parties non comestibles, Jesse s'y opposa. Pas question de se débarrasser des déchets. Il valait mieux geler le tout. Ça pourrait servir à fabriquer du savon, au printemps prochain. Le suif, une fois fondu, constituerait aussi un excellent combustible pour les lampes.

L'animal fut débité en quatre quartiers et la viande, séparée en portions plus ou moins grosses. Les filets et les bouts de ronde deviendraient des rôtis, les fesses, de la viande pour les pâtés, la palette, des cubes pour les ragoûts. On inséra ensuite les morceaux dans des sacs de coton avant de les enfouir dans l'avoine pour les faire congeler. Attiré par l'odeur, le chien Buck délaissa les enfants et vint quémander quelques gâteries. Joseph lui lança un os en souriant. La joie de vivre.

— C'est ici que tu dors, Joseph ?

Après le nettoyage minutieux des murs et du plancher, Jesse s'était approchée du recoin qui tenait lieu de chambre à Joseph. Jamais, depuis son arrivée, elle n'était venue à cet endroit en présence de l'homme. La literie était pourtant changée et nettoyée régulièrement. À n'en pas douter, elle profitait de son absence pour s'introduire dans son petit coin intime.

— Oui. Et, crois-moi, certaines nuits, il fait frette !

— Frette ?

— Froid ! *Cold ! Very cold !* Mais pour les gens de ma race, frette veut dire encore plus froid que froid !

Jesse ne saisit pas la subtilité. Autant Joseph progressait lentement en anglais, autant Jesse apprenait facilement le français. L'homme et la femme se comprenaient maintenant parfaitement bien dans un étonnant mélange des deux langues. L'accent de la belle fermière, quand elle prononçait des mots en français, la rendait encore plus séduisante.

— Joseph, puisque John ne reviendra pas avant le printemps, viens dormir dans sa chambre aux côtés de Terry. À tout le moins pour les nuits les plus froides.

— Et les commérages ?

— Les « *koméwrages* » ? Qu'est-ce que ça veut dire ?

— C'est ce que les bien-pensants répandent à la ronde sur ce qu'un homme et une femme peuvent faire quand ils se trouvent seuls dans une maison.

— Et que peuvent-ils faire ?

— Ça…

Joseph plongea lentement une main dans les cheveux de Jesse. Ces adorables cheveux doux comme la soie, ondulés comme les vagues d'un océan dans lequel il aurait voulu se mouiller. Puis, il souleva son menton et s'empara voluptueusement de sa bouche, emporté par une bouffée de désir. Ce désir auquel il résistait depuis longtemps. Trop longtemps. À son grand étonnement, Jesse répondit de bonne grâce. Ils n'en finissaient plus de se happer, de se mordiller les lèvres et la langue, de mélanger leurs salives.

Joseph l'étendit doucement sur ses draps et se mit à lui pétrir les seins, ces seins auxquels il rêvait depuis des semaines. Il avait envie d'y enfouir le visage pour les lécher. Il entreprit de lui retirer ses vêtements en posant ses lèvres sur chacune des parties qu'il découvrait. Elle le laissait faire en gémissant de plaisir.

Il la mena au sommet de la jouissance, avec le sentiment qu'ils n'arriveraient jamais au bout de leur désir. Plus rien d'autre n'existait soudain que l'instant présent, ce moment d'absolu où la fusion des corps devient parfaite. Ce moment où tout semble s'arrêter, où le cœur se répand dans chacun des halètements, où le sang bouillant semble prêt à éclater dans les entrailles en une formidable explosion.

Ils répétèrent leurs prouesses à plusieurs reprises, cet après-midi-là, leur intimité assurée par la barre tirée soigneusement sur la porte de la grange. Pendant un moment d'accalmie, Jesse se mit à jouer distraitement du bout des doigts sur la peau velue de la poitrine de l'homme.

— J'attendais ce moment-là depuis longtemps, même si c'est péché.

— Ah oui? Ça me surprend, Jesse. Tu me l'as bien caché.

— N'oublie pas que je suis veuve depuis aussi peu de temps que toi. Il serait plus normal de pleurer que d'aimer de nouveau, selon les conventions.

— Tu aimais ton mari?

— Oui… comme une femme mariée à seize ans avec un homme plus vieux qu'elle, choisi par son père. Thomas s'est toujours montré correct envers les enfants et moi, je n'avais pas de raisons pour ne pas l'aimer. Et toi? Ta Rébecca?

— Rébecca n'a jamais été «ma» Rébecca. Elle était une femme magnifique et charmante mais très distante. Inaccessible même. Voilà peut-être la raison pour laquelle j'ai tant aimé cette femme qui ne m'a jamais appartenu tout entière. Elle représentait une sorte de défi et alimentait ma soif de conquête. Comme un fruit défendu, quoi! À vrai dire, je l'adorais mais ne pouvais supporter son indépendance. J'aime qu'on ait besoin de moi.

Joseph se souleva sur le coude et porta son regard au loin vers un lieu virtuel connu de lui seul. Soudain, il n'était plus là. Jesse ramena ses bras autour de lui.

— Ainsi, tu ne l'as pas encore oubliée?

— Je ne l'oublierai jamais. Mais cela ne m'empêche pas de regarder les autres femmes. Toi, Jesse, je te trouve très belle et plutôt facile à vivre.

— Crois-tu pouvoir m'aimer, un jour ?

— Mais je t'aime déjà ! Tu es tellement adorable, tellement avenante !

— Je veux dire : m'aimer d'amour. Du grand amour…

— Ah ! ça, l'amour… Je préfère ne pas me poser la question pour l'instant. Pas encore. Donne-moi un peu de temps, *darling*.

C'est Buck qui ramena les amants à la réalité en aboyant devant la porte, demandant à sortir pour soulager sa panse trop tendue. Dieu du ciel ! On n'entendait plus les enfants crier sur la colline. Vite, il fallait rentrer ! Personne ne devait deviner ce qui venait de se passer dans la grange.

Le même soir, Joseph annonça à ses filles qu'à cause de la température glaciale, il occuperait l'un des lits jumeaux de la chambre des garçons pour le reste de l'hiver. Elles accueillirent cette nouvelle avec ravissement, ne se doutant pas du va-et-vient qui se produirait presque chaque nuit entre cette chambre et celle de Jesse.

C'est ainsi que Joseph avait opté pour le statu quo : il passerait le reste de l'hiver à Colebrook en attendant la complète guérison de Camille. Son projet de se rendre à Lowell se trouvait maintenant enfoui sous la neige tout comme celui d'un départ vers les chantiers. Et tant pis pour les commères ! Il n'avait rien à perdre. Il se contrefichait de sa réputation, et Jesse ne semblait pas s'en faire outre mesure à ce sujet non plus. Et tant pis aussi pour l'oreille fine des enfants ! Du grenier, Anne et Marguerite ne pourraient rien entendre. Quant à la grand-mère plutôt sourde et dont la chambre se trouvait au rez-de-chaussée, tant pis si elle voyait anguille sous roche en percevant les craquements du plancher qui ne manqueraient pas de se produire au-dessus de sa chambre. Elle n'avait qu'à s'y faire, la vieille sorcière !

12

John Peel ne revint pas à Colebrook pour Noël. Le matin de la grande fête, les Peel et les Laurin, entassés dans le traîneau familial, s'acheminèrent vers le village pour l'office matinal de la Nativité. Les petites Canadiennes s'étaient montrées déçues d'apprendre que la messe de minuit n'était pas inscrite dans les coutumes américaines. Devant la chapelle éclairée par des dizaines de petites lampes à huile, les carrioles se rangeaient le long des bancs de neige au son des grelots. Les chevaux piaffaient, les gens se saluaient, les cloches de l'église sonnaient à toute volée. Même les accents tonitruants de l'orgue se répandaient jusque dehors. L'atmosphère était à la fête.

À l'intérieur, des préludes de Jean-Sébastien Bach accueillaient la foule. Joseph reconnut le profil d'Angelina penchée au-dessus des claviers surmontés de tuyaux de différentes grandeurs. Il aperçut aussi le docteur Lewis agenouillé seul, devant le deuxième banc. De Camille, nulle trace. La petite se trouvait trop mal en point pour assister à la cérémonie.

Malgré lui, Joseph ne put s'empêcher de faire un examen de conscience en cette fête où l'on parlait de naissance, de joie et de paix. Il ne put réprimer un sentiment de culpabilité en se demandant qui s'occupait de sa princesse en ce moment précis. Il revenait à lui de veiller sur elle et de la dorloter. Quelle sorte de père était-il donc ?

Il l'avait abandonnée entre les mains d'inconnus, comme ça, simplement, sans protester. Pire, il avait installé ses autres filles, déjà passablement dépaysées, dans le grenier d'une maison inconnue. Et voilà que maintenant, il couchait avec la propriétaire à l'insu de tout le monde. Non seulement il se comportait en mauvais père mais il s'avérait un homme aux mœurs corrompues. Homme de basse classe, irresponsable et coureur de jupons par surcroît! Voilà comment Joseph Laurin se percevait, en ce matin de Noël 1880.

Que faisait-il dans cette église d'une autre confession, la conscience lourde d'erreurs impardonnables? Il ne méritait rien d'autre que l'enfer! En s'enfuyant de cette manière, quelle impression avait-il laissée à ses proches de là-bas, au Saguenay? Celle d'un lâche fuyant la réalité? Celle d'un sans-cœur? Ou d'un fou, maniaque du feu? Non… personne ne pouvait se douter qu'il avait mis lui-même le feu à sa maison. Mais, en ce jour de Noël, se trouvait-il quelqu'un, quelque part en Amérique, pour penser à lui avec bienveillance? Peut-être sa sœur Hélène et les siens, au Saguenay, évoqueraient-ils son souvenir? Peut-être ses parents Georges et Yvette, oubliés à Baie-Saint-Paul, auraient-ils une pensée pour leur fils et leurs trois petites-filles? Il ne leur avait donné aucun signe de vie malgré ses promesses. Tant pis! Il n'y retournerait pas, de toute façon.

Il jeta un œil sur ses deux grandes, en prière à ses côtés. Marguerite s'était développée, ces derniers temps. Elle deviendrait bientôt une femme. Elle ne connaissait rien des choses de la vie. Qui les lui apprendrait? Lui? Il ne trouverait certainement pas les mots ni la manière. Il l'avait retirée de l'école inconsidérément, sans lui demander son avis, elle qui rêvait de devenir plus tard une maîtresse d'école. La pauvre! Comment pourrait-elle enseigner aux États-Unis, dans une langue qui n'était pas la sienne? Elle ferait mieux de renoncer à ce beau projet.

Anne, elle, demeurait encore une petite fille candide. Elle se sentait bien, naguère, dans les jupes de sa mère. Quel choc, quel vide avait-elle dû ressentir à la disparition de Rébecca! Manifestement, elle manquait de sécurité et ressentait encore un pressant besoin d'être rassurée, réconfortée. Dans son empressement à partir en exil, en avait-il seulement tenu compte ? Dans son insigne folie…

Quant à Camille, mieux valait ne pas y songer, amochée comme elle l'était. Qu'elle fût encore en vie relevait du miracle. Il n'avait pas à se sentir coupable de l'avoir laissée dans la maison de la rue Parsons. Cela tenait lieu d'hôpital. Sans le docteur et sa femme, elle aurait rejoint Rébecca dans les ténèbres depuis longtemps.

Ah ! quelle affaire ! Maudit rêve fou ! Maudit Lowell ! Maudit argent ! Ou plutôt, maudite pauvreté qui rend les humains complètement dingues ! Quand il faut s'arracher le cœur à longueur d'année pour se procurer l'essentiel… Quand il faut s'exiler pour survivre…

Gloria, Sanctus, Alleluia. La chorale s'en donnait à cœur joie. Ils pouvaient bien chanter *Alleluia*, les Américains ! Lui, Joseph Laurin, n'en avait rien à foutre de leurs hymnes de remerciement. Il brûlerait peut-être dans la géhenne, mais jamais il ne rendrait grâce à Dieu de l'avoir plongé dans des conditions aussi misérables. Et cela, depuis sa naissance. Ni lui dire merci, ni lui demander pardon. Il pouvait aller au diable, le bon Dieu !

Jesse perçut-elle l'état de confusion de l'homme vacillant à ses côtés ? Elle lui sourit avec bienveillance par-dessus la tête des enfants. Heureusement que cette femme s'était trouvée sur son chemin. Il lui devait tout. Un ange… L'aimait-il d'amour ? Jamais il n'avait réussi à répondre sincèrement à cette question qu'elle lui avait posée l'autre jour. Des questions, il s'en posait trop, de toute manière. Mieux valait laisser son cœur vagabonder au gré du temps que de s'engager sérieusement envers une femme. Chose certaine, quand il se trouvait dans les bras de Jesse Peel, le reste de l'univers n'existait plus. Pas même Lowell.

Au moment d'aller mettre la main sur l'Évangile en avant, il sortit dans l'allée à la suite des autres mais pivota dans la direction opposée pour se diriger vers la sortie, après avoir glissé à l'oreille de Jesse qu'il allait prendre l'air.

À la fin de la cérémonie, on le trouva endormi au fond du traîneau, une pile de couvertures par-dessus la tête.

De retour à la ferme, on dégusta un succulent dindon sauvage chassé quelques jours auparavant par Joseph à la lisière du bois, copieusement arrosé de sauce aux canneberges et accompagné de pommes de terre bouillies et de chou braisé.

Si Jesse se montrait suffisamment débrouillarde pour subvenir aux besoins des siens, elle n'avait disposé, hélas, d'aucun argent liquide pour offrir des babioles aux enfants à l'occasion de Noël. Les rares écus trouvés dans un bas de laine à la mort de son mari, elle les avait donnés à Joseph sous forme de salaire depuis le début de l'automne. Salaire insuffisant, certes, mais combien apprécié, car il l'avait utilisé en totalité pour l'achat de vêtements d'hiver et de chaussures pour lui-même et ses filles.

L'absence des deux conjoints décédés se faisait cruellement sentir en cette matinée lumineuse qu'on aurait voulue plus joyeuse. On avait beau essayer de se montrer de belle humeur, le vide créé par les absents s'avérait presque palpable. Betty et Terry autant que Marguerite et Anne mangeaient silencieusement, le nez dans leur assiette, la tête remplie de souvenirs de Noëls passés sans contredit plus heureux.

Jesse faisait de son mieux pour délier les langues, interrogeant l'une, s'occupant de l'autre, parlant d'une voix trop aiguë, riant exagérément fort. Elle lança un regard suppliant à Joseph et à sa belle-mère.

— Joseph, explique-nous comment se passent les Noëls au Canada.

— Ça ressemble un peu à ici. Quoique chez nous, Noël reste une fête plutôt religieuse. On assiste à la messe de minuit, mais on donne les étrennes aux enfants de préférence au jour de l'An.

Sans s'en rendre compte, il avait prononcé « chez nous ». Jesse se contenta de toussoter sans poser d'autres questions. Le silence envahit à nouveau la pièce. N'en pouvant plus, elle éclata en sanglots. Joseph se leva brusquement de table et vint se coller le nez contre la fenêtre. Au-dessus des arbres, le soleil semblait le narguer.

Une fois le repas terminé, la grand-mère se leva sans dire un mot pour se diriger vers sa chambre. On supposa qu'elle non plus ne pouvait supporter l'ambiance devenue trop lourde. Mais, à la surprise générale, elle en ressortit aussitôt les bras chargés de pantoufles rayées de toutes les couleurs, tricotées en catimini durant l'automne pour chacun des enfants et même pour le « *Kenédjiunne* » et ses filles ! Jesse les avait remplies d'étoiles en sucre d'érable et de biscuits en pain d'épices.

Joseph avait du mal à y croire. Quoi ? La vieille bonne femme, celle qui se montrait constamment hostile, lui avait tricoté des pantoufles ? Quelle belle leçon de magnanimité elle lui donnait ! Ne sachant comment réagir, il s'approcha gauchement pour la remercier d'une molle poignée de main, mais il se garda de l'embrasser.

Le geste de la vieille eut l'effet escompté : l'atmosphère se détendit enfin. On essaya les chaussons, les compara, les échangea, et on s'empiffra de sucreries. Jesse soupira. Les vivants reprenaient enfin leurs droits.

— Allons ! Nous, on est encore là, et… il faut fêter ça !

Elle se dirigea allègrement vers le salon pour chercher le whisky dans le cabinet. À la vue des flacons complètement vides, elle étouffa un cri et prit le parti de les montrer à Joseph d'un air interrogateur.

— John ?

L'homme prit un air déconfit. En ce jour de Noël, il ne pouvait se permettre de mentir. Il fit signe que non en se désignant discrètement du bout du doigt.

— Joseph.

Il avait articulé d'une voix si faible que seule Jesse entendit sa réponse.

— Toi ? Mais tu es un véritable petit diable, *darling* !

— Je n'ai fait que te l'emprunter, ce whisky, Jesse. T'inquiète pas, je vais le remplacer à la première occasion.

Elle lui répondit par un battement de paupières auquel il ne s'attendait nullement. Décidément, cette femme le déroutait. La semaine précédente, au bord des larmes, elle lui avait laissé entendre qu'elle ne disposait plus de suffisamment d'argent pour lui verser un salaire durant le reste de l'hiver. Elle pouvait très bien se débrouiller seule avec l'aide des enfants pour nourrir les animaux, traire les vaches, rentrer l'eau et le bois. Le gros du travail pouvait attendre au printemps où, sans doute, elle aurait encore besoin de lui ou d'un autre employé pour les labours et les semailles. Mais pour l'instant…

Et l'amour ? Surpris, Joseph l'avait écoutée sans l'interrompre. Était-elle en train de les mettre à la porte ? Soudain, il s'était senti au bord du précipice. Il s'était vu errant sur les grands chemins enneigés, ses filles pelotonnées contre lui, obligé de s'éloigner de Camille plus malade que jamais. Où aller ? Que faire ? Les deux cents milles qui le séparaient de Lowell lui avaient paru tout à coup devoir le conduire à l'autre bout de la planète. Si seulement sa princesse prenait du mieux, il serait parti au plus sacrant. Tant pis pour les coucheries avec la veuve !

Jesse ne lui avait pas donné le temps de répondre et s'était blottie tout contre lui.

— Je ne veux pas que tu partes, Joseph, pour une question d'argent. Non, non, je ne veux pas que tu t'en ailles. Reste, même si je ne peux plus te payer. Je t'en prie, ne me quitte pas. Nous partagerons le peu que je possède, voilà tout.

Il se demanda si cette offre était une preuve d'amour ou un simple geste de charité. Étrange relation que la leur, à la merci d'une question d'argent. Relation où l'amour ne pouvait fleurir que la nuit, à l'abri et dans l'obscurité. Où il fallait éviter à tout prix de scandaliser les enfants et une belle-mère sans doute aux aguets. Relation de non-dits et de retenues… Relation de mensonges. Relation de murmures et de sous-entendus alors que le cœur avait envie d'éclater au grand jour. Relation où chacun se sentait confus, à la vérité, parce que l'issue en restait inconnue. Cette idylle aboutirait-elle à l'impasse ou à un engagement sérieux ? Sincèrement, Joseph se posait la question.

Les amoureux savaient bien que tôt ou tard, il leur faudrait prendre une décision, choisir une orientation définitive, officialiser les liens ou les briser. Cette situation ne pouvait durer indéfiniment.

Sans doute incombait-il à Joseph de se brancher. Colebrook ou Lowell ? La terre ou la manufacture ? Le mariage ou la liberté ?

Jesse insistait.

— Ne pars pas, Joseph. Au printemps, je pourrai recommencer à te donner un salaire avec l'argent que John va rapporter des chantiers.

— Ah ! oui, John…

L'homme n'avait pas poursuivi sa phrase, trop conscient que ce fils dresserait toujours une barrière entre lui et cette femme. Ce fils pourri qui avait tenté de le tuer… Il ne pourrait supporter sa vue une seule minute. Et même s'il ne revenait plus, l'argent de John ressemblerait trop, aux yeux de Joseph, à l'argent du diable.

— Écoute, Jesse, Camille n'est pas encore assez bien, selon le médecin, pour supporter un voyage. Donne-moi jusqu'au printemps avant de prendre une décision. Moi non plus, je n'ai pas envie de me séparer de toi. Oublie l'argent. Je n'en ai pas besoin pour l'instant à part de servir à te payer notre pension. Je trouverai bien une solution à ce sujet, t'inquiète pas. Tant que mes filles ont tout ce qu'il leur faut…

La solution, à court terme du moins, s'était présentée le jour même, dans la Main Street de Colebrook. Joseph ne rêvait pas, il avait bien vu l'annonce placardée sur le mur de la nouvelle fabrique de chaussures du village : *Help wanted*. Il n'avait pas hésité une seconde à sonner à la porte et offrir ses services.

On avait retenu sa candidature. La sienne et celle de Marguerite. Après tout, à son âge, mieux valait la tenir occupée que de la laisser poireauter et perdre son temps autour du poêle, au fond de la cuisine. Il signa leurs formulaires d'embauche. Dès la première semaine de janvier, il attellerait Titan au traîneau et s'en irait avec sa fille gagner son loyer et le pain de ses enfants. Et, pourquoi pas, amasser un petit magot en prévision de leur arrivée à Lowell ? De plus, en se rendant à Colebrook chaque jour, il pourrait visiter Camille plus souvent. Oui, il s'agissait d'une sage décision. Enfin !

En apprenant cela, Jesse avait poussé un soupir de soulagement. L'homme n'allait pas la quitter. Pas pour le moment, du moins. Par contre, Marguerite avait réagi avec dépit. Pourquoi son père ne l'envoyait-il pas plutôt poursuivre ses études dans une institution pour jeunes filles ? Elle parlait parfaitement bien l'anglais, maintenant. Il avait décidé qu'Anne accompagnerait dorénavant Betty et Terry à l'école primaire du village, dès la semaine suivante. Pourquoi pas elle, au lieu de l'envoyer travailler dans une manufacture de chaussures ? Sa mère le lui avait promis, autrefois : « Ma petite Marguerite, tu iras à l'école aussi longtemps que tu le voudras. Je ne vais pas t'empêcher d'étudier sous prétexte que tu es une fille ! »

Et voilà qu'on lui imposait précocement, sans crier gare, une vie d'adulte dans le monde du travail. Pendant combien de temps et combien d'autres fois aurait-elle à s'adapter aux caprices et aux exigences de son père ? Depuis la mort de Rébecca, tout son univers avait basculé, s'était trouvé chamboulé. Elle n'en pouvait plus. On allait lui voler le peu d'enfance qu'il lui restait. Ne pouvait-on pas la laisser en paix pour quelques mois encore ?

L'automne précédent, elle s'était sentie bien auprès de Jesse. Ensemble, avec l'aide d'Anne, elles avaient préparé des chutneys, des pâtés, des tartes au *mince meat*, des gelées, du ketchup, des confitures. La cuisine avait souvent retenti d'éclats de voix et de fous rires. Sans parler des bonnes odeurs… La vie avait repris son cours. Bien sûr, cela ne ramenait pas leur mère mais au moins, sa sœur et elle oubliaient quelque peu les affres des derniers mois. Petit à petit, elles avaient retrouvé leur confiance en leur bonne étoile. Et voilà que Joseph lui infligeait encore un autre bouleversement, un autre milieu, un autre univers auquel s'adapter. La fureur avait grondé en elle comme un volcan prêt à exploser.

En cette journée de Noël, faute de whisky, Marguerite vit son père frapper sa tasse de thé sur celle de Jesse en souhaitant que, pour un certain temps, la paix revienne dans leur vie et celle de leurs enfants. Jesse le méritait bien, et Joseph tout autant. Dans quelques jours, la grande aventure du travail à la ville allait commencer pour lui et sa fille. Fasse le ciel que tout se passe bien ! Personne ne remarqua l'air sombre de Marguerite.

Quand vint le temps de trinquer avec elle, la jeune fille se leva spontanément de table et s'achemina vers l'escalier en retenant ses larmes. Quoi ? S'attendaient-ils à ce qu'elle se montre joyeuse à la veille d'un tel plongeon dans l'inconnu ? Les adultes ne comprenaient rien de rien ! Estomaqués, tous la virent gravir les marches à la volée en lançant un amer *Merry Christmas !* puis s'en aller brailler toutes les larmes de son corps, la tête enfoncée dans ses oreillers.

13

Les Lewis avaient invité Joseph et ses enfants à un buffet, rue Parsons, pour le soir de Noël. En fin de journée, Joseph repartit donc pour Colebrook avec ses filles pomponnées, Marguerite vêtue de la plus jolie robe de Betty, Anne arborant fièrement une nouvelle coiffure aux tresses savantes, création de Betty exécutée sous le regard admiratif du petit Terry.

Les deux sœurs tenaient à la main, l'une, une poupée de chiffon pour Camille fabriquée avec l'aide de Jesse, l'autre, une chandelle de suif sur laquelle on avait collé des pétales de fleurs séchées pour le docteur et madame Lewis.

La maison était remplie de monde. Joseph reconnut la fine fleur de la bonne société de Colebrook dont le notaire, le banquier, le pasteur et même le marchand général. À l'arrivée des Laurin, tous s'arrêtèrent de parler et se retournèrent pour examiner avec curiosité ces Canadiens français, parents de « la petite malade adoptée par le docteur et sa femme ». Joseph sursauta en entendant le mot « adopté » et jeta un regard interrogateur à Angelina. Qui parlait d'adoption ? Il n'en était pas question ! Sa princesse habitait temporairement en pension chez son médecin, rien de plus. Jamais il ne renoncerait à elle, qu'on se le tienne pour dit ! La femme du docteur comprit-elle la fureur soudaine de Joseph ? Elle s'empressa de venir lui glisser quelques mots en français à l'oreille.

— Il s'agit d'un terme inapproprié et il ne signifie pas ce que vous croyez, je vous assure. Ne vous en faites pas, Joseph, c'est seulement une façon de parler. Les gens ne réfléchissent pas à ce qu'ils disent.

Se sentant mal à l'aise, malgré tout, elle s'appliqua à créer une diversion et à diriger l'attention sur l'enfant.

— Regardez votre princesse comme elle est belle !

Dès qu'elle avait vu les siens arriver, Camille s'était mise à les appeler d'une voix fébrile, indifférente aux regards curieux braqués sur elle.

— Papa ! Marguerite ! Anne ! Regardez ce que j'ai reçu pour Noël : une belle voiturette pour me promener.

Joseph faillit s'évanouir en voyant sa princesse installée au fond d'une chaise roulante. On l'avait revêtue d'une merveilleuse robe de velours carmin ornée d'un collet de guipure, une toilette à faire rêver ses deux grandes sœurs. Mais le teint demeurait blême et les yeux, perdus au fond des orbites charbonneuses.

— Qu'est-ce que c'est que cette chaise roulante ? Camille, ne me dis pas que tu ne peux plus marcher !

Angelina accourut au secours de l'enfant et répondit pour elle.

— Non, non, ne vous en faites pas, monsieur Joseph. Votre fille va marcher normalement un jour, mon mari l'a encore affirmé hier. Mais, pour le moment, elle se trouve dans un état de faiblesse extrême. L'endocardite a failli l'emporter, vous le savez bien. Henry a pensé lui apporter ce fauteuil roulant de l'hôpital pour lui permettre de reprendre des forces. On pourra même l'amener vous visiter à la ferme !

Cette fois, c'en était trop. Sa fille en chaise roulante ! Joseph perdit tout contrôle et sentit s'ouvrir des écluses trop longtemps retenues. Une force plus grande et plus puissante que la colère elle-même l'envahit : la révolte. Il frappa le coin de la table d'un violent coup de poing et, faisant fi de l'assemblée interloquée, il approcha son visage de celui de sa fille et lui cria d'une voix gutturale :

— Dans combien de temps tu vas les reprendre, tes maudites forces, hein, Camille ? Dans combien de semaines, combien de mois ou d'années vas-tu redevenir ma fille et fonctionner normalement comme tous les enfants du monde ? Je n'en peux plus, moi, ma princesse, je n'en peux plus de t'attendre ! Je n'en peux plus de vivre cette demi-vie, cette attente infernale. Dis-moi quand on va enfin pouvoir partir d'ici, hein ? Dis-le-moi !

Désemparée, la fillette commença à pleurnicher. Angelina la prit dans ses bras pour la reconduire aussitôt dans son lit.

— Viens, ma chérie. C'est le temps d'aller faire dodo. Tu sembles très fatiguée. Dis bonsoir à ton papa et à tes sœurs. Sans oublier nos invités.

Elle referma la porte derrière elle et le claquement résonna dans le silence général comme un coup de fusil. De son côté, le médecin saisit Joseph par le bras et l'attira au fond du vivoir.

— Allons, mon cher, il ne faut pas vous affoler… J'ai reçu un petit vin de France qui n'est pas piqué des vers. Un fameux bordeaux. Ça vous tenterait d'y goûter ? Après tout, Noël n'arrive qu'une fois par année.

Quelques heures plus tard, Titan ramenait les Laurin vers la ferme. Marguerite dut elle-même prendre les rênes, car son père, encore une fois tapi au fond du traîneau sous les couvertures, braillait comme un bébé.

❦

Le jour de l'An ne fut guère plus joyeux. Aux premières heures du jour, Marguerite et Anne descendirent l'escalier sur la pointe des pieds dès qu'elles entendirent des pas dans la cuisine. Joseph, en train d'ajouter des bûches dans le poêle, ne s'attendait pas à ce que ses filles se mettent à genoux devant lui pour lui demander la bénédiction paternelle.

Quoiqu'elle ne fût guère plus croyante que son mari, Rébecca avait tenu autrefois à ce que ses enfants soient élevées dans la foi chrétienne et le respect des traditions. Chaque premier matin de l'An, elle s'était agenouillée avec les petites et avait exigé que Marguerite, en vertu de son droit d'aînesse, demande elle-même à son père de les bénir.

Cette année, la jeune fille avait un peu hésité avant de reproduire le geste. Toute la nuit, elle avait pesé les pour et les contre, appréhendant la réponse de son père. Elle ne s'attendait pas, cependant, à le voir réagir de la sorte.

— Papa, c'est aujourd'hui le jour de l'An. Voudriez-vous nous bénir, s'il vous plaît ?

Surpris, Joseph posa silencieusement une main tremblante sur la tête de chacune pendant un long moment. Puis, il leva les yeux au ciel et prononça, d'une voix étouffée, des paroles dont les fillettes ne comprirent pas le sens :

— Que le bon Dieu me pardonne… Amen.

Dans l'escalier, Jesse, témoin de la scène, n'osait bouger. Lentement, l'homme chaussa ses bottes, revêtit sa crémone et enfonça son bonnet de poil. Puis, il sortit dans la tempête sans ajouter une parole.

Depuis la veille, un vent rageur soufflait en rafales, et la neige recouvrait tout le paysage. On ne voyait pas à dix pieds à la ronde. Les deux filles restèrent à genoux, abasourdies par la surprenante réaction de Joseph. Marguerite se sentait coupable de l'avoir choqué. Elle n'aurait pas dû prendre son rôle d'aînée au sérieux. Leur mère n'était plus là, rien n'était pareil. Pourquoi tenter de reproduire ce qui n'existait plus ?

Jesse s'empressa de descendre et d'entourer les filles de ses bras.

— Ne vous en faites pas. Votre père a perdu quelqu'un de très cher, l'été dernier. Ça lui a fait mal d'y songer en ce premier matin de l'année. Mais je suis certaine qu'au fond de son cœur, il est content de votre initiative. Je suppose qu'il est allé se calmer dans l'étable.

Une demi-heure plus tard, Marguerite et Anne franchissaient, ployées sous la bourrasque, l'espace entre la maison et la grange. Sur la neige balayée par le vent, on ne pouvait déceler de traces.

Marguerite prit tout son courage en ouvrant la porte dans un grincement lugubre.

— Papa, papa, c'est nous ! Ne pleurez plus, papa. On est là,
nous ! Et Camille va guérir, ne vous en faites pas… On va partir
pour Lowell bientôt, vous allez voir. Papa, où êtes-vous ?

Nul ne répondit. On chercha dans tous les recoins du bâtiment
mais en vain. Joseph Laurin avait disparu.

Il ne réapparut que deux jours plus tard, aux petites heures
du matin. Il avait attelé Titan au traîneau, prêt à partir pour
Colebrook.

— Dépêche-toi, Marguerite, on nous attend à la manufacture
de chaussures à sept heures.

14

Collin's Shoe Shop, 468 Main Street, Colebrook, à côté de la Union Bank et presque en face de l'église. Un édifice cubique de trois étages, au toit plat et aux murs de planches percés de larges fenêtres en arcade, un auvent au-dessus de la porte d'entrée. Au rez-de-chaussée, le magasin sur le devant et le *shipping* derrière. Sur les deux étages au-dessus, la tannerie et la manufacture. Trente-cinq employés, deux patrons, une secrétaire.

Devant la porte, la fille et son père trépignaient d'énervement, elle, transie de peur, lui, excité d'entreprendre une nouvelle étape de sa vie.

La petite ville fascinait Marguerite. Cette large avenue commerciale sans arbres, ces bâtisses aux façades colorées agglutinées les unes contre les autres et alignées directement sur les trottoirs de bois, ces bureaux où l'on brassait des affaires, ces commerces, ces boutiques où l'on pouvait se procurer n'importe quoi, ces manufactures où des travailleurs unissaient leurs efforts pour fabriquer toutes sortes d'objets… À Grande-Baie, les boutiques du sellier, du meunier, du cordonnier ou du forgeron servaient non seulement d'ateliers de travail mais aussi de lieux de rencontre. On venait y fumer une pipe et régler tous les problèmes de l'univers. Tandis que dans la Main Street, les passants anonymes déambulaient sans s'attarder, trop pressés d'aller gagner ou dépenser leur argent. Faire maintenant partie de cette communauté intriguait la jeune fille et l'effrayait en même temps.

Dès que miss Helsey entrouvrit la porte de la bâtisse, une odeur rance et désagréable saisit les deux arrivants. On traversa le magasin et grimpa tout de suite à l'étage supérieur. Marguerite remarqua les escarpins raffinés de la secrétaire. Talons délicats, cuir souple et luisant, empeigne soigneusement découpée, boucles dorées.

Elle les entraîna vers la tannerie où l'on transformait les peaux nouvellement arrivées. Une douzaine d'ouvriers vêtus de sarraus de cuir noirci s'employaient à faire tremper les peaux dans des bacs de bois contenant, soit de la chaux, soit de l'acide borique. Les solutions dégageaient des émanations fétides qui prenaient à la gorge. Marguerite en ressentit aussitôt un haut-le-cœur. Dans un coin, d'autres hommes grattaient les peaux préalablement trempées et étendues sur des formes rondes pour enlever les poils d'un côté et le gras de l'autre à l'aide de larges lames non tranchantes. Jetés dans des barils, ces résidus empestaient. Plus loin, un groupe d'employés s'appliquaient à enduire d'huile les surfaces du cuir afin de le préserver. Là encore s'exhalait une odeur infecte de pourriture.

Dégoûtée, l'adolescente se demanda comment ces hommes arrivaient à travailler dans une atmosphère aussi nauséabonde. Si jamais on lui assignait l'une de ces tâches, elle en mourrait à coup sûr !

— *You'll be working here, Mister Laurin.*[7]

Marguerite jeta un regard désolé à son père. Pauvre papa… Ça le changerait des senteurs de la ferme dont il n'avait plus envie, mais certainement pas pour le mieux. Bien sûr, les émanations du fumier restaient omniprésentes dans l'étable et dans les champs, mais s'y mêlaient aussi l'agréable parfum du trèfle en fleur, du foin séché et de l'herbe coupée, sans parler de l'arôme légèrement sucré des pommetiers et des rosiers sauvages au printemps. Même l'odeur

---

7. Vous allez travailler ici, Monsieur Laurin.

enfumée des feux allumés dans les prés ou dans la cheminée valait mille fois ces puanteurs pestilentielles.

À l'étage au-dessous se trouvaient les machines à coudre. La jeune fille effarée vit une dizaine d'appareils en position verticale installés sur une base métallique. Des hommes debout actionnaient une pédale pour enclencher le mouvement de la roue du moulin qui faisait monter et descendre l'aiguille. Malgré le bruit infernal, la secrétaire expliqua que le rôle de ces hommes se limitait à coudre l'empeigne à la semelle. D'autres machines placées sur des tables servaient à exécuter les opérations plus délicates. Cette fois, les appareils étaient manipulés par des femmes dans un vacarme de tous les diables. Aucune des ouvrières ne releva la tête au passage des visiteurs. Marguerite remarqua que ces femmes de tous les âges travaillaient en silence et à la hâte. Elle apprit avec effroi que plus elles effectuaient de coutures, plus on les rémunérait. On appelait ça « travailler à l'unité ».

Un jeune garçon transportait les souliers d'une table à l'autre au fur et à mesure qu'une opération se terminait. Ainsi, la travailleuse qui cousait les côtés du soulier se limitait à cette unique fonction. La suivante, derrière elle, y ajoutait le devant, la troisième, le fermoir, et ainsi de suite. Le cordonnier-artisan des villages qui avait la satisfaction de fabriquer le soulier au complet n'existait plus.

Marguerite se dit que ce travail à la chaîne devait devenir abrutissant à la longue. Joseph, quant à lui, voyait les choses autrement et se pâmait sur l'efficacité de ces nouvelles méthodes.

— Croirais-tu ça, Marguerite ? Des dizaines et des dizaines de paires de beaux souliers neufs sortent d'ici chaque jour !

La secrétaire s'empressa d'ajouter, non sans une certaine fierté, que pas seulement des souliers sortaient de l'usine. On fabriquait aussi des bottes de travail, des chaussures d'hiver, des sacs, des ceintures, des courroies…

Marguerite remarqua la face blafarde des opératrices, leur dos courbé, leurs mains noires qui tapotaient le cuir. Elle sentit la panique l'envahir. Non, elle n'allait pas écouler toutes ses journées dans ce lieu horrible et puant ! Elle devait rêver ! Elle allait se réveiller bientôt et humer l'odeur du bon pain que Jesse cuisait dans le four à bois. Elle allait ouvrir la fenêtre et entendre la porte de la grange grincer, les mésanges batifoler dans les sapins, Terry appeler son chien en haut de la butte. Et elle irait le rejoindre et respirer le bon air vif et frais. Ce bon air aux effluves de liberté…

Non, on n'allait pas l'enfermer dans cette prison ! Pour quelle raison, grands dieux ? Pour l'amour de l'argent ? Pourquoi gagner de l'argent ? Tous les adultes n'avaient que ce mot à la bouche. L'argent… « Tu vas m'aider à défrayer notre hébergement chez les Peel », lui avait dit son père sur un ton autoritaire qui n'invitait pas à la discussion. Il en avait décidé ainsi, et les choses se passeraient ainsi. Au moins s'il lui avait laissé le choix !

Elle aurait certes préféré retourner aux études en janvier avec les autres. Betty, qui avait son âge, allait bien à l'école. Pourquoi pas elle ? Elle avait envie de se sauver en courant. Loin ! Loin d'ici, loin de ce lieu, loin de cette ville, de ce pays. Elle aurait voulu reprendre le chemin de chez elle, retrouver son village, son école, sa maison. Ces lieux si lointains, trop loin dans l'espace et dans le temps… Retrouver sa vie, retrouver sa mère et se blottir tout contre elle. Retrouver son bonheur d'autrefois. Un petit bonheur si simple en train de basculer dans l'oubli, échappé par sa mémoire d'enfant trop peu consciente pour l'avoir savouré à sa juste valeur. Cette enfance perdue sur laquelle la porte s'était brutalement refermée quelques mois plus tôt…

Quand elle voulut se retourner vers son père pour le supplier de la sortir de cet endroit, il avait déjà disparu. Parti à l'étage au-dessus sur les ordres de la secrétaire, sans l'aviser. Envolé vers le département de la tannerie, le paternel ! Évaporé sans même un regard pour sa fille. Parti gagner son maudit argent au troisième étage de la Collin's Shoe Shop, parmi les acides et la pourriture. Pouah !

On présenta à la jeune fille un formulaire d'inscription à remplir. La secrétaire entreprit de le lui lire à voix haute.

— Pas nécessaire, je sais lire.

— Ah oui ? C'est plutôt rare chez les ouvriers. Je retiens cela, ça pourrait nous être utile, un de ces jours. Vous parlez cependant avec un drôle d'accent.

— Ce n'est pas ma langue.

Marguerite faillit se mettre à pleurer de rage mais elle prit le parti de se taire. Non, ce n'était pas sa langue, et si elle savait maintenant comprendre parfaitement l'anglais, elle en ignorait totalement l'orthographe. Aussi bien dire qu'elle était analphabète ! La femme insista tout de même sur une question, au bas de la page.

— Je vous trouve bien chétive. Vous avez bien quatorze ans, n'est-ce pas ? La loi américaine, vous le savez très certainement, nous interdit d'employer des enfants de moins de quatorze ans.

Oui, elle le savait très certainement. Non, elle n'avait pas tout à fait l'âge. Pas encore. Non, elle ne se trouvait pas en loi. Non, elle ne voulait pas travailler. Oui, elle trichait.

Elle se contenta de baisser les yeux. Dix fois, son père lui avait fait jurer de mentir à ce sujet. Elle n'avait pas le choix d'obéir.

— Oui, j'ai bien quatorze ans, madame.

Elle ne revit pas son père de la journée. On lui donna pour tâche d'enfiler des lacets dans des œillets de bottines. Elle s'y plia de bonne grâce, malgré tout. Quatre autres jeunes filles accomplissaient la même opération le long d'une grande table adossée au mur. Quand elle voulut engager la conversation avec l'une d'elles, la contre-maîtresse lui signala d'un geste qu'il était interdit de parler en travaillant.

Marguerite se tourna vers la fenêtre, le cœur gros. Il neigeait à plein temps. À travers la vitre embuée, elle entrevoyait les flocons danser joyeusement dans l'air. Dieu que cette journée serait longue…

❧

Ce jour-là, Titan revint au petit trot vers la ferme Peel, au son joyeux des grelots.

— Ne fais pas cet « air de beu », Marguerite ! Tu détestes ce travail, je le sais. Mais songe que je pourrai payer à Jesse un loyer décent pour nous trois et défrayer la pension de Camille, même si le docteur Lewis n'a jamais rien réclamé. Après tout, j'ai ma fierté de père, je peux prendre mes responsabilités.

Joseph releva la tête avec l'impression de parler seul. Six jours par semaine, le traîneau ramenait les deux travailleurs harassés dans la pénombre du soir tombant. Marguerite eut envie d'ajouter que, sans doute, l'argent servait aussi à défrayer les bouteilles de whisky dont il s'approvisionnait à l'auberge presque chaque jour avant de rentrer au bercail. Mais, abrutie, elle préféra se taire. Que servirait de chialer ? Son père ne l'écouterait même pas !

Même si Joseph était porté sur les spiritueux, il tolérait l'alcool plutôt bien. Il divaguait rarement et ne devenait jamais incohérent avant d'avoir atteint le fond de la bouteille. Pourtant, certaines nuits, du haut de sa fenêtre, Marguerite le voyait sortir de la maison complètement saoul et s'en aller dormir dans la grange en chancelant. Elle ne s'expliquait pas pourquoi il préférait parfois dormir sur la paille plutôt que dans le lit de John, bien au chaud.

À bien y penser, son père, plutôt taciturne, ne paraissait pas un homme très heureux. Dans ses souvenirs d'enfant, Rébecca l'envoyait souvent paître en lui reprochant ses excès de boisson. Il partait alors en claquant la porte et ne revenait que le lendemain ou même quelques jours plus tard. La mère larmoyante, entourée de ses enfants, le voyait partir en soupirant. Jamais elle n'avait divulgué le problème de son mari à qui que ce soit.

Qu'importe, ce temps-là était révolu. Marguerite en avait bien assez de composer avec le difficile présent sans se replonger sans cesse dans un passé qui, bien qu'encore récent, lui paraissait à des décennies et n'existait plus.

Ce soir-là, de retour à la ferme après une journée de labeur à la fabrique de chaussures, elle retrouva sa sœur et les autres en train de rédiger leurs devoirs sur la table de la cuisine, à la lueur d'un fanal. Ah ! ce qu'elle aurait donné pour se joindre à eux et se casser la tête sur des problèmes de mathématiques ! Hélas, elle dut se contenter de les saluer rapidement d'un signe de tête avant de s'empiffrer silencieusement du ragoût que Jesse déposa gentiment devant elle.

Qu'aurait-elle pu leur raconter ? Que le monde des adultes lui donnait la nausée ? Qu'elle en avait assez d'enfiler, en silence, des lacets dans des trous de bottines malodorantes ? Des milliers de trous par jour ! Des milliers ? Non… des millions ! Qui pourrait compatir à sa frustration ? Qui pourrait comprendre son état de prostration, d'avilissement, d'abêtissement ? Elle se sentait fatiguée. Si fatiguée…

Une seule idée l'obsédait : aller se coucher. Dormir pour oublier. Dormir pour profiter de ce vide, ce néant opaque où le dos ne faisait plus mal, où personne ne lui criait par la tête : « *More ! Faster !*[8] » Dormir pour oublier que demain, ça recommencerait. Pour oublier les trous de bottines. Pour oublier cet ouvrier qui était passé devant elle en courant, la main en sang, blessé par une machine. Pour ne plus faire le compte des malheurs survenus à partir du jour où sa mère baignait justement dans une mare de sang au fond de son lit. Ce jour où son univers de petite fille sage et heureuse s'était écroulé. Oublier ce sang rouge, éclatant, agressant. Cette couleur d'écorché vif.

Elle détestait le sang, symbole de douleur et de souffrance. Indice des blessures du corps mais aussi de l'âme… C'est pourtant cette nuit-là, précisément, que le sang apparut dans sa culotte, comme cela arrivait à Betty régulièrement. Soudain, elle avait mal au cœur et au ventre. Ah ! cette douleur au creux des reins, comme une brûlure… Ainsi, toutes les femmes subissaient ce fléau à chaque mois ? Elle n'arrivait pas à y croire.

Réveillée par les sanglots de la jeune fille, Jesse monta au grenier malgré l'heure tardive. Avec la patience d'une mère, elle lui enseigna comment se servir d'un linge absorbant afin d'éviter les souillures de sang sur son sous-vêtement. Elle lui donna même quelques

8. Plus ! Plus vite !

vagues explications sur les raisons de ces pertes douloureuses et inutiles, mais Marguerite n'y comprit pas grand-chose.

La jeune fille appréciait la bienveillance de Jesse, cette femme admirable, presque une mère adoptive pour elle et Anne, mais jamais elle n'aurait songé à lui confier son désarroi au sujet du travail à la manufacture. Pourtant, en dépit de la triste disparition de son mari et malgré ses nouvelles responsabilités, la fermière se souciait du confort et de la santé des deux orphelines canadiennes. Elle prenait même le temps de les questionner et de les écouter, sans doute consciente de la confusion et de l'immense vide apparu trop subitement dans leur courte existence.

— *My dear*, si tu ne te sens pas bien demain matin, ne te gêne pas pour t'absenter du travail. Ça arrive à toutes les femmes, tu sais.

Se sentant prise en charge et quelque peu rassurée, Marguerite tenta de se rendormir, mais en vain. C'est seulement quand Jesse remonta lui porter une bouillotte à placer sur son ventre qu'elle réussit à trouver quelque répit.

Le lendemain, l'adolescente se prétendit en forme, n'osant annoncer à son père l'arrivée de ce que Jesse appelait les «*periods*». On ne parle pas aux hommes de ce genre de choses, surtout pas à Joseph Laurin. L'homme, obnubilé par son obsession de gagner de l'argent, se trouvait à mille lieues des préoccupations physiologiques de ses filles. Vite! il fallait partir sur-le-champ pour le travail, on ne pouvait se permettre d'arriver en retard.

Taraudée par les douleurs menstruelles, Marguerite alla vomir tout son saoul dans la cuvette avant d'aller se réfugier sous les couvertures, au fond du traîneau.

Sans mot dire.

15

Les mois d'hiver se succédèrent à l'enseigne de la froidure et des blizzards. Si, certains jours, la campagne semblait en léthargie, inerte et indolente sous des tonnes de neige, la ville, elle, continuait joyeusement ses activités. On passait le chasse-neige et grattait tous les chemins qui y menaient. De loin, on pouvait voir monter en flèche la fumée, haute et droite, des multiples cheminées nouvellement dressées au cœur du grand village, comme pour dire au monde que le centre de l'univers se trouvait là.

Colebrook n'échappait pas à la règle nord-américaine et prenait de plus en plus des allures de petite ville industrielle, étendant ses tentacules jusque dans la campagne environnante où les maisons résidentielles poussaient comme des champignons. On avait maintenant instauré un système de transport en commun de plus en plus élaboré. Même en pleine tempête, la Main Street restait animée par le va-et-vient des travailleurs et des commerçants. Des femmes encapuchonnées et des hommes engoncés dans leur « capot de poil » y circulaient à toute heure du jour. Les carrioles et les diligences laissaient descendre leurs voyageurs à la devanture des immeubles puis s'acheminaient vers les ruelles où on avait aménagé des bâtiments pour ranger les voitures et mettre les chevaux à l'abri.

Il arrivait, en de rares occasions, que Joseph et Marguerite fassent un saut rue Parsons pour prendre des nouvelles de Camille avant de retourner à la ferme, à la brunante. La fillette reprenait quelque peu ses forces mais à un rythme fort lent. Trop lent au goût de Joseph. Même si elle ne se servait presque plus de sa chaise roulante, elle ne marchait néanmoins qu'à petits pas claudicants à travers la maison, en s'appuyant difficilement sur sa jambe malade. Joseph craignait de la voir demeurer boiteuse pour le reste de ses jours.

Il ne manquait pas, de temps à autre, de glisser une pointe de méfiance sous-entendue à l'égard des généreux soignants, ce qu'Angelina interprétait comme une simple appréhension paternelle.

— Ne serait-il pas préférable de l'envoyer à l'hôpital, docteur ?

Ou encore :

— Un grand spécialiste devrait peut-être l'examiner…

D'autres fois, n'y tenant plus, il lançait une tirade acide qui avait l'heur de faire tiquer le médecin.

— C'est trop long ! Ma fille devrait se trouver sur pied depuis belle lurette. Je ne comprends plus ce qui lui arrive.

Avec indulgence, Angelina rétorquait qu'elle et son mari se trouvaient largement qualifiés pour prendre soin de Camille, cette pauvre petite…

— Rappelez-vous, monsieur Laurin, à quel point cette enfant-là était amochée lorsque vous nous l'avez amenée. Elle se trouvait entre la vie et la mort et nous l'avons sauvée. Voyez les progrès. Et puis, oubliez-vous que nous l'aimons comme notre propre fille ?

— Justement, ça m'énerve ! Cette enfant-là m'appartient. Et j'ai bien hâte de la reprendre avec moi et de la voir en mesure de suivre le reste de la famille. C'est normal, non ?

— Ne vous inquiétez pas, ça s'en vient.

Joseph hochait la tête et finissait par se réfugier dans le silence. La princesse, elle, de mieux en mieux adaptée aux habitudes de la maison Lewis, laissait repartir son père et sa sœur avec une certaine indifférence qui n'échappait pas à Joseph. Devenue le centre d'intérêt du vieux couple, elle jouissait d'une attention hors du commun. On la comblait d'affection et de tendresse et on prévenait ses moindres désirs. Sans parler des gâteries ! À maintenant sept ans, qu'attendre de plus de l'existence ?

Devant la magnifique maison de poupée construite par le médecin durant ses heures de loisirs et l'extravagante garde-robe de vêtements de poupée cousue par Angelina, Joseph serrait les dents et se remettait à rêver à Lowell. N'eût été de cet hiver qui n'en finissait plus, n'eût été, surtout, de l'autre grande princesse qui le retenait dans son lit, sans doute serait-il déjà parti s'installer là-bas avec les deux aînées, quitte à revenir chercher la petite convalescente quelques semaines plus tard.

Cependant, il devait admettre que non seulement les caresses de la belle Américaine, mais aussi la douceur de vivre auprès d'elle le gardaient de plus en plus prisonnier. Il aimait sa simplicité et sa bonne humeur inconditionnelle, son rire franc, son corps généreux qui le rendait fou.

Quand elle prenait son visage entre ses mains, dans le secret de l'alcôve, et lui bécotait le bout du nez en lui disant : *I love you, honey*, il fondait comme neige au soleil. Jamais il n'aurait cru qu'une femme aussi intelligente et rationnelle puisse se montrer si pétillante et affriolante. Sensuelle, même. Tout ce qu'il n'avait pas connu avec Rébecca, la prude qui lui parlait de décence et de devoir conjugal... Il rêvait à Jesse jour et nuit. L'Américaine l'avait littéralement ensorcelé. Tôt ou tard, il faudrait bien dévoiler cet amour illicite.

Le jour, rien ne paraissait de leur relation occulte. De toute manière, à part le dimanche, Joseph écoulait ses journées entières à la manufacture et ne rentrait que tard, le soir, en compagnie de Marguerite. Mais la nuit, il ne manquait jamais à ses intrusions clandestines sur la pointe des pieds dans la chambre voisine. Les rares fois où Jesse refusait de le recevoir à cause de ses *period*s ou d'un mal de tête, il s'en retournait, penaud, dans sa chambre ou dans l'étable noyer sa déception au fond d'une bouteille. Mais ces refus demeuraient exceptionnels.

À bien y songer, quoi d'autre Joseph Laurin aurait-il pu réclamer à la vie ? L'argent rentrait depuis son embauche chez Collin's, ses enfants ne se plaignaient pas trop et s'entendaient avec ceux de

Jesse, la ferme roulait bien et suffisait aux besoins de ses habitants. Certes, il y avait la présence exécrable de la grand-mère et l'existence non moins détestable du fils dont le retour surviendrait avant longtemps, à la fonte des neiges. Bah… On aviserait en temps et lieu. La vie n'était-elle pas faite d'une alternance d'orages et de beau temps ?

Le fils, on pouvait toujours l'envoyer à répétition dans les chantiers éloignés. Belle façon de s'en débarrasser ! Il finirait bien par trouver une jolie fille de sa race pour aller fonder un foyer ailleurs. Quoique Jesse semblât le considérer comme le futur héritier de la ferme, peut-être déciderait-il de s'établir dans un lieu éloigné de Colebrook ? Il pourrait toujours s'exiler en Californie comme le fils d'Angelina ou quelque part dans l'Ouest du continent à la recherche d'une mine d'or… Le plus loin serait le mieux. Quant à la vieille madame Peel, elle n'allait tout de même pas vivre éternellement, cette vieille chipie !

Mine de rien, le projet de partir pour Lowell, s'il existait encore, semblait quelque peu menacé par l'arrivée des chauds rayons de ce début de mars. Joseph Laurin se surprenait parfois à songer à s'établir définitivement chez les Peel. Il n'osait se l'avouer mais, certains jours, ou certaines nuits surtout, il lui prenait l'envie de demander la veuve en mariage pour légaliser leur situation et prendre officiellement possession de la ferme. Jesse ne pourrait pas refuser, trop contente de voir un homme à ses côtés pour s'occuper de l'entretien du domaine et vaquer aux multiples tâches trop lourdes et ardues pour une femme seule. D'ailleurs, sur l'oreiller, ne lui avouait-elle pas son amour ?

D'autres soirs, par contre, il se ressaisissait et tournait tous les arguments en faveur d'un départ imminent vers le Massachusetts. Déjà, le temps des travaux du printemps approchait à grands pas : la taille des érables pour les sucres, le grand nettoyage des bâtiments et des terrains, la naissance des veaux, le labourage et l'ensemencement. En avait-il vraiment envie ? Il ne le savait plus, son esprit oscillait sans cesse entre la réalisation de son rêve à Lowell et la stabilité à Colebrook. Stabilité, mais… responsabilités nombreuses, à bien y songer. Trop nombreuses! Responsabilités et engagement, obligations, travaux forcés rivés aux saisons. Travail de la terre, toujours la terre. Responsabilités et asservissement, esclavage…

Non! Il devait partir au plus vite. Il s'était juré de ne plus dépendre de la terre. Trop de labeur, trop de misère. Et la pauvreté assurée. Trop de bouches à nourrir. Une autre opportunité s'ouvrait à lui dans ce pays en plein essor : le monde industriel. Monde du travail à la chaîne, certes, mais aussi monde de la facilité et de l'abondance. Monde de la consommation où l'argent pouvait couler à flots. Et il se trouvait à portée de la main, à quelques centaines de milles de Colebrook. Il n'avait pas parcouru tout ce chemin et subi toutes ces embûches pour venir choir dans une ferme et reprendre le même style de vie qu'il détestait, tout de même!

Il se devait de tenter sa chance à Lowell, il se l'était promis. Et le temps était venu d'y voir. Si Jesse acceptait de le suivre dans la grande aventure, parfait! Il l'épouserait et ils partiraient tous ensemble. Sinon, tant pis! Une femme, surtout une femme liée à une ferme agricole, n'allait pas entraver sa route, oh que non!

Si Jesse refusait sa proposition, il partirait seul avec ses filles dès que le beau temps le permettrait. Tant pis pour les nuits ardentes et la tarte au sucre. Nom de nom, il n'allait pas passer le reste de son existence à traire des vaches! Non merci! Il devait parler sérieusement à Jesse. Et le plus tôt serait le mieux.

Une nuit, des bruits au rez-de-chaussée tirèrent les amoureux de leur sommeil. Quelques minutes plus tard, ils entendirent la grand-mère monter péniblement jusqu'à la porte de la chambre de Jesse. La vieille souffrait de coliques et implorait l'aide de sa belle-fille pour la conduire à la *back house*, le pot de chambre ne suffisant plus. Il faisait froid et elle avait peur de s'y rendre seule. Jesse s'était levée d'un bond mais la vieille avait eu le temps de flairer la nudité de sa bru et la présence de Joseph dans le lit.

Les deux femmes s'en furent en silence à l'extérieur, bras dessus, bras dessous, crémones sur les épaules. Sur le chemin du retour, quelques minutes plus tard, la vieille, soulagée, ne se gêna pas pour commenter la confirmation de ses soupçons. Elle se déclara chez elle et affirma qu'elle n'endurerait pas, sous son toit, ce qu'elle avait aperçu dans la chambre. Un homme dans le lit de sa bru, en dehors du mariage ! Y avait-elle pensé ? Il s'agissait d'un péché mortel, et celle qu'elle croyait une heureuse élue de Dieu se mériterait le feu éternel… Et elle allait attirer la malédiction du ciel sur la maison familiale, en plus de scandaliser les enfants. S'en rendait-elle compte au moins ?

— *You disappoint me, my dear…*[9]

Jesse jura que les enfants n'en savaient rien. Joseph s'assurait toujours qu'ils soient bien endormis avant de venir la trouver. Et les deux Canadiennes ne pouvaient rien entendre du grenier où elles dormaient. Mais la vieille n'en démordait pas.

— *I don't care for his daughters ! If my son could see this…*[10]

Que sa belle-mère se fiche des filles de Joseph, Jesse n'en doutait pas une seconde. Quant à son fils, elle rappela qu'il était mort et enterré depuis l'été précédent. Pour elle, Jesse, la vie continuait cependant. Elle se sentait si seule, sa chère belle-maman ne pouvait-elle pas comprendre cela ?

Mais la chère belle-maman refusa de capituler. Elle traita la femme de son fils de dévergondée et de pécheresse et elle l'obligea à cesser immédiatement ses saloperies.

De retour dans sa chambre, Jesse en pleurs relata la conversation à Joseph.

— Retourne dans ton lit, mon cher, ma belle-mère vient de découvrir le pot aux roses et refuse de tolérer nos ébats dans cette maison. Dans SA maison ! À cause des enfants. Que veux-tu, elle est chez elle autant que moi.

— Ben quoi ? Les enfants, passe encore, il faut ménager leur candeur, mais ta belle-mère, franchement ! À son âge ! Elle a dû en voir bien d'autres pendant sa longue existence. Une vraie mégère, celle-là !

---

9. Tu me déçois, ma fille…
10. Je me fiche de ses filles ! Si mon fils pouvait voir ça…

— Ma belle-mère est une personne sensible et très puritaine. Pour elle, déroger aux règles morales attire le malheur. Elle ne supportera plus tes incursions dans ma chambre, même si ça ne la regarde pas. Tu n'as pas idée de ce dont elle est capable.

— Mais tu es chez toi, Jesse.

— Elle habitait ici bien avant moi et, selon le testament de feu mon beau-père, je suis tenue de l'héberger jusqu'à sa mort.

— Hum, on pourrait régler ça assez vite. Elle souffre de diarrhées nocturnes, n'est-ce pas? Ça pourrait empirer…

— Que veux-tu dire? Je t'avoue que moi-même, je ne me sens pas la conscience en paix avec nos activités sexuelles.

Joseph ne répondit pas, ramassa rageusement ses affaires et traversa le corridor d'un pas rapide. Jesse se retourna longtemps dans son lit avant de trouver le sommeil. Les bruits, dans la chambre voisine, ne lui annonçaient rien de bon.

➣—➢

Joseph se garda bien de revisiter le lit de Jesse durant les jours suivants. Il voyait bien les yeux rougis de la femme et son humeur morose. Elle ne chantait plus ni ne riait. Quand il rentrait du travail, le soir, elle déposait son repas et celui de Marguerite sur le coin de la table et disparaissait dans une autre pièce. De loin, l'homme l'observait en se disant que si leur amour n'avait pas plus d'assises, mieux valait le laisser mourir.

Le dimanche suivant, les deux amants se retrouvèrent par hasard seuls dans la cuisine. Mais était-ce un hasard? De toute évidence, le besoin de s'expliquer s'imposait. Les enfants jouaient dehors et la grand-mère faisait sa sieste. Le moment était venu de tirer les choses au clair. Jesse prit les devants.

— Écoute, Joseph. Je n'en peux plus, moi, de cette situation confuse. Pourquoi ne viens-tu plus me trouver, la nuit? On pourrait au moins se parler, non? Je ne sais même plus si tu m'aimes encore.

— Mais… tu m'as dit toi-même de cesser mes visites. Allez donc comprendre quelque chose aux femmes ! Mais je t'aime, moi ! Et tes caresses me manquent.

— J'ai bien réfléchi, Joseph. Il va falloir trouver une solution. Ma vie n'a plus de sens, je suis à bout. Le travail de la ferme me tue. C'est trop pour moi. Bien sûr, tu m'as rapporté de l'argent tout l'hiver en défrayant ta pension et celle des enfants, et je l'ai sincèrement apprécié. Mais ça ne me donne pas de l'aide dans la grange, ça !

— Que veux-tu, je ne peux pas être ici et à la Collin's Shoe Shop en même temps.

— Je peux comprendre ça. Mais la semaine dernière, j'ai dû retirer Betty de l'école durant trois jours pour qu'elle me donne un coup de main. J'avais trop mal au dos pour soigner les animaux, nettoyer l'étable, rentrer le bois. Tu ne t'en es même pas rendu compte.

— Ma pauvre Jesse, tu aurais dû me le dire.

— Je ne pense pas que cela aurait changé quoi que ce soit. Tu dis m'aimer, mais certains jours, j'en doute ! Peut-être m'aimes-tu seulement pour la couchette ?

La femme s'effondra sur la chaise berceuse en pressant un coussin sur sa poitrine comme s'il s'agissait d'un enfant.

— Je me sens tellement épuisée, Joseph, tu n'as pas idée. Presque malade. Tu n'es plus là pour m'aider, tu n'es jamais là, d'ailleurs, sauf dans mon lit. Je vois arriver le printemps avec effroi, moi ! Si tu continues à travailler à la manufacture, je vais devoir embaucher quelqu'un d'autre. Même John ne pourra suffire à la tâche. Encore chanceuse s'il ne décide pas, en avril, d'aller faire la drave sur le Connecticut…

— Oh ! celui-là… Il n'est pas le plus efficace sur une ferme, d'après moi !

— Il va falloir prendre une décision très bientôt, mon amour : ou tu continues à aller travailler à Colebrook et tu quittes la ferme avec tes enfants, ou tu…

— Ou tu… quoi ? Ne me dis pas que tu serais prête à me flanquer dehors, Jesse ? Je n'en reviens pas !

— Non, non ! Il ne s'agit pas de ça du tout. Ou tu… m'épouses et deviens le propriétaire officiel de la ferme Peel, malgré l'existence de ma belle-mère et de mon fils !

— Et si tu la vendais, cette ferme, pour me suivre à Lowell avec les enfants ?

16

Le bruit du fer à repasser sur le dessus du poêle puis sur les manches de la chemise martelait le silence de la pièce à un rythme régulier. Penchée sur son travail, Jesse ne vit pas, à travers la vitre givrée, le traîneau de Joseph prendre le tournant de l'allée, en début d'après-midi.

Depuis trois jours, elle attendait désespérément la décision de son amant. Il avait réclamé quelques jours de réflexion avant de donner une réponse définitive à son audacieuse demande en mariage de l'autre jour. Cette exigence avait dérouté la femme. Bien sûr, elle avait refusé l'idée de vendre la ferme ancestrale. Il n'était pas question de partir pour Lowell, à vingt milles au nord de Boston, avec ses enfants nés et enracinés à Colebrook. Elle se sentait incapable d'envisager un changement de vie aussi radical. Mais… pourquoi pas un mariage ? Si Joseph l'avait aimée sincèrement, il n'aurait pas hésité à fondre sa vie avec la sienne. Ensemble, ils pourraient mener une vie simple et paisible et former une belle famille. Ils pourraient même l'agrandir de deux ou trois autres marmots. Pourquoi pas ? Au lieu d'entériner ce beau projet, Joseph semblait la fuir et évitait toute conversation compromettante. Il n'émettait même pas de signes d'encouragement.

Ce même matin, en le regardant partir vers le village pour son travail, l'évidence l'avait frappée comme un coup de masse : Joseph Laurin ne passerait pas le reste de sa vie auprès d'elle sur la ferme Peel. Il ne l'aimait pas suffisamment et n'avait fait que profiter de ses faveurs au lit. Elle ferait mieux de s'aguerrir et de le mettre dehors au plus vite. D'autant plus qu'il devenait impérieux d'engager quelqu'un d'autre pour les travaux de la saison. Déjà, les rayons du soleil devenaient plus ardents et la neige, plus collante. L'ours et le siffleux étaient déjà sortis de leur tanière, ça urgeait. Dans quelques jours, il faudrait recueillir l'eau d'érable dans la forêt derrière la grange. Elle ne se sentait pas le courage d'aller elle-même entailler l'écorce dure des arbres pour y insérer les chalumeaux.

Soudain, en dépit de ses vains espoirs, elle avait vu clair, comme une évidence, devant l'indifférence avec laquelle l'homme dont elle rêvait était parti vers son travail. Il se fichait de tout ! Elle n'avait donc pas eu le choix de prendre la décision qui s'imposait. Une folle et amère décision. Une dure décision. La plus difficile de sa vie. Il fallait agir vite. De toute urgence…

Après avoir inventé un prétexte quelconque, elle s'était donc retrouvée seule dans la grange, loin des regards de sa belle-mère réfugiée dans sa chambre et des jeunes partis à l'école. Après avoir pleuré toutes les larmes de son corps, elle avait accompli, d'une main tremblante, ce qu'elle avait à accomplir. C'était maintenant ou jamais. Elle se le devait à elle-même et à tous les siens, autant à ses enfants qu'à la mère de son défunt mari. Advienne que pourra. Elle avait confié son âme à Dieu et exécuté son geste irrévocable en demandant pardon.

Quelques heures plus tard, en voyant Joseph et Marguerite se pointer dans la porte d'entrée de la cuisine à une heure inusitée, Jesse frissonna et redoubla ses coups de fer, toujours sur la même manche de la même chemise. Cette arrivée impromptue, au milieu de la journée, n'augurait rien de bon. La jeune fille, en larmes, paraissait désespérée et vint se jeter dans les bras de la femme tandis que son père, le dos appuyé contre l'armoire, regardait la scène sans dire un mot. Marguerite pleurait tellement qu'elle n'arrivait pas à parler. Surprise, Jesse se contenta de lui caresser les cheveux en jetant des regards interrogateurs à Joseph. Ce dernier poussa finalement un long soupir, retira son chapeau de fourrure et se racla la gorge.

— Jesse, j'ai longuement réfléchi et…

Il n'eut pas le temps de terminer sa phrase. À cet instant précis, elle perdit connaissance et s'écroula sur le plancher entre les bras de la jeune fille, après avoir heurté le fer à repasser brûlant qui rebondit jusqu'aux pieds de l'homme. Marguerite réagit la première et appliqua une serviette imbibée d'eau glacée sur le front de la femme, toujours évanouie. Puis elle demanda à son père de l'aider à la transporter sur le canapé.

— Mon Dieu, Jesse, qu'est-ce qui t'arrive ?

C'est alors que l'adolescente aperçut le sang. Une tache rouge énorme sur la jupe de lainage beige de Jesse, et qui allait s'agrandissant dans la région du bas-ventre et sur ses cuisses. Marguerite lança alors un cri, un grand cri qui ressemblait à un hurlement de mort. Prise de panique, elle tournait en rond en se mordant les doigts, incapable de retrouver son sang-froid. La fleur écarlate s'épanouissait et se répandait sur le tissu, dissolvant avec elle, dans un goutte-à-goutte perfide, la vie de la femme.

Devant l'hémorragie foudroyante de Jesse, la jeune fille devint hystérique et perdit toute notion de la réalité. Elle ne vit pas son père repartir à l'épouvante dans le traîneau encore attelé. Ce n'était plus Jesse qui se tordait de douleur devant elle, c'était sa mère Rébecca cherchant son souffle, couchée dans une mare de sang qui étendait ses griffes et grandissait de plus en plus. Qui grandissait toujours. Ce sang qui avait quitté ses organes, un à un, jusqu'à la vider de l'essence même de sa vie. Ce sang qui avait anéanti non seulement l'existence de Rébecca mais aussi sa vie à elle, Marguerite, petite fille innocente et sans défense. Et celle de son père et de ses sœurs. Ce liquide de vie répandu pour semer la mort. Ce rouge assassin.

La jeune fille se jeta sur Jesse et se mit à sangloter, la tête dans son giron. De sa main ouverte, elle lui caressait délicatement la

Quand Betty et les autres rentrèrent de l'école, Marguerite, à peine remise de ses émotions, leur raconta l'hémorragie subite et mystérieuse de Jesse. On marcha sur la pointe des pieds et parla à voix basse jusqu'à l'heure du coucher. Joseph, lui, broyait du noir dans sa chambre, déçu de voir ses plans jetés par terre. Pour le moment, l'important était de sauver cette pauvre Jesse. On verrait ensuite.

Marguerite s'offrit pour veiller la malade endormie dans le salon. Mieux valait que Betty passe une bonne nuit de sommeil pour pouvoir retourner à l'école le lendemain. Elle plaça quelques oreillers sous la tête de Jesse et recouvrit son corps prostré d'un édredon, puis elle s'installa dans le fauteuil en face. Déterminée à rester réveillée toute la nuit, elle s'appliqua à lutter contre le sommeil, traversée par toutes sortes de pensées sombres. Elle n'avait pas entendu la conversation entre Joseph et le médecin mais se doutait bien qu'il s'était passé quelque chose de grave. Qu'importe, elle prendrait soin de Jesse jusqu'à sa complète guérison. Elle n'aurait plus, dorénavant, à se présenter à la manufacture et se sentait enfin libre. Ainsi, Betty et les autres enfants pourraient poursuivre leurs activités sans problème. À la condition que son père lui en laisse la possibilité, lui qui avait pris une tout autre décision le matin même... Elle frissonna.

Quelques heures avant l'aurore, Jesse se réveilla en sueur. Elle paraissait souffrante mais, malgré son état de faiblesse extrême, elle semblait avoir retrouvé ses esprits. Affalée au fond d'un fauteuil, dans un demi-sommeil, Marguerite sursauta.

— Ça va mieux, Jesse ?

— Ouais, un peu... Merci d'être là, ma chérie. Je t'aime beaucoup, tu sais.

— Moi aussi, je t'aime, Jesse. Comme si tu étais ma mère.

— Hum... j'ai bien peur que l'adoption ne se produise pas de sitôt. Ton père...

Marguerite ne voulait pas entendre le reste de la phrase, se doutant bien du cul-de-sac dans lequel elle se trouvait. N'y tenant plus, elle se jeta dans les bras de Jesse en pleurant. La femme tenta de la consoler, sans succès. Soudain, le souvenir de la veille revint à l'esprit de la malade, plus clair et plus brutal que jamais.

— Dis-moi, ma chérie, pour quelle raison êtes-vous rentrés si tôt de la manufacture, hier, toi et ton père?

— Mon père avait décidé de quitter définitivement la ferme et de partir pour Lowell dès hier après-midi avec Anne et moi. Nous avons remis notre démission chez Collin's.

❉

Cette même nuit, Joseph pénétra à pas chancelants dans la chambre vide de Jesse, une bougie à la main. Sur la commode, à côté du lit, il découvrit la broche à tricoter tachée de sang qui avait servi à détruire l'embryon. À tuer son enfant.

De retour dans sa chambre, il n'arriva pas à trouver le sommeil et continua d'ingurgiter tout ce qu'il put trouver d'alcool. Un bruit étouffé monta soudain de l'étage inférieur. C'était Marguerite et Jesse dont les pleurs s'accordaient aux rugissements du vent le long de la corniche. Il se dit que non seulement il n'avait pas la foi en Dieu, mais que jamais il n'avait cru aussi fermement au diable.

Quelques heures plus tard, il descendit les marches en trébuchant et s'en alla se jeter dans la tourmente.

17

Debout derrière la fenêtre du troisième wagon, Anne et Marguerite regardaient, bouche bée, l'activité de la gare. Enfin, le train s'ébranla dans un bruit de ferraille et se mit à étirer le paysage à l'infini. Elles retinrent leur souffle devant l'arrière-cour des maisons de Colebrook qui défilèrent, lentement d'abord, puis de plus en plus vite. Les arbres en vinrent à passer derrière la vitre à une vitesse vertigineuse, au grand plaisir des deux filles qui essayaient d'y accrocher leurs regards amusés. Jamais, de toute leur existence, elles ne s'étaient déplacées avec une telle rapidité, et cela les excitait. Leur père, lui, demeurait renfrogné sur son banc.

Au lendemain de l'hémorragie de Jesse, Joseph avait lancé à chacune un sac de jute en leur ordonnant d'y ranger, au plus vite, leurs vêtements et leurs affaires.

— Pour quoi faire ? On part ?

— Oui, on part ! Et ça presse !

Le ton paraissait sans réplique. On s'était exécuté en reniflant. Anne ne comprenait rien à ce qui se passait.

— Et mon examen de mathématiques, demain ?

— Fiche-moi la paix avec ça ! Fais tes bagages et ne pose pas de questions, compris ?

Marguerite, elle, se remettait mal de la crise de la veille. Assise auprès de Jesse, elle n'avait pas réussi à fermer l'œil de la nuit, à la fois tourmentée au sujet de la santé de la femme et tout aussi inquiète pour son avenir et celui de ses sœurs. Ce matin, elle avait lancé ses vêtements pêle-mêle dans le sac, désespérée de devoir quitter de nouveau un lieu où elle se sentait enfin à l'aise. Et pour aller où ? Dieu sait ce que son père avait encore manigancé !

Elle n'avait pas envie de quitter la pauvre Jesse dans cette condition pitoyable. Le matin, le docteur Lewis était revenu et s'était pourtant montré satisfait de son état. Les saignements n'avaient pas repris. Il avait déposé une fiole de tonique *Father John's* et avait recommandé le repos complet pour au moins trois semaines. Devant le regard ahuri de Joseph, il avait insisté pour retirer Betty de l'école et rappeler John du camp de bûcherons pour s'occuper de leur mère. Joseph eut beau protester.

— Mais je vais y voir, moi, voyons !

— Seriez-vous prêt à renoncer à votre emploi à Colebrook, Joseph ? J'en doute ! Jesse aura besoin d'aide toute la journée, pas seulement le soir et le dimanche. Elle ne doit se lever sous aucune considération. Non… il serait préférable de la confier à ses grands enfants. Ils sont en âge de l'assister, maintenant. Un courrier part justement ce midi pour les chantiers. Je vais voir moi-même à faire revenir le fils avec le postillon dès ce soir, pour quelques semaines.

— Dans ce cas, puisque Betty s'occupera de sa mère et John, de la ferme, je vais partir dès maintenant et conduire mes deux filles chez ma sœur à Lowell. Pour être franc, ma décision était déjà prise depuis hier après-midi quand j'ai remis ma démission à la fabrique de chaussures. Maintenant, cette grossesse dont on ne m'a pas informé et, pire, cet avortement me confirment d'avoir fait le bon choix. Je n'ai plus ma place ici, docteur.

— Je peux comprendre ça.

— Si vous aviez la bonté de garder ma petite Camille encore quelques jours, je l'apprécierais grandement. Je reviendrai la chercher dès que nous serons installés là-bas.

— Mon cher, prenez tout votre temps. Elle ne pourrait vous suivre pour le moment, mais d'ici un mois ou deux, elle devrait être en mesure de rejoindre ses sœurs. Soyez sans crainte, elle se trouve entre de bonnes mains.

— Je n'en ai jamais douté un seul instant, docteur. J'écrirai à Angelina pour lui donner notre adresse à Lowell.

Jesse, qu'on avait finalement transportée dans sa chambre pour plus de confort, n'avait rien entendu de cette conversation. Quand le moment était venu de partir, Joseph avait lentement grimpé les marches et s'était approché du lit d'un pas hésitant. Il avait posé sa main lourde sur la peau froide et diaphane de la malade sans la regarder directement dans les yeux.

— Désolé, Jesse, je ne suis pas fait pour le travail de la terre. Je pars. Merci pour tout. Je ne t'oublierai jamais. Mais je ne suis pas certain de pouvoir te pardonner le geste que tu as commis hier.

Il n'avait pas attendu la réponse et avait dévalé l'escalier sans demander son reste.

La séparation des enfants s'avéra plus pénible. Joseph avait dû remonter pour arracher Marguerite et Anne de force du lit de Jesse auquel elles s'accrochaient désespérément.

— On va s'écrire, hein, Jesse ?

— Oui, oui, c'est promis. Écrivez-moi, je vais vous répondre. Vous allez me manquer, mes chéries…

La femme hoquetait et retenait ses pleurs à grand peine, sa main tremblante agrippée à la robe d'Anne. La fillette pleurait toutes les larmes de son corps tandis que Terry se lamentait, sans trop réaliser vraiment ce qui se passait. Betty et Marguerite n'en finissaient pas, non plus, de se dire adieu. Une belle amitié avait fleuri entre les deux adolescentes et elles acceptaient mal de se séparer ainsi, de but en blanc. Elles ne cessaient de s'étreindre et de se promettre des retrouvailles dans un lointain imprécis.

— Tu vas venir faire un tour à Lowell cet été, n'est-ce pas, Betty ?

— Promis ! Et toi, tu pourrais venir passer tes vacances ici, avec nous…

Marguerite acquiesça mais se demanda bien de quelles vacances il pourrait s'agir.

La plus pitoyable était Betty, affolée à l'idée de rester seule avec sa mère malade sur les bras. Elle voyait l'entretien de la ferme comme une montagne, même en présence de son frère John, avec lequel elle avait peu d'affinité. Malgré la promesse du médecin de ramener le garçon du chantier le soir même, elle se sentait au bord de la panique. À eux deux, suffiraient-ils à se débrouiller? S'il fallait que sa mère se remette à saigner, ce serait la fin de tout, elle en avait la certitude. Et puis, elle n'avait pas envie de voir partir aussi brutalement ses deux sœurs d'adoption.

— Ne partez pas tout de suite, je vous en prie. Pas tout de suite… Attendez quelques jours, au moins, que maman soit remise sur pied.

Comme s'il n'avait pas entendu cette dernière supplique, Joseph avait impitoyablement entrouvert la porte d'une main leste.

— Allez, les filles, on déguerpit d'ici au plus sacrant!

Il ne put voir la vieille madame Peel brandir le poing dans leur direction, une fois la porte refermée, ni entendre ses lamentations, plus sinistres que les cris d'un animal qu'on égorge. Il n'eut pas connaissance, non plus, des sanglots étouffés de Jesse recroquevillée dans son lit, là-haut, entourée de ses enfants qui lui faisaient écho.

Quelques heures plus tard, Joseph s'était retrouvé avec ses filles dans un compartiment de train en direction du sud. Tant pis pour Titan, il reviendrait le chercher plus tard. De toute manière, le cheval gagnerait bien sa pitance en faisant les sucres en compagnie de ce cher John.

Si Joseph persistait à croire qu'il découvrirait le bonheur au loin, Anne et Marguerite, elles, se sentaient au bord du désespoir. Étrangement, ce jour-là, elles n'avaient exprimé aucune réticence à l'idée d'abandonner leur sœur Camille. Il n'avait même pas été question d'elle au moment du départ. Depuis déjà longtemps, l'image de la benjamine s'estompait dans leur esprit et prenait les couleurs embrouillées d'une simple entité fraternelle visitée à l'occasion, de loin en loin. À part leurs courtes rencontres du dimanche quand le temps le permettait, les deux grandes ne partageaient plus rien de leur existence avec la convalescente. À peine si Marguerite et son père lui avaient rendu visite quelques fois après le travail, trop fourbus pour donner suite à leurs bonnes intentions.

De son côté, l'enfant ne semblait pas se languir de ses sœurs non plus. Camille Laurin vivait dans une bulle luxueuse, douillette et ouatée. Angelina et son mari la traitaient en véritable princesse. Mais une princesse blessée, amoindrie, affaiblie par la maladie. Une princesse de plus en plus lointaine et inaccessible. Le docteur Lewis et sa femme ne semblaient pas se soucier des répercussions psychologiques, chez une enfant de sept ans, de la perte cruelle et soudaine de sa mère, pas plus que de sa séparation forcée d'avec le reste de sa famille durant de longs mois. Le couple se targuait d'avoir consolé tous ses chagrins, comblé tous ses manques et guéri toutes ses plaies, autant celles de son corps que celles de son cœur d'enfant.

La tête appuyée contre la banquette du train, Anne songeait surtout à Terry. Elle regretterait ce petit bonhomme insouciant qui partageait ses jeux comme le petit frère dont le destin l'avait privée. Elle s'ennuierait aussi de Buck, bien sûr, ce grand chien joyeux qui l'accueillait au retour de l'école, friand de caresses et toujours prêt à gambader avec elle dans les champs. Mais c'est Jesse qui lui manquerait le plus. La fillette recevait les petites attentions et les câlins de l'Américaine comme ceux d'une mère. De la mère qu'elle n'avait plus. À qui confierait-elle dorénavant ses rêves, ses chagrins, ses petits bobos?

De son côté, Marguerite éprouvait le pénible pressentiment de quitter Jesse et Betty à jamais, malgré leurs promesses de se revoir. Elle avait trouvé une grande sœur et une mère adoptive à la ferme Peel. Pourquoi fallait-il qu'on les lui arrache après si peu de temps? Elle se doutait bien qu'on lui avait caché certaines choses. Du grenier, elle avait souvent entendu des pas entre la chambre de Jesse et celle de Joseph et Terry. Qui sait si son père, censé dormir dans un des lits jumeaux, n'allait pas retrouver Jesse durant la nuit?

Ah! non, ça ne se pouvait pas. Pas un homme et une femme non mariés, allons donc! Pas son père. Pas Joseph dans le lit de

Jesse, voyons! C'était péché. Péché mortel. Pour Joseph à tout le moins dont la religion catholique menaçait du feu éternel tous ceux qui agissaient de la sorte. D'un autre côté, qui sait si la religion protestante de Jesse ne permettait pas ce genre de choses… Ces sales fornications… Pouah!

Et puis, non. Elle n'avait pas le droit de penser ainsi du mal de son père et de Jesse. C'était déjà une faute grave que de les soupçonner d'un manquement au sixième commandement de Dieu. Et puis, on ne devait pas porter de jugement sur les autres, monsieur le curé le prêchait souvent en chaire, à Grande-Baie. Grande-Baie… Comme tout ça se trouvait loin, en ce petit matin gris!

À bien y penser, la seule consolation de l'aînée était d'avoir quitté la Collin's Shoe Shop, cet antre du vacarme et de la puanteur, où produire des chaussures à une vitesse folle paraissait aussi important que de respirer. Deux cents paires de souliers par jour qu'ils fabriquaient, les ouvriers de la Collin's! Ça sortait par caisses qu'on empilait sur des charrettes pour les transporter jusqu'à la gare. De là, les trains les distribuaient dans toutes les directions. Marguerite s'en fichait bien, elle, du rendement. Elle ne demandait qu'à goûter encore un peu à l'air libre et aux derniers moments d'insouciance d'une jeunesse qu'on s'appliquait à lui voler sans vergogne.

Au travail, à peine s'était-elle liée d'amitié avec une ou deux compagnes durant les courtes périodes de pause. À la vérité, une seule chose lui ferait regretter la manufacture : les beaux yeux du nouveau commis. Souvent, il passait la tête dans la porte pour la gratifier d'un clin d'œil complice, et cela rendait les autres filles jalouses. Leur relation n'était jamais allée plus loin, faute de temps, mais Marguerite savait, sentait que, tôt ou tard, le jeune homme lui aurait conté fleurette. Hélas, on avait tué dans l'œuf une idylle qui commençait à peine à germer. Non, elle ne regretterait pas cet endroit.

Son père, lui, ne s'était jamais plaint de la dureté du travail. En fin de journée, elle descendait le rejoindre devant la porte principale. Ensemble, écrasés de fatigue, ils prenaient la nouvelle diligence qui ramenait dorénavant les travailleurs à leur domicile, aussi loin que Stewartstown. Le silence régnait invariablement dans la voiture où les ouvriers harassés se laissaient ballotter au rythme des aspérités de la route. Marguerite se demandait à quoi songeaient tous ces gens derrière le masque impassible de leurs visages. Avaient-ils encore l'énergie de penser? De rêver? D'élaborer des projets? D'envisager autre chose que leur damnée enveloppe de paye?

Ce premier contact avec l'univers du capitalisme la rendait perplexe. Malgré l'enthousiasme toujours ardent de son père, la perspective de Lowell avait perdu sa magie à ses yeux. Elle y croyait de moins en moins. Éclaté comme une bulle de savon, le beau rêve d'y trouver le bonheur! Même la perspective de vivre dans une communauté francophone où elle pourrait se lier d'amitié avec des jeunes de son âge parlant sa langue prenait moins d'importance. Sa sœur et elle maîtrisaient maintenant l'anglais et se contrefichaient de rencontrer d'autres Canadiens français. Lowell, Lowell… Depuis le temps qu'on lui rebattait les oreilles avec ce fantasme. Fallait-il que ce paradis lointain en vaille la peine pour que leur père les traîne jusque-là malgré les embûches!

Une fois à Boston, on prit un autre convoi pour remonter au nord sur une vingtaine de milles puisque l'express ne s'arrêtait pas encore à Lowell. Commis voyageurs, ouvriers, étudiants, séminaristes, grands-mères, familles, amoureux, tous se bousculaient pour pénétrer dans le train. On s'étreignait, on s'embrassait, on se disait adieu ou au revoir, on pleurait, on riait, on s'envoyait la main dans un brouhaha indescriptible. Jamais les petites Canadiennes n'avaient vu autant de monde à la fois, même à la sortie de la « grand-messe », autrefois, à Saint-Alexis de Grande-Baie.

Épuisées par trop de transbordements et d'émotions, les deux filles sommolaient quand apparut enfin la pancarte sur le côté droit du train, au moment de son entrée en gare : *Lowell, Massachusetts.*

Anne poussa un soupir et se serra contre sa sœur qui resta sans réaction quand leur père se leva d'un bond.

— Allons, les filles, on arrive!

Une vie nouvelle commençait. Marguerite réprima une grimace.

18

Lowell, enfin! Après plus de six cent quatorze milles, cent quatre-vingt-dix-huit jours et dix-sept heures depuis Grande-Baie, Joseph Laurin et deux de ses filles arrivaient à destination.

Marguerite et Anne ouvraient grand les yeux sur la foule bigarrée et grouillante, et sur le va-et-vient incessant des calèches et des diligences bondées de passagers. Cette ville industrielle n'avait rien à voir avec Colebrook malgré ses récents développements. Y habitaient plus de quinze mille travailleurs et leurs familles, pour la plupart des Yankees et des Irlandais. Une communauté de Canadiens français y croissait depuis 1840 et l'immigration, qui avait momentanément cessé depuis 1870 à cause de la récession, semblait vouloir reprendre de plus belle.

Construit sur les bords de la rivière Merrimack, Lowell affichait des allures de géant avec ses larges avenues remplies de boutiques et ses multiples ruelles couvertes de macadam, ses nombreux canaux. Des quartiers résidentiels avaient poussé comme des champignons autour des établissements manufacturiers de quatre ou cinq étages recouverts de briques et dont les toits de tôle brillaient au soleil.

L'espace d'un moment, Anne songea à un nid de fourmis où, entassées dans un même lieu, les petites bêtes semblent zigzaguer sans but précis. Dans sa tête d'enfant, elle s'attendait à trouver le paradis promis par son père dans un fabuleux endroit verdoyant et lumineux comme le « vrai ciel », où des habitants paisibles n'avaient qu'à se pencher pour ramasser tranquillement des liasses de billets de banque.

Marguerite, plus pragmatique et certainement plus expérimentée grâce aux trois mois passés à la Collin's Shoe Shop, se montra moins étonnée. La cohue et le fourmillement sur les trottoirs, elle connaissait ! Quant à Joseph, il se mit à siffloter sans faire de commentaires. Marguerite se demanda s'il s'appliquait à masquer sa nervosité ou se retenait d'exploser de joie. Ou peut-être taisait-il sa déception…

Ils restèrent sur le coin de la gare pendant un long moment, leurs maigres bagages à leurs pieds, figés comme un trio d'élus incapables de se décider à faire un pas en avant sur la terre promise. Marguerite réagit la première.

— On s'en va où, papa ? Avez-vous l'adresse de tante Léontine ?

L'adresse de Léontine ! Joseph se frappa le front. Il était bien temps d'y songer ! Pas une seule fois ça ne lui avait effleuré l'esprit. Depuis quand devait-on se prémunir de l'adresse de quelqu'un pour le retrouver dans son patelin ? Allons donc ! Dans les villages du Québec, tout le monde se connaissait, on pouvait facilement repérer l'ami du cousin de la nièce ou la sœur du beau-frère de la cousine… Mais ici, dans cette mer humaine, comment dénicher sa sœur qu'il n'avait pas vue depuis sa dernière visite à Bagotville, il y avait cinq ans ? Il ne savait même pas si elle habitait encore à Lowell. Qui sait si elle n'avait pas déménagé ailleurs ou n'était pas simplement retournée au Canada, les poches bourrées d'argent, l'automne dernier ?

Soudain, il songea au prêtre missionnaire rencontré à Lévis. Ne lui avait-il pas confié une lettre pour… pour qui déjà ? Instinctivement, il tâta la poche de son pantalon. Bien sûr, elle ne se trouvait pas là. Elle avait probablement brûlé en même temps que ses autres vêtements devant la chute de Beaver Brook. Il se mordit les lèvres. Pas brillant, ça !

— Ouais, les filles, nous voilà dans de beaux draps. J'ai perdu son adresse.

Ni Anne ni Marguerite ne réagirent au tragique de la situation. Leur père les avait traînées jusqu'ici, il lui incombait de régler lui-même les problèmes. Tôt ou tard, il finirait bien par trouver un endroit où loger.

Un homme en uniforme s'approcha du groupe et effectua un semblant de salut sans enlever son képi.

— *May I help you, sir?*[11]

— Euh... nous arrivons et... je ne trouve plus l'adresse de ma sœur!

Dans son énervement, Joseph avait spontanément répondu en français, oubliant qu'il savait maintenant parler la langue des Américains.

— *You speak French? Please, souivez-moâ...*

Ils pénétrèrent de nouveau dans la gare et l'homme leur désigna de la main un petit groupe d'individus, un homme et deux femmes parlant haut et fort, accompagnés de deux adolescentes et d'un bambin de six ou sept ans. Joseph reconnut immédiatement l'accent. Des Canadiens français, enfin! Des gens de la même race à qui s'adresser sans la maudite barrière de la langue. Depuis si longtemps qu'il n'avait pas entendu ces expressions colorées, cette prononciation bien particulière, ces roulements du gosier propres aux gens de chez lui.

Il n'osait s'approcher. Comment ces inconnus pourraient-ils le dépanner? À sa grande surprise, l'homme s'avança et lui secoua le bras.

— Excusez-moi. Étiez-vous par hasard dans le train en provenance de Boston? Vous n'auriez pas vu un couple avec deux jeunes garçons? Des Québécois de Sherbrooke qui devaient arriver aujourd'hui.

— Non, je n'ai rien remarqué.

— Vous arrivez du Québec?

---

11. Puis-je vous aider, monsieur?

— Oui. Euh… non. C'est-à-dire…

— Ouais, toute une *ride*!

Joseph haussa les épaules et prit le parti de se taire. Finalement, ce sont les filles qui racontèrent en long et en large leur périple à Colebrook. Candidement, Anne précisa qu'ils n'avaient pas d'endroit où aller dormir, ce soir. L'une des deux femmes réagit sans hésiter.

— Mais, voyons, ça n'a pas de sens! Vous allez venir chez nous. Pour aujourd'hui, en tout cas. Puisque mon frère et sa famille ne se trouvaient pas dans le train, on peut vous offrir la place en attendant leur arrivée sans doute remise à demain.

Joseph se sentit rougir.

— Je ne peux pas accepter, madame. Je possède très peu d'argent, je ne pourrais… Tant que je n'aurai pas trouvé du travail, vous savez.

— Vous en faites pas avec ça, monsieur! On vous chargera rien! Nous, les Canadiens français, on est du monde *smart*, capable de s'entraider. La brunante va «pogner» d'ici une heure, on va pas vous laisser sur le trottoir avec vos deux petites filles, quand même!

— Vous ne connaîtriez pas une Léontine Gauthier, par hasard?

— Non, pas du tout. Elle habite à Lowell?

— Dans ce cas, on va aller dormir dans un parc. On a l'habitude de camper. Il fait doux, il ne reste plus de neige et…

— Teut! teut! Pas question! Des plans pour attraper votre coup de mort! Venez, suivez-nous. On vous emmène dans notre quartier nouvellement baptisé Petit Canada!

— Petit Canada?

— Eh! oui, c'est le coin de la ville où la plupart des Canadiens français sont installés.

Les autres acquiescèrent d'un signe de tête. Joseph s'empara des trois sacs de toile et emboîta le pas aux inconnus, suivi de ses filles. Jamais il ne s'était senti aussi misérable.

❧

Bloc Austin, logement numéro 4, deuxième étage. Monsieur Maltais expliqua que ce quartier, autrefois appelé Petit Dublin, avait été construit par des Irlandais, aux abords des usines, sur un ancien marais comblé avec les déchets de la municipalité et des industries. Aujourd'hui, il ne restait presque plus d'Irlandais dans ces blocs de huit *tenements* ou plus destinés aux ouvriers. Avec les années, la plupart étaient montés en grade et avaient amélioré leurs conditions de vie.

Dans ces logements exigus de deux, quatre ou cinq pièces, on entassait plusieurs familles pour un loyer de huit dollars par mois. En général, les Canadiens français qui les occupaient y demeuraient pendant un assez court laps de temps, quelques mois ou, au plus, un an ou deux, le temps de ramasser le pécule qui rendrait possible, soit un transfert dans un quartier plus décent, soit un retour au Canada.

« Ainsi donc, songea Marguerite, ils ont tous la même obsession : remplir leur bas de laine… » Elle se renfrogna mais ne put résister à l'envie de tendre une oreille attentive au discours du Canadien.

Lui-même, Jacques Maltais, prévoyait déménager bientôt et faire l'achat d'une machine à coudre et peut-être même d'un piano. Son salaire annuel de trois cent soixante dollars ne suffisait pas à défrayer les coûts du logement et de la nourriture pour sa famille. Cependant, ajouté à celui de sa femme et de ses enfants, il lui permettait d'envisager bientôt un cadre plus confortable et des conditions de vie plus faciles.

Les complexes d'habitation, finis en pin recouvert d'une seule couche de peinture blanche, se dressaient directement sur le trottoir, séparés les uns des autres par un espace d'à peine quelques pieds. À l'intérieur régnait une odeur désagréable, parfois même nauséabonde, à cause du manque de ventilation. Dans le logis des Maltais, les deux pièces du milieu ne disposaient pas de fenêtres et s'avéraient donc sombres et mal aérées. Les *water-closets*, relativement propres, se situaient au sous-sol où chaque logement disposait d'un espace étroit.

En pénétrant dans l'édifice, Joseph nota immédiatement les murs au plâtre mal fini et la vitre brisée d'une fenêtre à guillotine dont on avait bouché l'ouverture avec un vêtement. À l'arrière, des dizaines de cordes à linge balançaient des sous-vêtements et des habits de travail dans l'air printanier. Certaines femmes faisaient fi des enseignements de l'Église et s'acquittaient de leur lessive le dimanche, faute de temps durant la semaine. À l'instar de leurs maris, les ouvrières de Lowell travaillaient de six heures du matin à six heures le soir, six jours par semaine. Il en était de même pour leurs enfants.

Devant l'étonnement de Joseph et de ses filles, le chef de famille se sentit dans l'obligation de préciser.

— On est venus ici pour faire du *cash*… et on en fait ! Il s'agit de donner le coup. Mais c'est pas la fin du monde. Ma mère, elle, reste ici pour prendre soin de notre Elphège, trop jeune pour travailler.

Marguerite risqua la question qui lui brûlait la langue.

— Vos filles ne vont pas à l'école ?

— Non… Ben quoi ? C'est pas pire qu'au Québec où tous les enfants de la famille participent aux travaux de la ferme. Elles auront bien le temps de rattraper leurs études quand on retournera chez nous. Même que je n'en vois pas vraiment la nécessité. Entre vous et moi, qu'ont-elles tant besoin de s'instruire pour aller élever une trâlée d'enfants au Canada, hein ?

— Et Elphège ?

— Elphège va à l'école publique anglaise. Depuis 1868, nous avons enfin une paroisse française bien à nous, la seule de Lowell avec une vieille église payée et transformée par le curé et nous tous : l'église Saint-Joseph. Nos prêtres habitent cependant au presbytère de la paroisse voisine anglophone de l'Immaculée Conception. L'école paroissiale française viendra plus tard. Que voulez-vous, on a à se battre pour ça et ça nous coûte cher. Mais, c'est plus important de s'occuper de la maison du bon Dieu que de la nôtre, hein ? Autrefois, il fallait aller à la chapelle de l'hôpital ou à l'église Saint-Patrick, une église irlandaise pas très loin d'ici. Les Canadiens français ne comprenaient absolument rien de ce qu'on y disait. Il n'y avait même pas de chants grégoriens et on passait la quête à n'en plus finir durant la messe. Faire sa religion aux États était devenu dispendieux ! Ils sont pas mal *fancy*, les gens d'ici ! Surtout qu'aucun prêtre ne pouvait nous confesser ni prononcer de sermons dans notre langue. Quand un missionnaire canadien-français passait ici par hasard, il en avait pour des heures à baptiser, marier, confesser et donner la première communion sur le perron de l'église irlandaise. Ça n'avait aucun sens !

Marguerite insista.

— Comme ça, Elphège ne peut pas aller à l'école en français ?

— Exactement. Il n'existe pas d'école française ici, pour l'instant. Mon fils va à l'école publique américaine. C'est rendu qu'il parle l'anglais mieux que nous autres, le « p'tit vlimeux » !

Jacques ne put réprimer un sourire et donna une claque dans le dos du gamin. Ni l'homme ni Joseph ne perçurent le léger soupir que poussa discrètement Marguerite. Son espoir de retourner à l'école en français venait de s'anéantir. Et encore plus celui d'aller à l'école normale. Elle jeta un regard oblique à son père : au fond, tout était de sa faute. Et il avait l'air de s'en ficher. Anne, au contraire, se prépara avec résignation à s'adapter encore une fois à une autre maison d'enseignement.

Les Maltais se montrèrent magnanimes et offrirent spontanément la chambre destinée à leurs visiteurs qui ne s'étaient pas présentés. Joseph y dormirait avec ses filles, pour cette nuit à tout le moins. On verrait ensuite.

Jacques donna des ordres discrets aux deux femmes.

— Dites donc, si on prenait une bouchée ? Vous devez avoir faim. Ma belle-mère a fricoté la soupe aux légumes du siècle, paraît-il. Et attendez de goûter à son pain d'épice !

Ce soir-là, Anne et Marguerite, pourtant exténuées par le voyage, mirent longtemps avant de s'assoupir. Au milieu de la nuit, si les Maltais perçurent les pas de l'un de leurs invités à travers le logement, ils ne bronchèrent pas, convaincus que Joseph descendait aux latrines.

On réalisa, le lendemain seulement, qu'il n'était pas remonté.

19

— Je veux voir papa, je veux voir mon papa!

Anne était au bord de la panique. La grand-mère Maltais avait beau tenter de lui changer les idées avec des tisanes et des carrés de sucre à la crème, l'intéresser au ménage ou à la préparation du repas des travailleurs, rien n'y faisait. Même Marguerite, elle aussi dépassée par les événements, n'arrivait pas à la réconforter. Au fond, l'aînée avait tout autant envie de hurler sa déconfiture que sa sœur. Où donc se trouvait leur père?

Si c'était ça, Lowell… Le paradis faisait davantage figure d'enfer! L'accumulation de toutes ces épreuves depuis la mort de leur mère commençait véritablement à semer la révolte dans l'esprit de la jeune fille pourtant apte au bonheur, autrefois, dans ces temps éloignés où elle regardait l'avenir d'un œil serein. Maintenant, tout s'écroulait. Voilà que Joseph les abandonnait chez de parfaits inconnus, dans une ville qu'elle ne connaissait pas. Le comble!

Tout ça au nom de quoi? De l'argent? Elle n'en avait que faire, de l'argent. Pourquoi l'argent, ce veau d'or de la Bible? Il faisait perdre la tête aux humains, l'argent… Et il rendait son père complètement dingue. À cause de cette folie, cette soif impérieuse d'argent, elle avait cessé d'aller à l'école et ne voyait plus sa petite sœur Camille. Elle et Anne n'avaient plus de racines nulle part.

De l'argent pour s'acheter quoi ? Des draps de soie ? Des bijoux ?
De beaux vêtements ? Se bâtir une belle maison ? N'en possédaient-
ils pas une à Grande-Baie ? Oh ! ce n'était pas la plus cossue du village,
mais Marguerite aimait bien sa petite chambre aux rideaux de dentelle,
sa courtepointe aux teintes de rose et de mauve cousue par maman.
Maman… Soudain, un ennui atroce la gagna. Maman, maman, où
es-tu ?

Que faisait-elle ici, en ce morne matin de printemps, dans ce
logement étroit et mal éclairé, chez de purs étrangers, seule au bout
de l'exil, sans adresse, sans rien ni personne, sans recours, en train
de brasser une tisane aux pommes et à la cannelle en face de sa pauvre
sœur éplorée qui, elle, soupirait au sujet de son père ? Comment la
consoler ? Et se consoler elle-même ? Devait-elle lui confier le fond
de sa pensée : que leur père avait viré fou ? Dans le tourbillon formé
par sa cuillère dans le liquide brûlant, Marguerite ne voyait que
malheur et désenchantement.

— Ne pleure pas, ma pauvre Anne. Papa va revenir, tu le sais
bien. C'est pas la première fois qu'il disparaît comme ça.

Justement, ce n'était pas la première fois. Mais cette fois, Marguerite
n'avait plus envie d'essayer de comprendre ni de pardonner. Plus
envie d'attendre. Cette fois, la colère s'était emparée d'elle, une
colère froide et dévastatrice qui éteignait les dernières lueurs d'espoir
brûlant encore en elle. D'ailleurs, quel espoir ? Du retour de l'homme
qui les traînait dans l'incertitude et l'insécurité depuis des mois ?
Dieu sait ce qu'il leur ménageait pour l'avenir. Jusqu'où sa grande
illusion les mènerait-elle ? Cette fois, Marguerite Laurin détesta son
père. De toutes ses forces et de toute son âme. Elle détesta le monde
entier, elle détesta la vie elle-même. Même sa sœur pleurant sur ses
droits d'enfant à la stabilité lui tapait sur les nerfs.

— Arrête de brailler, Anne ! répétait-elle avec impatience,
autant pour elle que pour sa sœur. Ça ne donne strictement rien.
Ça ne va pas ramener notre père. Il reviendra bien quand il l'aura
décidé, tu le sais aussi bien que moi.

La grand-mère Maltais entendit-elle la réflexion de Marguerite ? La vieille femme se leva d'un bond et leur offrit de sortir avec Elphège.

— Venez, les petites, je vais vous faire visiter la ville. Ça va vous changer les idées. Ainsi, le temps passera plus vite. On va laisser une note sur la porte pour votre papa, au cas où il reviendrait pendant notre absence, et on va aller marcher dans Market Street. Vous allez voir, il y a de belles boutiques à Lowell. C'est pas comme au Saguenay.

Les « petites » refusèrent obstinément de sortir. Il n'était pas question de manquer le retour de Joseph. Des plans pour qu'il reparte sans elles ! Et si les invités attendus arrivaient aujourd'hui de Boston, où dormiraient-elles ce soir ? Sur le trottoir ? Sans doute Joseph était-il parti à la recherche de la tante Léontine et reviendrait-il bientôt avec de bonnes nouvelles, une adresse où nicher. Elles passèrent donc le reste de la journée en silence, le nez collé contre la vitre.

Joseph ne réapparut pas de la journée. Même monsieur et madame Maltais, au retour du travail, furent démontés par cette disparition insolite. Ils n'arrivaient pas à croire que cet homme avait abandonné ses propres enfants chez des étrangers sans plus donner signe de vie. Anne et Marguerite refusèrent de souper, totalement désemparées. Heureusement, les visiteurs en provenance du Québec ne se présentèrent pas tel que prévu. On dormit mal, cette nuit-là, dans le logement numéro 4 du bloc Austin. Une épée de Damoclès semblait suspendue au-dessus du *tenement*.

Le lendemain matin, au moment où les travailleurs se préparaient à repartir, on frappa plusieurs coups effrénés à la porte d'entrée. Les filles sentirent leur cœur bondir. Ce devait être leur père ! Monsieur Maltais s'empressa d'ouvrir et lança un cri d'étonnement.

— Ah ! ben, ça parle au diable !

— Salut, le frérot ! C'est ben tranquille, icitte ! C'est comme ça qu'on accueille la famille ? Ben, nous v'là ! On a pris le train de nuit. On pensait vous faire une surprise. C't'idée, aussi, d'émigrer à l'autre bout du monde !

— Ah! pour une surprise, c'en est une! On vous attendait avant-hier!

— Ben quoi? On est juste un peu en retard. Pas de notre faute si on a manqué le départ à Sherbrooke. Les chemins du Québec sont bloqués par les inondations, la neige a fondu trop vite, ça a tout pris pour nous rendre jusque-là. Ensuite, on a embarqué sur les trains du Grand Tronc. Ça n'en finissait plus! D'abord, Island Pond, puis Portland et enfin Boston pour finalement remonter jusqu'à Lowell. Ça a besoin de valoir la peine!

Des pleurs émanant de la chambre voisine interrompirent la conversation. Dans les bras de sa sœur, Anne, au bord de la panique, appelait son père à grands cris. Elles venaient de perdre leur lit où dormir. Marguerite, elle, sanglotait par petits coups, en silence, comme la grande fille raisonnable qu'elle n'arrivait plus à être.

⋆⋆

Le même après-midi, la grand-mère s'en fut avec les sœurs Laurin au presbytère situé à quelques coins de rue. Monsieur le curé trouverait bien une solution, lui.

Le prêtre portait bien la cinquantaine. Légèrement bedonnant dans sa soutane noire, le cou enserré dans son collet romain, le cheveu grisonnant plutôt rare, le regard droit et direct à travers ses petites lunettes cerclées de métal, le père André-Marie Garin, oblat de Marie-Immaculée, ressemblait davantage à un grand-père qu'à un ministre du culte débordé par les mille et un problèmes de ses ouailles.

Marguerite le dévisageait comme un sauveur. Arriverait-il à retrouver leur père et à les sortir du pétrin, elle et sa sœur? Il représentait le dernier recours avant le naufrage complet. L'homme posa une main toute paternelle sur l'épaule d'Anne.

— Ne vous en faites pas, mes chères filles, on va le retrouver, votre papa. En attendant, vous pourrez dormir ici aussi longtemps que nécessaire. Mon vicaire et moi allons prendre soin de vous. Allons, cessez de pleurer. Le bon Dieu n'abandonne jamais ses

enfants, vous le savez. Pensez aux oiseaux et aux lys des champs…
Il faut garder confiance.

Anne frémit légèrement. Elle buvait les paroles du prêtre comme
de l'eau de source. Il avait raison, son père reviendrait. Elle voulait
y croire, il fallait y croire de toutes ses forces sinon elle mourrait de
peur et de chagrin. Marguerite, par contre, porta sur lui un regard
sceptique. Trop facile de mettre leur problème entre les mains du
bon Dieu qui avait l'air de s'en moquer royalement. Il aurait des
comptes à lui rendre, celui-là, un de ces jours. Il aurait pu s'occuper
d'elles avant aujourd'hui. Elle fit la moue et ne se donna pas la peine
de répondre.

Le vicaire, homme d'âge moyen et tout aussi imposant que le
curé, tenta de créer une diversion.

— Tenez, mesdemoiselles! Je suis en train de monter une
bibliothèque pour la jeunesse avec un ami qui m'apporte des livres
en français. Vous savez lire, je suppose? Attendez, voir… Certains
devraient vous plaire. La comtesse de Ségur, vous connaissez?
Avez-vous lu *Les Malheurs de Sophie*?

➺◄

Elles ne revirent leur père que le lendemain quand un policier
frappa à la porte du presbytère en poussant un Joseph passablement
éméché.

— *This stupid French Canadian was going to set fire to a bench
in the park. You better take care of this "rolling stone", father, if not,
I'll put him in jail.*[12]

Devant le piteux état de son père, l'inquiétude plus que le soulagement submergea Marguerite. Anne manifesta moins de retenue
et sauta au cou de l'arrivant.

— C'est papa! C'est vous, mon papa! Enfin!

---

12. Ce stupide Canadien français allait mettre le feu à un banc du parc. Vous feriez
    mieux de prendre soin de cet «oiseau de passage», mon père, sinon je vais le
    mettre en prison.

Tenant laborieusement sur ses jambes, Joseph ouvrit instinctivement les bras pour enlacer ses filles sans percevoir la raideur de son aînée ni les tremblements de la plus jeune. Encore moins le désarroi qui leur déformait le visage.

À la vérité, il se rappelait à peine son propre nom.

20

Le jour suivant, à peine revenu de sa longue cuite, Joseph n'en menait pas large. Renfrogné, les vêtement fripés, il passa des heures devant la fenêtre du presbytère, plongé dans un mutisme absolu. Le curé et son vicaire, avant de partir visiter les malades, se contentèrent de le saluer simplement. Les questions viendraient plus tard. Le père Garin confia les deux fillettes à la cuisinière pour le reste de la journée.

— Eh, les enfants ! Vous pourrez donner un coup de main à madame Dufort dans la cuisine puis l'aider à décorer la salle paroissiale pour le prochain concert. Il ne faut pas oublier que Pâques arrive à grands pas.

Marguerite regarda partir les deux prêtres avec regret. Elle se sentait bien auprès de ces hommes si gentils qui les avaient en quelque sorte prises en charge malgré leur tâche pourtant colossale. Autour de la paroisse gravitaient les activités sociales, intellectuelles, culturelles et, bien sûr, religieuses. En plus d'exercer son ministère et de favoriser la religion dans toutes les sphères de la vie quotidienne, le curé, assisté de son acolyte, contrôlait l'éducation, la bibliothèque, les journaux. Continuellement, il jouait le rôle de conseiller, d'arbitre, de pédagogue, de travailleur social, d'organisateur, et parfois même de banquier ! Il agissait très souvent comme l'instigateur de nombreuses activités communautaires dans la salle paroissiale : veillées et fêtes familiales, concerts, conférences, parties de cartes, il devait voir à tout !

Malgré ces lourdes besognes, les deux hommes paraissaient sereins et leur attitude traduisait non seulement une bonté indéniable mais aussi une franche joie de vivre. Les Canadiens français de la paroisse Saint-Joseph de Lowell pouvaient s'appuyer avec confiance sur leurs dévoués guides spirituels et s'enorgueillir de leur zèle.

Ce n'est qu'en fin d'après-midi que Joseph sortit enfin de sa torpeur et manifesta quelque intérêt pour ses filles.

— Alors, les Maltais vous ont mises à la porte ?

— Mais non, pas du tout. Les gens qu'ils attendaient sont finalement arrivés et ils avaient simplement besoin de la place.

Marguerite tourna sa langue sept fois pour se retenir de lui reprocher de s'être enfui et de les avoir abandonnées. Trop facile de fuir quand ça va mal ! Et pourquoi s'était-il mis à boire encore une fois ? Pourquoi, surtout, tentait-il de mettre le feu à un banc de parc ? Elle n'arrivait pas à s'expliquer cette attitude. Tout à coup, en ce petit après-midi gris et pluvieux, son père lui apparaissait non seulement comme un lâche mais comme un être bizarre et insaisissable. Un être qui lui faisait peur, certains jours. Elle ne comprenait plus ses projets, ni ses raisons de les avoir amenées ici, aujourd'hui, à Lowell, à vivre de la charité d'un prêtre, au fond d'un presbytère. N'étaient-ils pas heureux auprès de Jesse ?

Elle regardait la main de Joseph trembler, elle voyait ses yeux injectés de sang, sa barbe mal taillée, sa peau fanée et rougie, et elle sentait gronder la colère au fond d'elle-même. Une colère à peine retenue. Dans quel pétrin il les avait fourrées, elle et ses sœurs ! Soudain, elle n'avait plus envie de le suivre. C'en était assez ! Elle irait travailler quelques semaines à l'usine et gagnerait suffisamment d'argent pour acheter des billets de train. Elle et ses sœurs retourneraient au Saguenay. Avec ou sans lui.

Elles retourneraient… Mais au fait, où retourneraient-elles ? Leur maison était sans doute abandonnée au milieu des champs. Leur tante Hélène et son mari accepteraient-ils de les prendre sous leur aile malgré leurs huit enfants ? Hum… mieux vaudrait se rendre chez leurs grands-parents à Baie-Saint-Paul. Lors de leur passage chez eux, en septembre dernier, elle avait promis à sa grand-mère de lui écrire mais elle n'y avait plus songé par la suite.

D'ailleurs, qu'aurait-elle pu lui raconter ? Leur interminable voyage ? L'accident de Camille ? Leur séjour chez les Peel à Colebrook ? Annoncer à sa grand-mère qu'elle n'allait plus à l'école ? Que son père l'avait obligée à travailler dans une manufacture ? Qu'il avait séparé les trois petites sœurs pour aboutir à Lowell, cette ville de briques rouges, immense et surpeuplée, ce faux paradis aux couleurs du progrès ?

Non, grand-maman se serait tourmentée à leur sujet sans pouvoir les aider. Comment aurait-elle pu ? Il n'y avait personne sur cette planète pour les aider. Marguerite, Anne et Camille Laurin, filles mineures, se trouvaient légalement et carrément à la merci de leur père, de ses stupides ambitions et de sa maudite bouteille.

Anne partageait-elle l'état d'esprit de sa sœur ? Elle se leva spontanément et vint se planter devant Joseph retourné dans ses pensées silencieuses.

— Dites-moi pourquoi, papa, le policier a dit que vous vouliez brûler un banc de parc ?

L'espace d'une seconde, l'homme sembla revenir à la réalité et braqua ses yeux dans ceux de sa fille. Il répondit sans hésiter :

— Ce n'est pas moi, ma fille, ce sont les feux follets qui voulaient mettre le feu. Parfois ça devient fou, tu sais, des feux follets…

Il n'allait tout de même pas leur raconter dans le détail ses frasques des derniers jours ! D'ailleurs, il s'en rappelait à peine. Le train, l'arrivée à la gare, ces étrangers qui leur avaient offert le gîte, l'atmosphère suffocante dans un logement du Petit Canada, les crampes, au milieu de la nuit, et ce besoin impératif d'aller aux toilettes, au sous-sol… Sans compter l'embarras, la confusion, l'incertitude, la honte d'avoir mal planifié son arrivée à Lowell… La déception qui lui tordait les entrailles… Sa sœur qu'il ne savait où trouver… Et Jesse, méchamment abandonnée là-bas, sur un coup de tête…

Dans la nuit chaude et étoilée, trop silencieuse, il avait cédé à l'envie de se délier les jambes et de marcher un peu par les rues afin de découvrir ce fameux Lowell où il allait installer ses pénates. Marcher surtout pour décanter ses émotions trop vives. Hélas, ses pas l'avaient sournoisement conduit jusqu'à un débit de boissons tenu par un Québécois dans la Main Street. Même après la fermeture, les nouveaux copains avaient voulu le retenir pour jouer aux cartes. Ah! comme il avait apprécié de côtoyer des gens de sa race! Ils avaient longuement «fêté ça».

Après, plus rien. Il ne se rappelait plus rien à part ces satanés feux follets qui, au retour, dansaient dans un parc pendant que lui, incapable de faire un pas de plus, se reposait sur un banc. Il en voyait partout, des feux follets. Ça tournait autour de lui, ça le frôlait, ça le léchait, ça le brûlait presque. Et il avait eu peur. Ah! il en avait bavé! À n'en pas douter, il s'agissait de Rébecca qui venait le narguer. Oui, ça devenait fou, parfois, des feux follets. Et ça rendait fou…

Anne cessa ses questions et vit son père se jeter à plat ventre sur un des lits du dortoir pour ne s'en relever que quinze heures plus tard.

＊＊

Le lendemain, Joseph sembla complètement sorti de sa crise. Le curé convia gentiment ses locataires à sa table. Devant l'épuisement évident des deux prêtres, Joseph s'aventura à leur conseiller de réclamer de l'aide du diocèse.

— C'est déjà fait. Un prêtre irlandais est venu pour un certain temps remplacer mon jeune vicaire tombé malade et retourné au Canada. Mais le pauvre ne parlait pas un traître mot de français. Il ne pouvait donc prononcer des sermons, ni entendre les confessions, ni proférer de bons conseils, ni rassurer les malades. Au bout de quelques jours, il a dû retourner, confondu, à Boston.

— Pourquoi ne pas faire venir des prêtres du Québec, alors?

— Il faut d'abord convaincre le diocèse de Boston. Les autorités se montrent réticentes et favorisent plutôt l'intégration des immigrants à la société américaine. Ça n'a pas été évident, vous savez. Ils nous font la vie dure… Quand j'ai finalement obtenu la permission de fonder cette paroisse, il y a une dizaine d'années, j'ai dû ramasser moi-même les fonds. Les gens se sont montrés fort généreux, preuve qu'un besoin pressant se faisait sentir. En trois semaines, ils ont recueilli trois mille cinq cents piastres pour acheter, dans la rue Lee, une vieille église protestante abandonnée et la convertir en l'église Saint-Joseph. Mon prochain projet est de construire une école paroissiale où les enfants pourront étudier en français. En remplacement de mon vicaire en convalescence au Canada, on a envoyé temporairement le père Lagier que vous connaissez. Mais le père Lacroix semble enfin rétabli, aux dernières nouvelles, et il devrait rentrer bientôt. J'espère pouvoir garder mes deux assistants auprès de moi. Mais… rien de moins sûr !

— Lacroix, dites-vous ? Mais… Dieu du ciel, ne s'agirait-il pas d'un jeune oblat de Marie-Immaculée en repos dans un couvent de Lévis, par hasard ?

— Antoine Lacroix, exactement ! Comment savez-vous cela ?

Joseph raconta sa rencontre chez les sœurs avec le jeune prêtre malade, un soir d'orage. Il lui avait d'ailleurs remis une lettre pour son ami le curé.

— Excusez-moi, j'ai perdu la lettre en cours de route. Il faut dire que je n'avais pas prévu mettre sept mois pour parvenir à Lowell.

— Et notre sœur Camille est restée à Colebrook… renchérit Anne, trop contente de raconter en détail les péripéties de leur voyage.

Ces confidences achevèrent de briser la glace. Joseph sembla redevenir lui-même, au grand soulagement de Marguerite.

Au cours de la journée, il s'en fut à l'une des filatures du quartier en compagnie de ses filles, en quête d'un emploi pour lui et Marguerite. Le contremaître le reçut froidement. Même s'il avait remarqué qu'il s'agissait d'un francophone, il s'adressa à lui en anglais pour lui apprendre qu'on payait entre soixante-douze cennes et un dollar vingt-cinq par jour, selon le travail effectué. Malheureusement, pour le moment, il n'avait rien pour lui.

À son grand étonnement, l'homme entendit Joseph lui offrir, dans un anglais acceptable mais coloré d'un fort accent, de travailler pour soixante cennes.

— *Sixty cents? O.K. You'll start tomorrow morning at six o'clock.*[13]

Joseph négocia également l'embauche de ses deux filles en mentant sur leur âge. Le contremaître accepta de les recevoir le lendemain et promit de faire de son mieux pour leur trouver un emploi.

Si Marguerite se sentit dépitée à l'idée de retourner travailler en usine, Anne, au contraire, n'arriva pas à fermer l'œil de la nuit. Elle ne pouvait croire qu'elle gagnerait un salaire. Enfin! on la comptait parmi les grands! Son père l'avait bien avertie : « À partir d'aujourd'hui, tu as quatorze ans. » Le père Garin n'avait-il pas expliqué, la veille, que les enfants de moins de quatorze ans étaient tenus d'aller à l'école au minimum trois ou quatre mois par année? Elle y était allée durant deux mois et demi, cet hiver, à Colebrook. C'était toujours ça. D'après Joseph, cela suffisait largement.

---

13. Soixante cennes? O.K. Vous commencez demain matin à six heures.

21

Aux premières lueurs de l'aube, Anne et Marguerite s'introduisirent sur la pointe des pieds dans l'immense usine de la Lawrence Mills dans Perkins Street. Elles avaient traversé l'étroit embranchement du réseau de canaux de la ville, aux trousses de leur père qui marchait d'un pas allègre sans se rendre compte de leur essoufflement.

Malgré son air fanfaron et ses prétentions de connaître «ce que c'est, une manufacture», l'aînée appréhendait de pénétrer dans ce nouveau «lieu de torture» dont elle n'attendait rien de bon. Adossé à la rivière Merrimack, l'édifice de six étages construit en briques rouges et percé de nombreuses fenêtres en imposait par ses dimensions impressionnantes qui dépassaient largement celles de la Collin's Shoe Shop. Ses nombreux pavillons disposés en grille faisaient penser a un séminaire ou un hôpital.

En approchant, on pouvait entendre une cloche appeler les employés, des femmes en majeure partie. On s'y engouffrait à toutes jambes par centaines à travers les différentes portes situées aux extrémités des ailes. Une tour surmontée d'un dôme de cuivre et appuyée au milieu de l'une des sections indiquait l'heure : cinq heures cinquante. Le «ding dong» fit sursauter les filles et rappela à Marguerite le timbre de la cloche de l'école du Quatrième Rang à Grande-Baie. Il y avait si longtemps ! Y retournerait-elle jamais ?

Mais elle n'eut pas le loisir de s'apitoyer longtemps, soudain médusée par le bruit qui suivit quelques minutes plus tard. Des centaines de métiers à tisser venaient de se mettre en branle, mus par la vapeur selon les méthodes scientifiques les plus récentes. Les machines battaient le rythme avec un bruit infernal propre à défoncer les tympans. Jamais la jeune fille n'avait entendu un tel vacarme. Apeurée, Anne se rapprocha de sa sœur et glissa furtivement sa main dans la sienne. Joseph, lui, ne tarissait pas d'éloges.

— Extraordinaire ! Regardez-moi ça, les filles, le rendement de ces machines-là. Pas croyable jusqu'où en est rendu l'être humain ! Vous avez devant vous la gloire de l'Amérique, mes enfants…

À l'entrée, le chef d'atelier tenait déjà leurs fiches en main. Il leur indiqua l'horaire dans un anglais mal articulé. Le travail commençait dix minutes après la cloche et s'étalait sur une période de douze heures, y inclus les samedis. Trente-cinq minutes étaient allouées pour déjeuner, même chose pour le dîner. On ouvrait et refermait les barrières dix minutes avant et après la cloche.

Puis il ajouta avec un air condescendant que les jobs les moins bien payées se trouvaient dans les salles de cardage et de filage où l'on démêlait et nettoyait les fibres. C'est là qu'il allait les affecter tous les trois pour l'instant. En général, ça prenait quelques mois avant de monter en grade et de pouvoir travailler sur un métier à tisser.

Joseph acquiesçait de la tête avec la soumission respectueuse d'un domestique. Marguerite aurait préféré ne rien entendre tandis qu'Anne écoutait d'une oreille distraite et semblait ne rien comprendre. L'homme ne mit pas de temps à leur assigner une tâche de décrotteurs : Joseph devrait nettoyer les allées recouvertes de mousse et de brins de coton à l'aide d'une vadrouille tandis que les filles, armées de plumeaux, élimineraient les filaments agglutinés dans les articulations de la machinerie. Bien sûr, il fallait éviter toute imprudence : surtout ne pas s'approcher des moulins en marche. Seuls les contremaîtres devaient s'acquitter des tâches dangereuses. L'homme raconta qu'un jeune garçon s'était fait happer un bras en voulant dégager une bourre coincée dans l'engrenage d'un métier à tisser pendant qu'il tournait. Il leur recommanda donc la plus grande prudence.

Il n'en fallut pas plus pour qu'Anne prenne panique et se mette à trembler d'effroi. Le surveillant des travaux lui jeta un regard suspicieux qui n'échappa pas à Joseph. De toute évidence, il se rendait compte que cette enfant n'avait pas l'âge requis pour travailler. Les ongles que Joseph enfonça discrètement dans l'épaule de sa fille et les mots qu'il lui susurra à l'oreille sur un ton péremptoire brisèrent toute tentative de rébellion de la part de la fillette.

— Tu dois avoir quatorze ans, oublie pas ! Et tu vas montrer au monsieur à quel point tu es capable de fonctionner. Compris ?

Puis il se tourna vers le contremaître avec un air qui se voulait persuasif.

— *Listen to me, sir : my daughter is really fourteen. In French, we used to say* "Dans les petits pots, les meilleurs onguents !" *You'll see, she will make a good job!*[14]

Anne renifla un bon coup et accepta de suivre le petit groupe à travers la salle de tissage où les sabres faisaient claquer les navettes à une cadence endiablée. Elle se promit de ne jamais venir travailler dans cette pièce à cause du bruit, malgré les meilleurs salaires promis. En pénétrant dans les locaux de préparation, une bouffée de chaleur humide remplie de particules en suspension les frappa de plein fouet.

Anne se sentit suffoquer et porta stupidement son plumeau rempli de poussières devant son visage, ce qui, évidemment, déclencha un début d'insuffisance respiratoire. Marguerite, de son côté, commença à toussoter et à se frotter les yeux. Le contremaître se pencha au-dessus d'elles avec un air méfiant.

---

14. Écoutez-moi bien, monsieur : ma fille a vraiment quatorze ans. En français, nous avons l'habitude de dire : « Dans les petits pots, les meilleurs onguents ! » Vous allez voir, elle va faire du bon travail.

— *I'm not sure they'll make it!*[15]

— C'est ce qu'on va voir! menaça Joseph entre les dents.

Personne ne put l'entendre à cause du vacarme d'enfer.

Le soir ramena au presbytère les deux travailleuses et leur père complètement fourbus. Le père Garin se montra bienveillant, malgré la lourdeur de la présence envahissante de ces trois locataires depuis déjà quelques jours. À la vue des yeux rougis des fillettes, il se permit d'interroger Anne.

— Quel âge as-tu, toi, ma cocotte?

— Euh… j'ai… j'ai quatorze ans!

— Ah tiens! Même chose que ta sœur! Vous faites une drôle de paire de jumelles!

Le curé éclata de rire mais son rire sonnait faux. Même s'il n'approuvait pas que l'on fasse travailler des enfants de douze ans à l'usine, il prit le parti de se taire. Joseph lui en fut reconnaissant. Mais trop conscient d'abuser de la bonté du prêtre, il se sentit obligé d'apporter certaines précisions sur leur situation.

— Je me donne encore un jour ou deux pour dénicher ma sœur, sinon, je vais louer un appartement dans le Petit Canada. Ne vous inquiétez pas, mon père, je vais vous dédommager pour notre hébergement.

Le prêtre se contenta de hausser les épaules. La Divine Providence ne voyait-elle pas à tout?

---

15. Je ne suis pas certain qu'elles vont y arriver!

22

« V ive la Canadien-en-ne, vole, mon cœur, vo-o-o-o-le… »
        La chorale, grimpée sur l'estrade à l'avant de la salle
paroissiale, s'en donnait à cœur joie. Les femmes, de tout âge, portaient un chemisier blanc et une jupe noire. Les hommes, eux, sou-
tenaient pour la plupart leur pantalon à l'aide de bretelles sombres
striant leur chemise parfaitement empesée. Malgré l'absence de
dentelles, colifichets, bijoux et chaînes de montre en or, les chanteurs et les chanteuses du chœur paroissial Saint-Joseph avaient
fière allure en ce dimanche après-midi de Pâques.

« Et ses jolis yeux doux, doux, doux, et ses jolis yeux doux… »
        Quand la soliste fit un pas en avant et entonna le couplet d'une
voix ferme et fracassante de mezzo-soprano, Joseph bondit sur ses
pieds et laissa échapper un cri de surprise : « Léontine ! » À n'en pas
douter, c'était bien elle, sa grande sœur. Il reconnaissait son port
altier, sa « corporence », sa poitrine généreuse et sa chevelure abondante.

        Il la cherchait désespérément depuis cinq jours en fouillant des
yeux la foule de travailleurs et en interrogeant les uns et les autres.
Il s'avérait vital de la trouver rapidement, non seulement pour quitter
au plus vite le presbytère, mais également pour lui confier ses filles,
le temps de retourner à Colebrook chercher Camille. Sinon, il serait

dans l'obligation de les ramener là-bas avec lui. Il n'était pas question de les laisser seules dans la jungle que lui paraissait Lowell. Il n'était pas question, surtout, de perdre ce nouvel emploi auquel elles commençaient à peine à s'adapter.

Le soir ramenait les fillettes complètement épuisées au presbytère. Mais la petite enveloppe remise par le *foreman*, à la fin de la semaine, valait bien toutes les fatigues. À tout le moins à ses propres yeux, car ni Anne ni Marguerite ne semblaient s'y intéresser. Elles l'avaient remise à leur père sans même en regarder le contenu. « Bof… se disait-il, elles vont finir par s'y faire à la longue. »

Effectivement, si elles avaient quelque peu protesté les premiers jours pour ne pas retourner au travail, elles rentraient maintenant, le soir, silencieuses et abruties, sans trouver l'énergie de se plaindre. Et quand, le lendemain, l'aurore les tirait du lit à une heure où même les coqs n'avaient pas encore commencé leurs ritournelles, c'est à peine si elles avaient le temps d'enfiler jupes et tabliers que déjà elles se retrouvaient sur le macadam, marchant derrière leur père vers la Lawrence Mills Company comme des centaines d'autres travailleurs. Comme leur père qui filait doux. Leur père qui n'avait pas bu une goutte de la semaine. Leur père méconnaissable de gentillesse envers le curé, son vicaire et la cuisinière, docile face aux contremaîtres, aimable avec tout le monde.

« Vive la Canadien-en-ne… »

La foule se leva d'un bloc et se mit à chanter à tue-tête avec le chœur. Dans cette clameur se trouvait l'âme d'un peuple, sa fierté mais aussi son amertume de se trouver loin de sa patrie. On se rapprochait, on se serrait les uns contre les autres, on se tenait par la main, on se souriait, on devenait solidaire et complice. On ne se sentait plus seul. Et de ces rapprochements émanaient une énergie féroce, une force si prodigieuse que même Joseph en éprouva une certaine émotion. Lui non plus n'était pas seul. N'était plus seul.

Monsieur le curé l'avait dit, ce matin, lors de son sermon de Pâques dans la petite église Saint-Joseph bondée de fidèles : « Vous n'avez pas abandonné votre pays, vous l'avez agrandi jusqu'ici. » Toutes ces familles qui chantaient autour de lui, ces hommes, ces femmes, ces enfants, ils appartenaient à la même race, ils parlaient la même langue, ils entretenaient les mêmes traditions et défendaient les mêmes valeurs. Et ils partageaient la même aspiration : celle de s'éloigner de la même pauvreté, du même dénuement.

On avait dû refuser des spectateurs dans la salle paroissiale trop exiguë pour contenir toute la communauté francophone grandissante du quartier, toujours intéressée à participer aux fêtes et aux activités sociales. Il suffisait d'organiser une conférence, un tournoi de cartes ou une soirée de rigodons pour que s'allongent les listes d'inscription. Aujourd'hui, le temps maussade avait dissuadé les organisateurs de présenter le concert à l'extérieur. Évidemment, Joseph et ses filles, hôtes du pasteur, avaient obtenu des places de choix.

Quand la chorale eut terminé son dernier rappel et que les chanteurs descendirent de l'estrade sous un tonnerre d'applaudissements, Joseph s'approcha de sa sœur.

— Léontine ! Léontine Gauthier ! Eh ! tu ne salues pas ton p'tit frère ?

— Joseph ! Salut, frérot ! Ça va ?

Marguerite ne reconnaissait pas sa tante, pas plus que son mari et ses cousins, émigrés aux États-Unis depuis plusieurs années. Elle se serait attendue à un accueil plus enthousiaste de sa part. Un cri de surprise et de joie, une accolade chaleureuse… Depuis le temps que cette tante n'avait pas vu Joseph et ses enfants ! Mais un simple baiser du bout des lèvres sur la joue de son frère fut sa seule manifestation de bienvenue.

— Je savais que tu étais parti pour la Nouvelle-Angleterre, mais ne te voyant pas arriver à Lowell, j'ai conclu que tu t'étais fixé ailleurs.

— Tu le savais ? Comment ça, tu le savais ?

— Maman m'a écrit après votre arrêt à Baie-Saint-Paul, au début de septembre. Elle m'a appris au sujet de Rébecca et de votre départ pour les États-Unis. Mes condoléances, mon frère… Tu aurais dû me faire signe en arrivant ici, j'aurais pu vous aider à trouver un gîte et du travail.

— J'aurais bien voulu mais j'avais oublié ton adresse. Pas brillant, n'est-ce pas ? Et trouver quelqu'un dans une si grande ville, c'est comme trouver une aiguille dans une botte de foin. Il faut dire que nous nous trouvons à Lowell depuis une semaine seulement.

— Comment ça ? N'as-tu pas quitté le Saguenay au début de l'automne ? Ne me dis pas que tu as mis tout ce temps-là pour arriver jusqu'ici ! Au fait, n'avais-tu pas trois filles ? Je n'en vois que deux.

— Ah… c'est toute une histoire ! Je te raconterai.

— Dis donc, si on allait chez nous, on pourrait discuter plus à l'aise.

Joseph poussa un soupir. Depuis des jours qu'il attendait cette phrase…

Les Gauthier faisaient partie des tenaces, de ceux qui persistaient à demeurer aux États-Unis. Pas une seule fois ils n'étaient retournés en visite à Bagotville d'où ils venaient. Au fil des années, à force de cumuler les salaires du père, de la mère et des fils, la famille avait pu quitter les logements insalubres du Petit Canada et se loger plus décemment dans un appartement de cinq pièces propre et bien éclairé, dans Dutton Street, près du canal.

— Vas-tu mourir aux États-Unis, la sœur ?

— Non, non ! On a l'intention de retourner de par chez nous d'ici peu. Probablement l'année prochaine. Mais parlez-moi donc de vous autres.

Joseph raconta de long en large les péripéties des derniers mois, discours enrichi par le babillage d'Anne qui ne manqua pas de préciser, avec sa candeur d'enfant, certains détails que son père aurait préféré taire, dont sa mystérieuse disparition au moment de leur arrivée à Lowell. Il tenta de faire diversion.

— Dis donc, la sœur, il te manque un fils à toi aussi. Où se trouve ton aîné ? Il n'est pas venu aux États avec vous autres ?

— Oui, oui, mais il est justement reparti pour le Québec, la semaine dernière. Vous l'avez peut-être croisé en cours de route.

Marguerite écoutait la conversation sans dire un mot, se contentant d'observer à la dérobée cette famille où, ils allaient vraisemblablement élire domicile. Pour un certain temps du moins. Cet oncle plutôt distant et taciturne, cette tante qui ne lui avait pas encore adressé la parole, ces trois cousins dont l'un, légèrement plus âgé qu'elle, ne cessait de la dévisager. Elle frissonna.

Léontine s'empressa de ramener le passé sur la table.

— Dis donc, Joseph, il paraît que ta maison a brûlé ? Cette fuite pendant la nuit, ces funérailles manquées… Serait-ce toi qui as mis le feu ?

— Ma maison a brûlé ? Quoi ? Quelle affreuse nouvelle ! Ben voyons donc ! Voir si j'aurais mis le feu à ma maison ! Tu dérailles, la sœur. Pourquoi aurais-je brûlé ma maison ? Quelqu'un t'a dit ça ?

— C'est ce que pense notre sœur Hélène. On s'écrit, nous autres, dans la famille. On se tient au courant. On n'est pas des sans-cœur comme toi. Tu aurais pu au moins donner de tes nouvelles à maman. Elle vous croit morts tous les quatre. Je ne sais pas si c'est ça qui l'a rendue malade mais, depuis votre visite, elle ne va pas bien du tout, notre mère. Elle a toujours mal au ventre et le docteur n'a pas l'air d'aimer ça…

— Ma sœur Hélène t'a raconté que ma maison a brûlé ! Quand ça ?

— La nuit de ta disparition.

— Ça parle au diable ! Comme ça, je n'ai plus de maison et il ne me reste plus rien là-bas ! Maudite bonne raison pour ne pas y retourner, tu ne penses pas ? Qui aurait fait ça ? Et pour quel motif, je me le demande !

— Tu es certain que ce n'est pas toi, le frère ?

— Penses-tu ! Je suis fou mais pas à ce point-là !

Marguerite cessa de suivre la conversation. Ainsi donc, elle n'avait peut-être pas rêvé, cette fameuse nuit où son père l'avait déposée, endormie, au fond de la charrette. Elle se rappelait confusément avoir remarqué des flammes à travers les fenêtres de la maison en levant la tête un instant. Mais son père avait vite fait de la lui enfouir sous les couvertures. En y repensant, elle s'était toujours dit qu'il s'agissait d'un rêve. Anne, elle, n'avait certainement rien vu, sinon elle en aurait parlé à coup sûr. Et… si c'était vrai, tout ça ? Si c'était vrai que son père était devenu fou et avait incendié leur maison ?

Non ! elle n'avait pas le droit de penser du mal de son pauvre père. Bien sûr, il adoptait parfois des comportements inexplicables, mais toujours après avoir pris de l'alcool. Et ce soir-là… Et si, ce soir-là, Joseph avait bu au chevet de sa femme morte ? Rien de plus banal ! Elle éprouva une envie soudaine de pleurer, là, tout de suite, en ce moment précis, dans ce logement inconnu, parmi ces étrangers pas vraiment accueillants, dans ce lieu situé à des centaines de milles de son chez-soi. Pleurer sur sa maison qui n'existait plus, qu'elle ne reverrait plus jamais. Soudain, elle revit en pensée sa si jolie chambre, l'escalier de bois et ses couinements, la longue table de cuisine trouvée par son père dans le réfectoire d'un vieux couvent, les rideaux de dentelle du salon et sa balançoire suspendue à une poutre de la galerie…

Joseph la ramena à la réalité.

— Viens-t'en, Marguerite, on s'en va chercher nos affaires au presbytère. On déménage à soir. Ta tante va nous héberger pour un petit bout de temps. Tu vas dormir dans le boudoir avec ta sœur, pis moi, sur le canapé du salon.

Anne fit la moue.

— J'ai faim, moi !

Léontine, affairée dans la cuisine, répondit froidement qu'elle n'avait qu'un seul poulet pour le souper.

— Ça sera pas suffisant pour tout le monde mais je vais ajouter quelques légumes. Avec du bon pain de ménage, on devrait s'en sortir.

23

— *Shut your mouth and keep your eyes opened !*[16]
Marguerite n'avait pas remarqué le surveillant qui circulait dans l'allée pendant qu'elle se trouvait accroupie pour ramasser ce qui s'échappait sous les cylindres rotatifs des machines à carder momentanément stoppées. L'espace d'une seconde, n'en pouvant plus, elle avait interrompu son travail de nettoyage pour s'adresser à l'opératrice chargée du fonctionnement du moulin à enrouler le fil sur des bobines.

— J'ai mal au ventre. Est-ce que je peux aller à la toilette ?

— Demande au *foreman*, moi je ne peux rien te dire. Tiens, le v'là qui passe.

L'air rébarbatif de l'Irlandais n'annonçait rien de bon. Cet homme appliquait le règlement à la lettre, au doigt et à l'œil : interdit de converser, interdit de boire et de manger, interdit de faire une pause, même de quelques secondes, en dehors du temps alloué à cette fin, interdit de se rendre aux latrines à moins d'une urgence incontrôlable. À l'intérieur des murs de l'usine, les humains devenaient

---

16. Fermez-vous la trappe et gardez les yeux ouverts !

eux-mêmes des machines, et les contremaîtres et leurs assistants avaient reçu ordre de veiller à la discipline.

Marguerite préféra se taire et endurer son mal. Mais le surveillant, flairant un problème, s'attarda auprès d'elle et désigna son abondante chevelure du bout de son bâton.

— Hoù é vôtre fi-ilète, mádémoâzelle ? Vôtre fi-ilète…

Juste ciel, elle l'avait oublié ! Ce matin-là, c'était la première fois qu'ils partaient de chez les Gauthier pour se rendre à l'usine. Le logement se trouvait à bonne distance de la compagnie Lawrence, et le père et ses filles n'avaient pas prévu suffisamment de temps pour s'y rendre. À six heures dix, ils s'étaient butés à la barrière de la cour qu'on refermait systématiquement au dernier son de cloche. Néanmoins, avant même que Joseph n'ait eu le temps de sortir de ses gonds, le garde-barrière avait accepté d'ouvrir exceptionnellement le grillage pour les beaux yeux des deux *sweet little canadian girls* passablement éplorées.

Comble de malheur, Marguerite avait commencé ses menstruations, la nuit précédente, et elle s'était trouvée prise au dépourvu, sans serviette de coton pour absorber le flux. Comment aurait-elle pu songer à en apporter dans ses bagages en quittant Colebrook si brusquement ? Humiliée, elle avait dû réveiller sa tante, aux petites heures du matin. Celle-ci lui avait lancé deux ou trois pièces de tissu par la tête sans un mot de gentillesse. La jeune fille ne pouvait croire qu'ils allaient habiter chez ces gens-là, fussent-ils de la parenté, tant et aussi longtemps que Joseph ne reviendrait pas de Colebrook avec Camille. Et tant et aussi longtemps qu'ils n'auraient pas amassé assez d'argent pour se payer un chez-soi décent et agréable.

Camille… Elle y pensait de nouveau, à sa pauvre petite sœur malade, toujours en pension chez le docteur Lewis. De purs étrangers… Des gens bienveillants mais des étrangers, tout de même. Elle prit la décision d'envoyer une lettre à la femme du médecin pour demander de ses nouvelles et lui donner l'adresse des Gauthier. Elle se promit d'écrire aussi à Betty et, pourquoi pas, à Jesse. Elle l'aimait bien, cette femme maternelle et généreuse. Auprès d'elle, elle s'était sentie quelqu'un d'important, quelqu'un de respecté. Tandis qu'avec Léontine… N'étaient-ils pas heureux tous ensemble à la ferme Peel ? Ils auraient dû y rester pour mener une vie plus normale que maintenant, dans cette ville au train d'enfer. Elle aurait pu poursuivre ses études et enseigner le français, un jour, à l'école de Colebrook. Devenir enseignante, elle en avait toujours rêvé…

Au lieu de ça, elle ramassait la mousse de fibres de coton en dessous de machines diaboliques en se faisant crier par la tête du matin jusqu'au soir. Des cris que personne n'entendait, d'ailleurs, car il régnait un tel vacarme dans ces lieux qu'on ne pouvait se comprendre autrement que par gestes. Et ce tapage isolait chacun des travailleurs comme une épaisse cloison de béton dressée entre chacun d'eux. Dix heures par jour qu'ils enduraient ça, les employés… Et parfois douze durant la période la plus ensoleillée de l'année. Et quand l'un d'eux avait l'audace de protester en brandissant la loi de 1874 limitant le travail à un maximum de dix heures par jour, on ne se gênait pas pour pointer le doigt en direction de la porte.

Quand ils habitaient au presbytère, Marguerite se sentait tellement harassée, en fin de journée, qu'elle tombait littéralement endormie sur le livre de bibliothèque que l'un des prêtres ne manquait pas de lui fournir. Chez sa tante Léontine, par contre, aucun volume d'aucune sorte n'occupait les étagères du salon. Rien ! Pas même un journal. Le soir, il fallait préparer le repas à la course, prévoir les lunches pour le lendemain matin, laver la vaisselle, effectuer quelques brassées de lessive. Le linge commençait à sécher, dès la nuit venue, sur des cordes suspendues à travers le corridor de la maison qu'on devait traverser en se courbant le dos.

Ses fainéants de cousins ne participaient pas à ces travaux domestiques. Non ! Deux nouvelles servantes venaient d'arriver en la personne d'aimables cousines, et ces jeunes messieurs en profitaient outrageusement. Eux non plus n'allaient pas à l'école et, curieusement, le travail à l'usine ne semblait pas les affecter. Seul celui de dix-sept ans, Armand, savait lire et écrire de façon approximative. Les deux autres s'en fichaient éperdument. Léontine l'avait maintes fois répété : tous rattraperaient le temps perdu une fois de retour au pays. Se rendait-elle compte qu'elle tenait le même discours depuis des années ? Ces vains propos servaient peut-être à la déculpabiliser de ne pas faire instruire ses enfants, mais cela ne l'avait pas empêchée de maintenir ses deux plus jeunes dans un analphabétisme total dont ils ne se sortiraient vraisemblablement jamais. Mais peu lui importait. Pour le moment, l'unique souci de sa tante consistait à grossir les économies familiales, rien de plus. Et tant pis pour la jeunesse perdue…

— *Hey! young girl! I'm talking to you! Where is your net?*[17]

— *Excuse me, sir. I forgot it, this morning…*[18]

Le contremaître jeta un regard acide à Marguerite et décida finalement de poursuivre son chemin. Si seulement cette maudite cloche pouvait sonner, elle en profiterait pour quitter les lieux et s'en retourner se coucher chez sa tante pour le reste de la journée. Les crampes la pliaient en deux, elle n'en pouvait plus. Elle chercha Anne des yeux pour l'aviser de son départ, mais ne la trouva pas. On avait dû l'affecter ailleurs dans l'usine. Et son père ? Déjà, au bout de quelques jours, il était monté en grade et travaillait à présent dans l'aile des métiers à tisser. Mais on s'était gardé de l'augmenter de salaire. Il avait bien essayé de protester mais sans succès. C'était ça ou la porte. À prendre ou à laisser. Cinq autres personnes avaient inscrit leur nom sur la liste de demande d'emploi et rêvaient de prendre sa place. Du moins c'est ce qu'on lui avait répondu en haut lieu.

« Ding ! ding ! ding ! » Il vint enfin, ce tintement cristallin qui régissait la vie de tous ces hommes et ces femmes, comme dans un monastère. Marguerite se rendit à l'entrée du local où elle avait suspendu son sac à lunch et sa veste. C'était la première fois qu'elle apportait son repas du midi à l'usine. Lorsqu'ils habitaient au presbytère situé à proximité, ils avaient le temps d'avaler le repas frugal préparé par la cuisinière à leur intention. Maintenant, l'éloigne-

---

17. Hé ! jeune fille, je vous parle ! Où est votre filet ?
18. Excusez-moi, monsieur. Je l'ai oublié, ce matin…

ment les obligeait à apporter un lunch pour le midi. Évidemment, les filles se chargeaient elles-mêmes de le préparer.

Marguerite se dirigea vers le mur longeant la salle, trouvant bizarre que personne d'autre ne songe à utiliser les clous enfoncés entre les fenêtres pour suspendre sa boîte à lunch et ses affaires. Tous préféraient les laisser pêle-mêle dans le vestibule.

En portant la main sur son tricot, elle lança un grand cri. Le vêtement et le sac de victuailles grouillaient d'insectes. Les plus grosses blattes qu'elle ait jamais vues.

24

— Hey, le frère ! Arrête de laisser traîner tes souliers sales dans le vestibule ! Ça fait cent fois que je te le répète !

— O.K. la sœur, pogne pas les nerfs ! Je les ai oubliés, là ! On peut pas être « toutes » parfaits comme toi.

Les choses ne tournaient pas rond entre Joseph et Léontine. Il faut dire que la femme, autoritaire et intransigeante, dirigeait la maisonnée d'une main de fer. D'un an plus jeune que Joseph, elle avait quitté le Canada sur un coup de tête, cinq ans auparavant, avec son mari et ses quatre fils, malgré la grave récession qui faisait des ravages aux États-Unis à ce moment-là. Léopold venait de perdre son emploi à cause d'un accident sur le Saguenay lors d'un embâcle. Blessé gravement au dos, l'homme avait dû renoncer aux deux métiers qui lui servaient de gagne-pain : draveur et bûcheron. Courageusement et en dépit des conseils de leurs proches qui voyaient revenir les leurs les mains vides à cause du climat économique américain, toute la famille avait plié bagages et s'était dirigée vers le sud le cœur plein d'espoir.

La plupart des familles du Québec possédaient, qui un cousin, qui une tante, qui un frère, émigrés aux États-Unis pour quelques saisons ou quelques années. Depuis 1830, ils avaient été nombreux, les Canadiens français partis chercher du travail en Nouvelle-

Angleterre. À l'époque, on y trouvait plus d'emplois qu'au Québec, et plusieurs étaient revenus au pays un peu mieux nantis. D'autres s'installaient là-bas à perpétuité et formaient des communautés francophones de plus en plus importantes dans plusieurs villes de la Nouvelle-Angleterre, Manchester, Lewiston, Holyoke, Fall River, Lowell.

Cependant, à partir de 1873, la récession avait momentanément ralenti cette émigration, d'ailleurs sévèrement condamnée par les curés et les politiciens du Québec. Durant ces années dures, même les Américains tenaient les Canadiens français responsables de faire baisser les salaires car ils acceptaient n'importe quel travail pour n'importe quel salaire. Mais ce temps semblait maintenant révolu et, grâce à la reprise de l'économie des années 1880, l'immigration venait de redémarrer de plus belle : on recommençait à entrer aux États-Unis à pleines portes.

Malgré leur arrivée à Lowell au cours du ralentissement des activités économiques des dernières années, les Gauthier avaient cru en leur bonne étoile. Pour sûr que leurs conditions de vie allaient s'améliorer et que le père, légèrement éclopé, trouverait un emploi à sa mesure dans une manufacture de chaussures ou de textile… Léopold s'en trouva un, en effet, mais seulement quelques mois plus tard. C'est pourquoi Léontine et les enfants durent retrousser leurs manches et s'atteler à la tâche eux aussi pour arriver à joindre les deux bouts.

Tous furent embauchés pour des salaires dérisoires à la filature Boott's Cotton Mills située entre l'Eastern Canal et la rivière Merrimack. C'est ainsi que les deux plus jeunes, malgré leur jeune âge, durent renoncer à l'école pour aller travailler. En dépit de plusieurs années de présence aux États-Unis, aucun membre de la famille n'avait réussi à maîtriser parfaitement l'anglais. Au fond, ils n'en avaient pas besoin car, dans les usines, on avait développé un langage par signes nettement suffisant pour se comprendre. Le plus vieux, Alphonse, âgé de dix-neuf ans, était récemment retourné vivre au Saguenay. Au grand désespoir de sa mère, son frère Armand ne s'était pas davantage adapté à la vie américaine et rêvait d'aller le rejoindre, sous peu, dans la patrie de ses ancêtres où il avait l'intention de se trouver une activité lucrative.

En accueillant Joseph et les siens plutôt froidement, les Gauthier avaient dérogé quelque peu au code traditionnel d'hospitalité des Canadiens exilés envers les leurs. En effet, il était de coutume chez les expatriés de recevoir les nouveaux arrivants généreusement et à bras ouverts. La récession maintenant terminée, les usines prenaient de l'expansion grâce aux nouveaux moyens technologiques, et une embauche massive en résultait. Il s'avérait donc normal de s'entasser un peu pour faire de la place à la population immigrante, le temps de s'organiser, de bâtir des logements, de repousser de plus en plus la limite des quartiers ethniques des villes.

Hélas, si la bienveillance et l'entraide caractérisaient la communauté canadienne-française de Lowell resserrée autour de sa paroisse, on ne pouvait en dire autant de Léontine et des siens. Aux yeux de la famille Gauthier, les intrus faisaient davantage figure de parasites que de parenté dans le besoin. Joseph et ses enfants habitaient Dutton Street depuis déjà six semaines, et le veuf ne parlait toujours pas de se chercher un logement malgré les trois salaires qui rentraient assidûment chaque vendredi.

Il n'était pas question, non plus, de retourner chercher Camille à Colebrook. La petite avait pris du mieux, pourtant. Angelina avait même précisé, dans sa réponse à Marguerite, qu'elle avait commencé à aller à l'école primaire située tout près de la maison. Bien sûr, la femme du docteur avait préparé l'enfant et lui avait déjà enseigné quelques rudiments de lecture, d'écriture et de mathématiques afin qu'elle ne se sente pas perdue en rejoignant les autres élèves au milieu de l'année scolaire.

Marguerite, un peu jalouse, ne savait pas si elle devait se réjouir ou non de cette nouvelle. Sa petite sœur se ferait instruire uniquement en anglais. Allait-elle oublier sa langue maternelle ? Et une fois rendue à Lowell, son père l'inscrirait sans doute à l'école publique où on enseignait exclusivement en anglais. Il le faudrait bien puisqu'il n'existait pas d'institution française et que l'école restait tout de même obligatoire pour les plus jeunes. D'ailleurs, qui resterait à la maison pour la garder durant le jour ?

La jeune fille réalisa soudain que la situation présente faisait, au fond, l'affaire de son père : on les hébergeait, lui et ses filles, pour un montant minimal, ses deux aînées rapportaient régulièrement de l'argent, et quelqu'un s'occupait gratuitement de sa plus jeune. Quoi de mieux pour faire prospérer un compte de banque ? Il fallait se rendre à l'évidence : bien des lunes passeraient certainement avant que Joseph Laurin ne songe à loger les siens plus décemment dans un petit coin bien à eux où, enfin, ils pourraient s'installer et se réinventer une vie de famille. Une vraie ! Marguerite se demanda s'il ne s'agissait pas là d'un rêve farfelu.

Pour l'instant, son père semblait davantage préoccupé par son enveloppe de paye et ses visites presque quotidiennes au « saloon » du coin où il rencontrait d'autres immigrés comme lui, en mal de compagnie et de détente, détente qui durait parfois jusque tard dans la soirée. Il n'était pas rare que le Saguenayen titubant réveille tout le bloc en perdant pied dans l'escalier à une heure avancée de la nuit.

Un certain matin, pas encore remis de sa soûlerie de la veille, Joseph ne réussit pas à se lever pour se rendre au travail. Marguerite et Anne eurent beau le secouer et le supplier, il se contenta de marmonner des phrases incohérentes et de s'enfouir de nouveau la tête sous les oreillers de son lit de fortune installé au milieu du salon. Folle de rage, Léontine avait pris ses deux nièces par la main et leur avait ordonné de se préparer à partir travailler sans attendre leur père. Ce paresseux…

— Qu'il s'arrange ! Ce sera tant pis pour lui s'il perd sa *job*. Allez, ouste ! On s'en va. Vous pouvez très bien vous rendre à l'usine toutes seules.

Au coin de la rue, les Gauthier prirent le chemin de la Boott's Mills, côté est, tandis que les deux sœurs s'engagèrent dans la direction opposée, vers la Lawrence Company, au nord de la ville.

Marguerite n'oublierait jamais ce jour-là. Il lui semblait à peine pire qu'un autre, pourtant, mais une sensation d'angoisse la saisit soudain. Que faisait-elle là, au coin de cette rue envahie par la foule, tous ces gens qui passaient à côté d'elle sans même lui jeter un regard ? Que faisait-elle là, s'acheminant, le cœur serré d'inquiétude, vers un travail qu'elle détestait en tenant par la main sa sœur de douze ans qu'on manipulait comme une marionnette dans le but unique de rapporter de l'argent ?

Tout d'abord, leur père était resté couché et Dieu savait quelles en seraient les conséquences. Et après ? Après, il y avait bien autre chose. Après, il y avait pire : son cousin lui passait la main sur les fesses derrière les portes de la maison dès que l'occasion se présentait. Encore, hier soir… Elle ne savait comment réagir. Crier ou le laisser faire ? Aviser son père ou sa tante ? Et quoi encore ? Jamais, de toute son existence, elle ne s'était sentie aussi seule, aussi démunie. Mais à qui se confier ? Qui appeler à l'aide ? Dans quels bras se blottir ? Léontine la détestait, Jesse n'avait pas répondu à sa lettre, Angelina ne lui parlait que de Camille sans même s'informer d'elle.

Elle serra un peu plus fort la main de sa sœur.

— Viens, Anne, dépêchons-nous, sinon la barrière va être fermée. Il y a bien assez de papa qui…

Quand elle fit part au patron d'une autre absence de son père pour « cause de maladie », Marguerite avait l'impression que le mot « mensonge » s'inscrivait en toutes lettres sur son front. L'homme ne fut pas dupe et n'hésita pas une seconde.

— *He is out ! Tell your father that he is out !*[19]

Les deux sœurs se serrèrent l'une contre l'autre, incapables de protester. Qu'allait-il encore arriver ? Vers quel drame leur père allait-il de nouveau les entraîner ? Si Anne sembla réussir à faire sa journée sans trop y songer, Marguerite, elle, se retrouva plusieurs fois en train d'essuyer sur sa joue une larme furtive qui coulait bien malgré elle.

Il ne se trouvait personne pour l'encourager et la rassurer, ni ici ni ailleurs. Elle s'était bien liée d'amitié avec quelques compagnes de travail de son âge, mais leur relation durait le temps d'un repas

---

19. Renvoyé ! Dites à votre père qu'il est renvoyé !

ou d'une pause, gérée comme tout le reste par le son de la cloche. L'amitié s'arrêtait à la sortie de l'usine d'où elle devait accourir à toutes jambes pour aller aider sa tante à préparer le souper.

Comme il lui paraissait lointain le temps où, dans leur petite maison de Grande-Baie, elle vivait, adorée de sa mère et de ses professeurs, en parfaite harmonie avec la nature. À l'époque, les journées lui paraissaient parfois longues et tout aussi harassantes, pourtant, mais au moins, elle faisait corps avec le soleil, les nuages, la neige, le chaud, le froid, la pluie, les animaux de la forêt ou de l'étable. Quand elle voyait les tiges de blé se balancer dans les champs au gré de la brise, quand elle entendait babiller les oiseaux, quand elle admirait les couchers de soleil et respirait le parfum des fleurs, quand ses yeux amusés suivaient le battement des ailes des papillons, elle se sentait bien, elle se sentait à sa place, peu importe la quantité et la dureté du travail de la ferme. Elle aurait tout donné, ce matin-là, pour avoir dix, vingt, cent vaches à traire. Et avec quelle ardeur elle aurait lancé des bottes de foin dans une charrette !

Ici, cette maudite cloche et l'obsession de la paye déshumanisaient les êtres et les rendaient abrutis à cœur de semaine et à cœur d'année. Ils devenaient des engins sans âme enfermés entre des murs sales, obligés de répéter à l'infini les mêmes gestes mécaniques et de respirer l'air vicié dans un vacarme assourdissant qui ne laissait pas de place à la parole. Et encore moins à la pensée. Quant aux bruits de la nature…

Non, elle n'allait pas passer sa vie dans cet enfer. Elle allait s'enfuir. Elle enviait le cousin Alphonse reparti au Canada. Elle allait l'imiter et prendre la clé des champs. Recommencer ailleurs. Elle allait redevenir la jeune fille heureuse d'autrefois, avide d'apprendre et préparant sereinement son avenir au sein d'une famille. Une famille qui l'aimerait et la respecterait. Une famille qui verrait en elle autre chose qu'une machine. Mais où ? Mais comment ? Mais quelle famille ?

Malgré elle, les larmes recommençaient à monter pendant qu'elle transvidait les barils remplis d'amas de fibres. Et ses doigts essuyant ses joues humides traçaient sur son visage d'étranges sillons sur la mousse qui y collait. En même temps que la solitude au milieu d'une foule de travailleurs silencieux, Marguerite, agitée par la conscience aiguë de subir une injustice qu'elle arrivait mal à définir, apprenait la révolte. Elle n'avait plus envie de se soumettre aux caprices extravagants d'un père irresponsable.

Quand elle retrouva sa sœur Anne, en fin de journée, celle-ci lui paraissait complètement vannée. Elle la prit en pitié. Pauvre enfant! Elle aurait dû revenir de l'école en sautillant avec ses livres à la main, tôt dans l'après-midi, heureuse de disposer de quelques heures de liberté pour profiter du beau temps. Et respirer l'air pur. Et vivre son enfance.

Au lieu de cela, elle avait rempli ses poumons de poussières encore et encore, et elle tousserait sans doute toute le nuit, comme d'habitude. N'avait-on pas raconté que la sœur d'une copine venait de mourir d'une maladie pulmonaire, empoisonnée par l'atmosphère irrespirable d'une fabrique de textiles?

Marguerite se rapprocha de sa petite sœur et mit son bras autour de ses épaules.

— Viens-t'en, Anne. Pour une fois, prenons notre temps avant de rentrer. Pressons-nous pas… Tiens, regarde! Je vois des canards, là-bas, au tournant du canal. Si on allait les nourrir? Il me reste quelques croûtes de pain au fond de mon sac.

— Non, j'aimerais mieux rentrer tout de suite. Je veux savoir où est papa. Crois-tu qu'il est resté à la maison? Peut-être est-il malade?

Ainsi, la petite sœur non plus n'avait rien oublié au cours de la journée, et elle se montrait anxieuse, elle aussi. Les deux filles se rapprochèrent instinctivement et restèrent un long moment immobiles, tournées vers la ville.

Elles ne parlaient plus. Le silence, le silence béni était devenu leur unique refuge. Puis l'esprit de devoir reprit ses droits et c'est presque en courant qu'elles retournèrent dans Dutton Street.

25

En pénétrant dans le logement des Gauthier, les deux sœurs constatèrent immédiatement l'absence de leur père. S'il s'était présenté à l'usine à une heure tardive pour apprendre bêtement son congédiement, Dieu sait comment il avait réagi ! Il ne se montra pas le bout du nez de la soirée, mais personne n'y fit allusion. On enfila le repas en silence en levant les yeux au ciel quand l'une des deux nièces reniflait. Marguerite et Anne s'endormirent avec le cœur en charpie.

On ne revit Joseph ni le lendemain ni le jour suivant. Léontine broyait du noir dans son coin, blâmant tous les saints du ciel de lui avoir envoyé l'épreuve suprême d'avoir à supporter son damné frère et sa progéniture. Ah ! il ne s'était pas amélioré, celui-là, en vieillissant ! Où se trouvait-il, maintenant, le scélérat ? En train de faire la tournée des *saloons* ? Parti dans une autre ville ? Retourné au Québec ? Noyé au fond d'un canal ? Pourquoi avait-elle à supporter les bêtises de son frère et les lamentations de ses nièces ? Elle n'en pouvait plus de les entendre pleurnicher. Sa vie n'était-elle pas déjà assez difficile comme ça ?

Elle se consola en songeant qu'incessamment, elle retournerait au Canada avec mari et enfants. Ils avaient maintenant économisé suffisamment d'argent pour s'ouvrir un commerce dans la rue principale d'un village dans la région du Saguenay. Des usines florissaient un peu partout là-bas aussi, exploitations forestières, scieries, construction et exportation de goélettes, et plusieurs autres. Son fils Alphonse avait déjà entrepris des démarches pour dénicher l'occasion en or. Un magasin général à la portée des travailleurs serait parfait.

Elle imaginait déjà la devanture de la boutique ornée d'une large pancarte blanche au-dessus de la porte sur laquelle on aurait écrit en énormes lettres rouges : *Gauthier et fils*. Enfin ils se sentiraient chez eux, enfin ils pourraient vivre décemment dans un cadre bien à eux et dans leur langue. Parmi les leurs. La communauté francophone de Lowell avait beau se montrer vivante et active, elle se noyait petit à petit dans la mentalité des villes américaines, axée sur le capital et le culte de la vie facile. Cette façon de vivre à proximité les uns des autres cultivait l'assimilation à la masse et l'anonymat. Les Gauthier n'attendaient qu'un signe d'Alphonse pour décamper et reprendre la route du nord. Il s'agissait d'une question de temps et le plus tôt serait le mieux.

Léontine n'avait plus envie de continuer à bosser dur dans les cuves chaudes que devenaient les usines au cours de l'été depuis que la vapeur constituait leur principale source d'énergie. Ah! ça, non! Au moins, les roues à aubes, malgré leur tapage infernal, ne remplissaient pas les lieux de cette chaleur humide et accablante.

Elle rêvait de pique-niques, de promenades dans la forêt, de jardin potager et de rosiers devant la maison. Elle se voyait, attendant les clients du magasin sur la chaise berceuse de la galerie entourant le commerce, saluant un passant, piquant une jasette avec la voisine, souriant à l'un, adressant la parole à l'autre. Ah oui! les États-Unis, c'était bel et bien fini pour les Gauthier. Tant pis pour ceux qui croyaient encore au bonheur en forme de signe de piastre.

Dans la planification de leur départ, Léontine prévoyait céder le bail de son logement à Joseph. «Si jamais il revient, le scélérat! Pas capable d'être comme les autres, celui-là!» Anne n'avait-elle pas affirmé qu'il avait ainsi disparu à quelques reprises, ces derniers temps? Franchement! Voilà trois jours qu'il était parti, il pourrait

bien donner signe de vie, non ? Elle avait beau se montrer indifférente, une pointe d'inquiétude la taraudait tout de même un peu.
S'il fallait que, pour une raison ou pour une autre, il ne revienne
plus… « Ah non, mon Dieu, pas ça ! » Pour rien au monde elle
n'avait envie de s'encombrer de ses deux nièces. Et, un jour ou
l'autre, de la troisième, bien entendu. Elle commença à faire discrètement le guet dans l'attente fébrile du retour de son frère mais se
garda bien de laisser paraître son angoisse.

Une nuit, prise de coliques, Marguerite eut à se rendre à la
bécosse derrière la maison. À la sortie du petit cabanon, elle vit une
ombre bouger derrière le grand chêne. Elle n'hésita pas une seconde
et s'avança à petits pas.

— Papa, est-ce vous ?

Comme la silhouette interrompit brusquement son mouvement, la jeune fille prit peur et se mit à courir vers la maison. Au
moment où elle allait franchir la porte, une main se posa sur son
bras. À la lueur de la bougie, elle reconnut son cousin Armand. Une
lueur étrange brillait au fond de ses yeux.

— Fiche-moi la paix !

— Ah non, pas cette nuit, ma belle…

— Je vais le dire à mon père !

— À ton père ? Tu me fais rire ! Il est où, ton père ?

Le garçon, bâti comme un colosse, lui fit perdre pied et la bas-
cula par terre. Puis il se jeta sur elle, l'embrassant dans le cou, lui
tripotant les seins, tentant par tous les moyens de soulever sa robe
de nuit.

Marguerite se mit à hurler comme une âme perdue et réussit
par miracle à assener un coup de pied bien placé dans les parties
génitales du garçon. Il s'enfuit sans demander son reste.

Tirés de leur sommeil par les cris, Léontine et son mari accueillirent la jeune fille épouvantée avec des reproches.

— Vous êtes pas tannés, les Laurin, d'ameuter tout le quartier
au beau milieu de la nuit ? Va te coucher, il est deux heures du
matin !

— Mais… c'est Armand qui…

— Allez! Retourne dans ta chambre et qu'on n'en parle plus!

L'indifférence de la tante ou, pire, son déni, eut sur Marguerite un effet plus foudroyant qu'une gifle. Cette fois, elle ne put retenir les digues de la rage. C'en était trop, elle n'en pouvait plus. Pourquoi rester ici plus longtemps puisqu'elle ne possédait même plus de père pour la défendre? Elle allait partir dès le lendemain matin à la première heure. Elle ne savait ni où ni comment, mais elle quitterait cette maison de malheur et cette usine de malades. Elle allait reprendre sa liberté. Elle s'en sentait bien capable. Après tout, elle n'était plus une petite fille. Et ne l'avait-on pas qualifiée de débrouillarde, l'autre jour, à la manufacture?

Elle prendrait le train ou marcherait sur les routes en direction du nord, elle tendrait la main, quêterait s'il le fallait, mais elle se tirerait d'affaire. Elle se rendrait même à pied si nécessaire jusque chez sa grand-mère Yvette, à Baie-Saint-Paul, la seule personne au monde à l'aimer vraiment. À tout le moins, elle le croyait. Elle devait y croire de toutes ses forces. Et elle emmènerait Anne avec elle. Elle ne pouvait pas l'abandonner. Le bon Dieu les aiderait. Il faudrait bien qu'il se réveille un jour, celui-là, et qu'il entende ses prières.

La pensée du bon Dieu fit son chemin dans son esprit et la mena jusqu'à l'évocation du père Garin, le gardien de son âme. Tiens! elle devrait lui rendre visite, demain, avant de quitter la ville définitivement. Le prêtre s'était montré si bon envers elle et sa sœur, sans doute lui donnerait-il quelques bons conseils. Peut-être même un peu de sous? Et s'il connaissait quelqu'un qui… Qui quoi? Quelqu'un qui prétendrait prendre soin d'elle et en profiterait pour l'exploiter? Non! Elle lui annoncerait simplement son départ, point final. Sa décision était irrévocable. Si jamais Joseph revenait dans le décor et interrogeait le curé au sujet de la disparition de ses filles, le prêtre n'aurait qu'à lui recommander de les trouver quelque part en Amérique du Nord. Encore faudrait-il que son père les aime assez pour aller à leur recherche. Ce serait à son tour de se morfondre, ce vieux sans-cœur! Tant pis pour lui! Elle s'en contrefichait maintenant.

Le père Garin ne tint pas le discours attendu. Le lendemain matin, une fois en route vers le travail, Marguerite s'était arrêtée brusquement au coin de la rue non sans s'être assurée d'abord que les Gauthier avaient bien tourné les talons vers la Boott's.

— Viens, Anne. On ne va pas travailler ce matin.

— Mais… ils vont nous mettre à la porte, nous aussi!

— Pas grave! Viens, on retourne à la maison pour chercher nos affaires, puis on s'en va à la gare prendre le train pour… pour n'importe où, vers le nord.

— Comment ça? Et papa? Et tante Léontine?

— Ils peuvent aller au diable!

— Je ne veux pas m'en aller, moi! Je veux mon papa!

La cadette s'était mise à protester et à pousser les hauts cris sur le coin de la rue. Mais sa sœur, déterminée, n'avait rien voulu entendre et l'avait tirée par la manche.

— Viens-t'en! Aucun endroit au monde ne peut être pire qu'ici!

Elles étaient finalement retournées dans Dutton Street pour ramasser leurs vêtements et les lancer dans des sacs. Anne s'était agrippée à la rampe de l'escalier en refusant net d'avancer. Marguerite n'avait réussi à la convaincre qu'en lui promettant d'abord une visite d'adieu chez monsieur le curé.

Le père Garin venait tout juste de terminer sa messe de six heures. Il parut surpris de recevoir les deux sœurs au presbytère à une heure aussi matinale avec, à leurs pieds, deux sacs remplis de leurs affaires. Marguerite le mit honnêtement au courant de la situation sans rien oublier : la fuite de leur père, la froideur de leur tante et de leur oncle, et même l'agression par le cousin, la nuit précédente, que Léontine avait refusé de reconnaître.

Le prêtre posa une main paternelle sur l'épaule de l'adolescente, se racla la gorge et se mit à lui parler d'une voix douce et légèrement éraillée.

— Tu sais, ma grande, je ne crois pas que ce soit une bonne idée de partir à l'aveuglette sans prévenir ton père. Et puis, tu n'as pas idée des vautours qui ne demanderaient pas mieux que de s'attaquer à deux jeunes filles innocentes comme vous.

— Je n'ai pas peur. Je vais les remettre à leur place, les vautours, comme je l'ai fait avec mon cousin. Quant à mon père, je ne sais même pas où il se trouve. S'il ne revient plus, qu'est-ce qu'on va devenir, hein ?

— Il va revenir, j'en suis persuadé, voyons ! Attends un peu plus longtemps. Qui sait si en partant, il ne vous a pas laissé un mot sur le coin de la table ? Le billet s'est peut-être perdu, il a pu glisser sous un meuble. Quelqu'un aurait pu le brûler par mégarde. Peut-être Joseph est-il simplement retourné à Colebrook pour chercher votre sœur ? N'as-tu pas dit qu'il venait d'être congédié ? Et s'il se trouvait dans une autre ville à la recherche d'un emploi ? Je ne sais pas, moi ! Il y a bien d'autres communautés francophones en Nouvelle-Angleterre. S'il fallait qu'il revienne vous chercher et ne vous retrouve pas chez les Gauthier, il en mourrait de chagrin, je crois. Quel drame, vous ne pensez pas ?

Quel drame, quel drame… Marguerite serra les dents. Que leur père les ait plaquées ne constituait-il pas déjà un drame ? Et leur chagrin à elles, et leur inquiétude, ça ne comptait donc pas ? Il existait déjà, le drame, non ?

L'homme marchait de long en large derrière son bureau, les mains glissées dans la large ceinture de son vêtement sacerdotal. Il parlait sur le ton de celui qui détient la vérité et dont le discours ne laisse pas de place au doute. Pendant qu'Anne se sentait ragaillardir petit à petit, Marguerite, elle, crispait les poings, essayant de refréner la vague de fureur qui menaçait de lui faire perdre contenance. Elle risqua néanmoins une dernière tentative, sur un ton plus calme, afin d'obtenir un semblant d'approbation.

— Mais je ne veux plus rester à Lowell, moi ! J'en ai assez de cette vie-là, est-ce clair ? Je déteste ma tante et elle me le rend bien. De toute manière, on ne pourra plus lui payer une pension car on vient sûrement de perdre nos emplois en ne nous présentant pas au travail ce matin sans raison valable.

— Ne vous inquiétez pas pour ça, je vais vous y reconduire moi-même, dès maintenant, et m'expliquer avec le patron. On verra bien ce que ça va donner.

— Mon père, je refuse de retourner chez ma tante à cause de mon cousin Armand. Il m'effraye sans bon sens, ce gros cochon…

— Préférerais-tu l'orphelinat, ma belle ? Il n'en existe pas encore pour les francophones, je t'avertis. Non, non, laisse-moi me charger personnellement de ton cousin. Je gagerais ma chemise qu'il va te ficher la paix d'ici la fête de la Saint-Jean.

Sur les entrefaites, on frappa à la porte du bureau.

— Entre, Antoine, nous avons terminé.

Un jeune prêtre, au milieu de la vingtaine, déposa avec précaution une pile de documents sur le bureau du curé.

— Excusez-moi, père Garin, je dois aller visiter une malade et je voulais vous remettre ce dossier-là avant de partir.

— Mesdemoiselles, je vous présente Antoine Lacroix, à la fois l'ancien et le nouveau vicaire de Saint-Joseph. Il nous revient complètement rétabli après plusieurs mois d'absence. Antoine assistera le père Lagier. Dorénavant, nous serons trois à administrer le culte. Il est rentré tout frais du Canada, hier après-midi, et le voilà déjà au boulot. Jeune homme, voici Marguerite et Anne Laurin dont vous avez connu le papa lors de leur passage au couvent de Lévis, au début de septembre dernier, pendant votre convalescence.

— Ah oui ! Les petites Laurin de Grande-Baie ! Je n'avais pas eu l'occasion de vous rencontrer, à ce moment-là. Mais… n'étiez-vous pas trois sœurs ?

Anne ne rata pas sa chance de raconter en détail leurs pérégrinations depuis l'automne. Le jeune oblat l'écouta attentivement et avec empathie. Marguerite restait silencieuse mais ne cessait de l'observer. Quel gaillard, ce prêtre ! Et quel homme séduisant dans sa soutane noire, avec ses cheveux bouclés retombant sur son collet romain ! Et ses yeux, donc ! Un bleu profond sous les sourcils broussailleux… Dommage qu'il ait épousé la sainte Église !

Monsieur le curé finit par se lever, signifiant la fin de l'entretien.

— Allons, Antoine, je quitte le presbytère pour une petite heure afin d'aller reconduire ces charmantes jeunes filles à leur travail, après avoir rapporté leurs effets chez elles. Ta malade est-elle mourante ? Pourrais-tu m'attendre jusqu'à mon retour ? Saviez-vous, mesdemoiselles, que le père Lacroix s'occupera avec moi de l'agrandissement de l'église Saint-Joseph et de l'instauration, avec la collaboration d'un ami avocat, de cours du soir gratuits pour les adultes ? Et en français par-dessus le marché !

Marguerite retint un cri. Quoi ? Des cours du soir en français ? Et gratuits ? Chouette ! Et si elle retournait à l'école ? Le soir, elle pourrait. Tout le monde serait content : son père de la voir rentrer à l'usine, le matin, sa tante de la voir revenir préparer le souper en fin de journée, et elle-même, de se rendre à l'école un soir ou deux par semaine. De reprendre ses livres de classe lui permettrait de mieux supporter les affres de la journée et de se sortir du carcan. Quoique la fatigue… Peu importe ! Elle entreprendrait ses études collégiales et pourrait ensuite enseigner dans une école, qui sait ? Se pouvait-il qu'une lueur apparaisse enfin au bout du tunnel ? Un espoir d'améliorer son sort ? Elle se tourna vers le père Lacroix.

— Quand prévoyez-vous l'ouverture de cette école, mon père ?

— Le plus vite possible. Nous allons y travailler d'arrache-pied, soyez-en certaine.

Pour Marguerite, l'homme fascinant qui lui avait répondu venait de se métamorphoser en un sauveur inespéré.

Elle secoua la tête. « Allons, du courage, ma vieille ! Le père Garin a peut-être raison. » Elle devait donner à son père une dernière chance de se reprendre. Elle devait surtout se donner à elle-même une dernière raison d'espérer. Puisqu'il existait une nouvelle possibilité d'envisager l'avenir autrement…

Personne ne remarqua que la jeune fille qui franchit la porte de la Lawrence Mills en compagnie de son curé, ce matin-là, marchait tout à coup la tête plus haute qu'à l'accoutumée.

L'orage venait de passer et un pâle arc-en-ciel semblait vouloir se dessiner enfin à l'horizon.

26

Lorsqu'il s'est réveillé couché dans le foin, au fond d'une grange, Joseph s'est cru revenu chez Jesse. Ah! Jesse, la femme de ses rêves, la plus belle et la plus fine d'Amérique… Jamais il n'aurait dû la quitter comme un sauvage. Si seulement elle n'avait pas cette maudite ferme collée aux flancs…

Il se rappelait nébuleusement le moment où il avait quitté la résidence des Gauthier, dans Dutton Street. Il s'était réveillé au milieu de la journée avec un mal de bloc insupportable. Tous se trouvaient au travail, ses filles et la famille Gauthier au complet. L'avait-on volontairement laissé dormir ou avait-il refusé de se lever? Il ne s'en souvenait plus. Une chose était certaine : il avait décidé, quelques minutes plus tard, de quitter Lowell. Il n'en pouvait plus de cette vie dans la maison de sa sœur. Tant pis pour la *job*, il se trouverait autre chose ailleurs. Il allait déménager, se nicher dans une autre ville. Il devait bien exister, quelque part, un petit coin où s'installer avec ses filles. Et puis, il s'ennuyait de sa princesse. Pourquoi ne pas aller la chercher? Mais où la mettre? Elle n'avait certes pas l'âge de passer ses journées dans une usine. L'envoyer à l'école? L'école publique était gratuite et obligatoire aux États-Unis. Ne valait-il pas mieux attendre l'automne suivant pour la faire débuter en même temps que les autres?

Mais, en quittant la maison, il avait opté pour une autre alternative et avait marché longuement en direction du sud. Oui… c'est ça, en direction du sud, vers Boston. Le plus loin possible de la tombe de Rébecca et de la ferme de Jesse Peel. Boston, capitale du Massachusetts, Boston plus gros, plus populeux. Là-bas, il trouverait du travail à sa convenance, là-bas, il recommencerait sa vie. Sérieusement. Définitivement. Il en avait assez de cette existence de nomade, il avait besoin de plus de stabilité, ses filles aussi.

Il était donc parti, avec un sac à dos, et avait parcouru des milles et des milles sans s'arrêter sauf pour se rincer le gosier avec l'une des bouteilles qu'il transportait. Où et comment il s'était arrêté, il ne se le rappelait guère. Comment il se retrouvait dans la ferme Peel, il se l'expliquait encore moins. S'était-il trompé de direction? Était-il remonté vers le nord pour s'arrêter chez Jesse? Il n'avait tout de même pas pu marcher deux cents milles jusque-là, allons donc! Mais ne dit-on pas que l'amour donne des ailes? Alors? Pourquoi donc se sentait-il aussi confus? Que faisait-il là, au fond de la grange?

Parfois, il avait l'impression d'oublier de grandes plages de sa vie et se sentait précipité avec frayeur dans d'immenses trous noirs et opaques. Il n'arrivait pas, alors, à se raccrocher au fil des événements. Aucune souvenance, aucun indice concret ne venait interpeller sa conscience et le ramener à la réalité. Ces périodes d'absence lui faisaient horreur. Du plus loin que le ramenaient ses souvenirs d'enfance, il se remémorait ces terrifiantes périodes de vide qu'il n'arrivait pas à décrire à sa mère. Évidemment, celle-ci le grondait, et cela le rendait honteux et à part des autres. Avec l'âge, les choses avaient empiré. Il suffisait d'une contrariété, d'une tension inhabituelle pour qu'il perde de nouveau la carte. Il n'osait se l'avouer, mais, au fond, tout cela lui faisait peur.

À bien y songer, une vie stable lui ferait du bien. Il allait demander pardon à Jesse pour son attitude de sauvage et il lui offrirait de l'épouser. Elle le reprendrait, et dans sa ferme et dans son lit. Tant pis pour l'enfant mort, il lui en ferait d'autres, autant qu'elle en voudrait. De toute évidence, Lowell ne lui plaisait pas. Même le travail à la fabrique de chaussures de Colebrook lui paraissait du bonbon en comparaison des conditions insupportables à la Lawrence Mills. Entre l'odeur rebutante de la grange et le bruit infernal des machines, il choisissait la puanteur. Entre une Léontine hostile et une Jesse accueillante, entre les beurrées de pain noir de sa sœur et le fumet de la soupe au chou de sa maîtresse, entre la dureté du divan des Gauthier et la douceur du lit de la fermière, il penchait du côté de la fermière sans plus hésiter. La fermière et son sourire, la fermière et ses seins ronds. La fermière et sa peau douce…

Il se releva, s'ébroua pour enlever la paille collée à ses vêtements et se tourna vers la sortie. Quoi?!? Mais où se trouvait-il donc? À son grand étonnement, il ne reconnaissait aucun recoin de l'étable des Peel, ni les poutres, ni le toit de bardeaux, ni le ponceau par où passaient les animaux. Effaré, il retomba par terre, essayant de se remémorer les derniers événements de la veille. De la veille? Au fait, quel jour était-ce donc? Et quelle heure? Bon Dieu de la vie! Cette fois, il en avait vraiment perdu un grand bout. Et l'évidence de son délire le jeta par terre. Il sortit en chancelant du bâtiment aux dimensions nettement inférieures à celui des Peel, et il s'arrêta, ébloui par un rayon de soleil. Où pouvait-il être?

Un vieil homme vêtu d'un chapeau de paille, en train de bêcher son jardin, lui fit un signe de la main et lui demanda s'il se sentait mieux.

Joseph s'approcha en hésitant mais, à l'air convivial du paysan, il risqua la question qui le démangeait.

— *Where am I?*[20]

L'Américain lui expliqua qu'il se trouvait à une dizaine de milles à l'est de Lowell. L'homme l'avait ramassé, ivre mort, sur le bord du chemin, et il l'avait transporté dans sa charrette jusque dans la grange. L'étranger, sans aucune pièce d'identité sur lui, avait déliré durant deux jours. Sa femme et lui l'avaient soigné, nourri et désaltéré sans qu'il s'en rende vraiment compte.

---

20. Où suis-je?

— *Well, sir, I'm glad to see that you're back to life!*[21]

L'homme indiqua à Joseph la direction de Lowell et lui serra la main après lui avoir remis, en insistant, un sac rempli de provisions préparé par sa femme.

Joseph reprit, en silence et à petits pas, le chemin tortueux de son destin et mit le cap sur Lowell.

---

21. Eh bien, monsieur, je suis heureux de voir que vous êtes revenu à la vie !

27

— Mes bien chers frères, en ce jour de la fête de notre saint patron, le bienheureux Jean-Baptiste, rappelons-nous que nous sommes des pionniers de la foi catholique. Sachez que, dans son plan infini, Dieu nous a investis d'une mission divine, nous, les Canadiens français : faire la conquête spirituelle de l'Amérique tout entière. Et par vos gestes généreux, mes chers amis, par votre soutien, votre solidarité les uns envers les autres, votre ardeur au travail, votre respect de l'autorité et, bien sûr, par la pratique fidèle de votre religion, vous contribuez, chacun de vous, à la sauvegarde de notre foi et de notre langue si chères. En ce vingt-quatre juin 1881, rejoignons par la pensée tous nos frères et amis restés là-bas, au Canada, bûchant et peinant pour construire un pays neuf dont les frontières s'étendront un jour jusqu'ici. Prions pour eux, et prions pour tous ceux et celles qui ne manqueront pas de venir nous rejoindre dans notre belle communauté en plein essor. Que Dieu nous protège tous et nous donne la force de préserver nos valeurs et nos traditions. C'est la grâce que je souhaite à chacun de vous, mes bien chers frères, en ce grand jour béni de Dieu. Amen !

Le père Garin descendit de la chaire lentement, d'une démarche noble et assurée. L'oblat avait de quoi pavaner, en effet. Non seulement les travaux d'agrandissement de l'église allaient bon train, mais depuis son arrivée à Lowell en 1868, il n'avait cessé de travailler avec succès à faciliter la pratique religieuse de ses ouailles. Après avoir fondé la première paroisse canadienne-française des États-Unis, il avait pris en charge la chapelle du St-John's Hospital, avait assisté le pasteur de la paroisse catholique irlandaise Immaculée-Conception et aidé les catholiques de North Billecara. C'est également lui qui avait organisé la première fête de la Saint-Jean dans le sous-sol de l'église Saint-Joseph, l'année de son arrivée chez les Américains. Depuis ce jour mémorable, cette fête était devenue une tradition incontournable.

Marguerite, assise entre son père et sa sœur dans le dernier banc de la petite église aux fenêtres en ogive, n'avait pas saisi grand-chose de l'interminable sermon du curé. À vrai dire, elle bayait aux corneilles, ennuyée par ce soliloque ronflant qui ne signifiait rien pour elle.

Joseph était finalement réapparu au bout de plusieurs jours, pâle et amaigri, sans donner d'explication, fidèle à ses habitudes. Devant les questions insistantes de Léontine, il avait laissé entendre avoir vainement tenté de se trouver un emploi dans une autre ville. L'adolescente le soupçonnait d'être plutôt allé camper dans une forêt des alentours avec une caisse remplie de flacons.

Après quelques jours de bouderie, Léopold, le mari de Léontine, avait finalement obtenu pour son beau-frère un nouvel emploi à la Boott's Cotton Mills Company. Joseph avait pour mission d'embobiner le fil sur d'énormes navettes, espèces de cylindres effilés aux deux extrémités, puis de les transporter dans la salle de tissage pour les installer sur les moulins. Travail exigeant et dangereux, car les bobines pesaient lourd et un faux mouvement suffisait à remettre les machines en marche pendant le remplacement des canettes. Le salaire n'était pourtant que légèrement supérieur à celui de la Lawrence. Sans les sous rapportés par Anne et Marguerite, Joseph n'aurait pas pu se permettre d'envisager les dépenses d'un logis, de l'habillement et de la nourriture pour sa famille. Pour le moment, malgré les complaintes de sa sœur, la pension qu'il lui payait grugeait leurs trois salaires presque en entier. Néanmoins, Léontine l'avait mis au courant du projet de rapatriement de sa famille au Canada. Il avait été entendu que lui et ses filles sous-loueraient l'appartement des Gauthier au moment de leur départ éventuel.

Marguerite avait dû se faire à l'idée et mettre au rancart ses rêves de fuite. Ainsi que l'avait prédit le père Garin, son paternel était revenu et son cousin Armand lui avait fiché la paix. Il ne lui adressait même plus la parole. Mais la promesse devait durer seulement jusqu'à la Saint-Jean-Baptiste… Elle avait donc vu arriver l'échéance avec effarement mais avait vite chassé cette appréhension en se traitant de poule mouillée. Cette histoire était bel et bien terminée. De toute façon, elle s'était défendue une fois, elle saurait encore résister à l'assaillant.

L'espoir de voir s'ouvrir une école pour adultes lui donnait tous les courages. Malgré son jeune âge, elle savait qu'en insistant, on accepterait de la prendre. Secrètement, le soir avant de s'endormir, elle élaborait des plans. Dans quelques années, après avoir terminé ses études, elle ouvrirait une école en français pour tous les petits Canadiens analphabètes qu'elle croisait. Pour les autres aussi qui allaient à l'école publique anglaise. Rien de moins! Sans doute ces intentions s'avéraient-elles irréalistes ou trop lointaines, mais qu'importe, pour le moment, elle y trouvait la force de se lever allègrement, chaque matin, pour aller accomplir ses heures de travail intensif.

— *Pater noster, qui es in cælis…*

Marguerite sursauta. Bientôt la communion. Il lui semblait qu'elle n'avait rien entendu de la messe. Elle se leva et se mit en file au milieu de l'allée. Elle avançait distraitement vers l'avant quand elle vit le nouveau vicaire se diriger vers la balustrade, ciboire en main. Elle se sentit devenir fébrile. Quand vint son tour de s'agenouiller à la sainte table, les mains enfouies sous la nappe brodée, elle n'arriva pas à se recueillir. Malgré elle, sa respiration devenait de plus en plus oppressée au fur et à mesure que le prêtre approchait. Son «sauveur» la reconnaîtrait-il?

Quand Antoine Lacroix arriva à sa hauteur et prononça le traditionnel «Corpus Christi» en élevant l'hostie, elle plongea ses yeux dans les siens. L'espace d'une seconde, l'ébauche du sourire qu'il lui prodigua eut l'effet d'un volcan éclatant brutalement au milieu de l'océan. Un océan bleu. Immensément bleu. Trop bleu. Elle ne devait pas s'y arrêter ni s'y lancer, elle qui ne savait pas nager. Elle risquait trop de s'y noyer. Soudain, elle se sentit perdue. C'est au Christ qu'elle devait penser. À personne d'autre.

Elle reçut le pain bénit et baissa pieusement la tête. Mais était-ce bien du recueillement, ce tumulte qui résonnait en elle à la manière d'une explosion ? Quelqu'un n'avait-il pas raconté que des îles merveilleuses naissaient ainsi, quelque part au loin, perdues dans l'immensité bleue des océans ?

⸰⸰⸰

L'après-midi débuta par une parade monumentale. Sur l'estrade d'honneur, le maire, son conseil et d'autres dignitaires invités, des représentants du clergé et des communautés religieuses ainsi que les délégations de la Société Saint-Jean-Baptiste et de l'Union Saint-Joseph virent défiler un interminable cortège au son tapageur des fanfares. Plus de cent cinquante chars allégoriques circulèrent dans les rues de la ville, représentant chacun les professions et occupations des Canadiens français, allant du médecin jusqu'au mineur. Ouvriers, pêcheurs, draveurs, fermiers, boulangers, cordonniers, prêtres, infirmières, commerçants, mères de famille, tous s'y trouvaient représentés, même les enfants. C'était le jour de gloire des plus petits.

Une foule immense, gonflée à bloc, applaudissait à tout rompre à chaque passage. La parade débutait par une large banderole portée par deux jeunes hommes et sur laquelle on avait inscrit en lettres géantes : *Nous sommes fiers.*

— Regarde, Marguerite, c'est Armand qui tient la bannière.

Anne ne put s'empêcher de se faufiler en avant pour voir de plus près.

Le garçon, apercevant ses deux cousines, leur lança un regard noir qui ne dit rien qui vaille à Marguerite. Ainsi, le curé avait acheté la retenue du cousin en lui promettant un rôle d'importance à la tête du défilé… Elle trembla légèrement malgré la canicule.

Combien de participants partageaient l'excitation du jour ? Cinq cents ? mille ? trois mille ? Pour cette fête grandiose, les filatures acceptaient, depuis quelques années, de donner congé aux Canadiens français. Congé non payé, bien sûr ! On réservait le congé payé pour le quatre juillet, fête des Américains. De toute façon, rien n'aurait pu arrêter les émigrés francophones, le vingt-quatre juin, de se resserrer instinctivement les uns contre les autres pour affirmer leur identité et leur désir de maintenir leurs droits et leurs valeurs. Même éloignés de leur mère patrie, ils demeuraient un peuple fort et uni.

La parade se terminait par la représentation classique du petit Jean Baptiste, un adorable bambin de quatre ans à la chevelure blonde et bouclée, assis sur un tronc d'arbre au milieu d'une charrette et entouré de moutons occupés à brouter l'herbe qu'il leur lançait de sa main droite pendant qu'il tenait son bâton de berger avec l'autre.

Tout le monde se retrouva pour un pique-nique au parc situé sur le bord de la Merrimack. On passa le reste de la journée à écouter des discours à caractère nationaliste, à chanter de vieux airs français sur la place publique, à danser des rigodons et des sets carrés au rythme des violons grincheux et des harmonicas, à organiser des jeux de cloche-pied et des parties de saute-mouton pour les plus jeunes. La fête se termina par un bal où les garçons firent virevolter leurs belles à la lueur des flambeaux.

Marguerite et Anne acceptèrent avec plaisir plusieurs invitations à valser provenant, pour la plupart, de compagnons de travail. L'aînée dansait cependant avec une certaine raideur, l'œil constamment aux aguets. Quand elle vit Armand s'approcher de la piste de danse et lui tendre la main avec un sourire narquois, elle prit le parti de s'enfuir à toutes jambes. Ah non ! il n'allait pas recommencer à l'achaler, celui-là !

Elle se faufila à travers la foule et se perdit dans les rues de la ville où des fêtards rentraient tranquillement à la maison. Mais où aller ? Il n'était pas question de se rendre seule dans Dutton Street. Si son cousin l'avait suivie, il profiterait de l'absence de la famille pour l'assaillir de nouveau.

Morte de peur, elle décida de se réfugier à l'abri du cabanon, derrière la maison, où, haletante, elle se laissa tomber par terre. De là, elle pourrait voir arriver, sans être vue, les Gauthier de même qu'Anne et Joseph. Appuyée contre la clôture et les yeux rivés sur l'escalier menant au deuxième étage, elle réussit enfin à se calmer. Il ne lui restait qu'une issue, une unique bouée de sauvetage à laquelle s'agripper : la prière. Elle se recueillit un long moment pour s'adresser à l'Ami venu dans son cœur, ce matin, par l'Eucharistie. Elle lui demanda de la prendre sous son aile et de lui donner la force de tout raconter à son père au sujet d'Armand, dès le lendemain. Cette situation ne pouvait plus durer.

Elle avait presque réussi à s'assoupir lorsque les occupants du logement rentrèrent une heure plus tard. Quand elle constata que son cousin ne les accompagnait pas, elle poussa un soupir de soulagement et les suivit dans l'escalier.

Joseph aurait pu au moins la questionner sur sa fuite inexpliquée mais il ne le fit pas. Personne ne le fit.

28

Marguerite n'eut pas le temps de parler à Joseph des agressions sexuelles dont la menaçait son cousin. Le lendemain, à l'heure du souper, Léontine annonça la date officielle du départ des siens, au grand plaisir de tous les hommes de sa famille. Elle brandissait une lettre d'Alphonse, son aîné, révélant qu'il envisageait de faire une offre d'achat pour une boulangerie familiale. Au retour du travail, ne sachant pas lire, elle s'était précipitée chez la voisine pour lui demander de déchiffrer la lettre trouvée dans le courrier au lieu de réclamer l'assistance de l'une ou l'autre de ses nièces, ce qui les avait piquées au vif.

— Dès le début d'août, nous serons en route pour Bagotville. Écoutez ce qu'il écrit. Tiens ! lis-nous ça, toi, Marguerite.

La jeune fille se racla la gorge et sa voix cristalline résonna dans l'espace comme un hymne à la libération.

> *Chers parents,*
> *Je viens enfin de trouver une occasion en or : la boulangerie Turenne, justement dans le quartier où nous habitions autrefois, est à vendre pour un prix dérisoire. Le vieux monsieur Turenne, que vous connaissiez bien à l'époque, est décédé la semaine dernière, et sa femme ne veut pas prendre la relève.*

Nous pourrions habiter le grand cinq pièces au-dessus du commerce. Papa pourrait faire le pain avec moi et mes frères, et toi, maman, tu pourrais te consacrer à la fabrication de beignes et de pâtisseries. Nous serions enfin chez nous… J'ai laissé entendre que nous étions fortement intéressés et me suis permis de faire une offre d'achat conditionnelle à votre consentement. J'attends une réponse de votre part au plus vite.

Votre fils Alphonse

— Tu parles d'une bonne nouvelle! Oh! que je suis contente!

Léontine ne tenait plus en place. Léopold, lui, répliqua que les femmes du Québec restaient à la maison pour élever leurs enfants. Il incombait à leur mari de les faire vivre. Il releva fièrement la tête et s'écria d'une voix assurée, en tirant sur ses bretelles :

— Et j'en suis très capable! Tu as suffisamment travaillé, ma femme. On retourne chez nous maintenant et je trouverai bien le moyen de t'éviter le travail à l'extérieur de ta cuisine, crois-moi!

— Mais non, au contraire! Je sens que je vais me plaire dans une boulangerie. Les enfants sont grands, maintenant, et…

— Pas question! Tu vas redevenir la reine du foyer. De notre nouveau foyer. Quant à mes enfants, les deux plus jeunes iront à l'école, qu'ils se le tiennent pour dit! Si Armand et Alphonse veulent m'assister, eux, tant mieux! Mais ça les regarde.

Joseph lorgna du côté de son beau-frère. Pour une fois qu'il mettait ses culottes, celui-là… Assis de l'autre côté de la table, Armand fusilla Marguerite d'un regard glacial et hautain. Elle retint une grimace. L'envie ne lui manquait pas de s'écrier «Bon débarras!» mais la sagesse commandait de se taire et de laisser l'épisode «séjour chez les Gauthier» se terminer de façon pacifique et sur une note positive. Si le cousin restait tranquille, elle ne dévoilerait rien jusqu'à leur départ.

Après avoir dicté une courte réponse positive que Marguerite rédigea minutieusement sur du papier propre et alla porter à la maîtresse de poste, Léontine, pragmatique, détourna la conversation sur l'organisation concrète du départ imminent.

— Dis donc, Joseph puisque tu travailles déjà à la Boott's Mills, Anne et Marguerite pourraient remplacer deux de nos fils là-bas. Je connais bien le contremaître, je pourrais tâcher d'arranger ça. Au moins, vous travailleriez tous les trois au même endroit. Qu'en penses-tu ?

Elle s'était retournée vers Joseph et le regardait d'un air condescendant. Reconnaissant pour cette bonne idée, il se dit qu'au fond, sa sœur n'était pas si méchante. Seulement un peu calculatrice et méprisante. À bien y penser, lui et ses filles s'étaient imposés à l'improviste dans son existence. Toute la famille avait dû se tasser et changer ses habitudes pour faire une place aux intrus. Et lui, Joseph, n'avait pas débordé d'efforts pour se montrer aimable et s'intégrer à leur vie, ni pour prendre l'initiative de décamper pour s'installer ailleurs.

— Et Camille ? Personne ne pense à elle ?

Anne n'oubliait pas sa petite sœur et s'était adressée à son père en faisant la moue.

— Quand donc irez-vous la chercher, papa ?

— Très bientôt, ma chouette. Le temps de se réinstaller ici et de lui préparer une petite place, puis je pars pour Colebrook.

C'est ainsi que deux semaines plus tard, les deux sœurs firent timidement leur entrée à la Boott's Cotton Mills sans prendre toutefois les emplois de leurs cousins requérant trop de force musculaire. À son grand étonnement, Marguerite, malgré son âge, fut affectée au cardage. Dans l'immense salle où claquaient, à une cadence effrénée, des dizaines de machines comme des monstres aux dents acérées prêts à lui arracher une main, elle aurait à opérer, seule, l'un de ces engins redoutables. Léontine avait vanté le sérieux et le talent de sa nièce et on avait décidé de lui faire confiance pour exécuter ce travail difficile. Quelques jours d'entraînement devraient suffire pour faire d'elle une tisserande.

Anne, trop jeune pour une telle responsabilité, continuerait, pour un temps du moins, à accomplir le travail de « décrotteuse ».

Elle eut beau protester et se plaindre que les fibres de coton la fai-saient tousser et lui causaient des difficultés à respirer, on ne broncha pas. C'était ça ou rien. Son père la força à accepter. De toute manière, ramasser la mousse à la Lawrence ou à la Boott's, quelle différence?

Ces derniers temps, la fillette affichait une mauvaise mine. Elle se montrait renfrognée, maussade et de plus en plus repliée sur elle-même. Il ne restait plus rien de l'enfant d'autrefois, fraîche et enjouée, qui jouait encore à la poupée en revenant de l'école. De celle qui aimait rire et chanter, et qui s'offrait pour aider sa mère à fabriquer des gâteaux pour l'unique plaisir de lécher les plats et les ustensiles. Maintenant, Anne s'acheminait tristement vers la puberté, déjà abrutie par le travail et les problèmes pulmonaires qui la laissaient faible et amorphe. Elle dormait mal, gênée par une respiration sifflante et constamment secouée par des quintes de toux. Marguerite l'avait prévenue de l'arrivée prochaine de ses menstruations. Sa jeune sœur, au moins, saurait à quoi s'attendre.

Les jours suivants s'écoulèrent dans la frénésie du départ. En un peu plus de cinq ans, les Gauthier avaient accumulé suffisamment de bagages pour devoir les envoyer au Canada sur un train de mar-chandises. Léontine tenta bien de vendre quelques meubles et objets d'usage courant à Joseph, mais il refusa net.

— Es-tu folle? Pas à ce prix-là!

— Tu auras au moins besoin d'une table et de chaises, le frère. Prends-les, je te les offre à un prix d'ami. Sinon, je vais les vendre à quelqu'un d'autre. Mais tu n'en trouveras jamais à ce prix-là dans Market Street.

— T'auras pas une cenne de moi! Garde-les, tes maudites chaises! Si c'est ça, l'entraide familiale et la solidarité…

— Mais on a travaillé dur pour ça, Joseph. On les a payées une à une… Pis on a besoin d'argent nous autres *itou*.

— Laisse faire! Vide la maison, c'est tout ce que je te demande. Je saurai bien me débrouiller sans payer tes vieilles cochonneries à gros prix.

On chercha donc d'autres acheteurs, ce qui retarda le départ. Les couteaux volèrent bas à plusieurs reprises entre le frère et la sœur passablement énervés.

Une nuit, Anne se rendit à la bécosse, pliée en deux par les crampes. À moitié endormie, Marguerite l'entendit dévaler l'escalier. À sa grande surprise, elle crut percevoir d'autres pas amortis se dirigeant vers la sortie. Armand! Ce ne pouvait être que lui, le salaud! Elle n'attendit pas un instant et descendit à toute vitesse. Ce qu'elle découvrit au pied des marches, à la lueur de la chandelle, la glaça d'horreur. Son cousin, complètement nu, se branlait sur sa sœur également nue et étendue par terre.

La jeune fille remonta l'escalier à l'épouvante et, sans hésiter, alla réveiller Joseph.

— Venez vite, papa, c'est grave!

L'agresseur n'eut pas le temps de se relever que déjà Joseph s'acharnait sur lui à grands coups de poing et de pied.

— Espèce de plein de marde, je vais te tuer, mon *sacramen*t!

D'une main fébrile, Marguerite aida sa sœur à remettre sa robe de nuit et la fit remonter à l'étage où tout le monde, ameuté par les cris, se retrouva sur un pied d'alerte. Effarée, Léontine ne cessait de poser des questions auxquelles les deux sœurs, en état de choc, n'arrivaient pas à répondre.

— Qu'est-ce qui se passe?

— …

— Répondez donc, pour l'amour du ciel! Où est Armand?

Marguerite pointa l'escalier d'un geste de la main.

— Il est à la toilette? Est-il malade?

— …

Et ton père? Où se trouve Joseph? À la toilette aussi? Est-ce encore lui qui fait tout ce grabuge dans la cour?

La jeune fille baissa la tête, incapable de parler. C'est alors que Joseph surgit en haut des marches, les mains pleines de sang. Léontine lança un cri de mort.

— Armand! Il est arrivé quelque chose à Armand! Où il est, mon petit garçon?

Joseph cracha par terre et s'essuya la bouche du revers de sa manche.

— Ton petit *crisse* de garçon recommencera plus, *cré-moé* !

— Recommencera plus quoi ?

— Ce qu'il faisait à ma fille ! L'écœurant… Depuis combien de temps il te faisait ça, Anne ?

— Depuis qu'on habite ici…

— Et tu ne disais rien ?

— Il ne voulait pas que j'en parle. Il me menaçait tout le temps et disait qu'il allait me tuer si jamais je racontais ça à quelqu'un.

Léontine ne voulut rien entendre. Elle avait déjà descendu les marches en courant.

— Mon pauvre p'tit gars…

Le pauvre « p'tit gars » n'en menait pas large, la figure en sang, un bras sans doute cassé et les parties génitales en compote. La mère et le père le remontèrent avec mille précautions et l'étendirent sur son lit. Léontine lança un regard furieux à son frère.

— Chien sale ! Tu mériterais qu'on aille chercher la police.

— Vas-y la chercher, la police, ma chère ! Tu vas voir ce qu'ils font des violeurs, les policiers américains !

— Je suis sûre que mon fils n'a pas violé ta fille. Il s'agit seulement d'un peu de curiosité maladroite et tout à fait normale pour un garçon de son âge. Mes fils n'ont pas de sœur, que veux-tu ! Et ta fille avait l'air d'accepter ça assez facilement, on dirait ! On ne l'a jamais entendue crier très fort dans ces moments-là, hein ?

Joseph prit de longues inspirations pour arriver à se retenir de sauter sur sa sœur.

— Demain, ma femme, il faudra aller chercher le docteur. Demain, nous aurons des décisions à prendre.

Cette fois, c'était Léopold qui avait parlé. Joseph fit volte-face et cracha de nouveau dans la direction de son beau-frère.

— Toi, le Léo, si tu prenais tes responsabilités plus souvent avec tes gars, y arriverait peut-être pas des affaires de même ! Vieux *gnochon*… Bon, allez vous coucher, les filles ! On réglera tout ça demain matin. Moi, je m'en vais fumer une pipe dehors. Faut que je me calme les nerfs, sinon, c'est moi qui vais tuer quelqu'un.

Marguerite prit sa sœur par la main et la dirigea vers la chambre. Elle ressentait à la fois une espèce de dégoût et une étrange et inavouable pointe d'envie envers Anne. La benjamine en savait maintenant plus long qu'elle sur les « choses de la vie », elle avait vu un homme nu et en érection, et il avait sans doute caressé ses petits seins à peine développés et touché à ses parties intimes. Elle en éprouva un immense frisson. Par contre, Anne n'avait pas su lui tenir tête et se défendre. Elle s'était laissé faire lâchement, indignement, sans rien dire. Et combien de fois ? Marguerite n'arrivait pas à y croire. Il lui semblait qu'elle ne la regarderait plus jamais de la même manière.

Ce n'est que le lendemain matin, avant les premières lueurs de l'aube que, sanglotant dans les bras de sa grande sœur, Anne, entre deux accès de toux, avoua l'immense désarroi qui l'étouffait depuis longtemps. Elle avait eu tellement peur qu'elle s'était même gardée d'accuser son péché à la confesse.

— Je vais aller en enfer, hein, Marguerite ?

— Mais non, voyons ! Rien de tout ça n'est de ta faute. C'est Armand le responsable, lui seul. Toi, tu n'es qu'une petite fille, ma pauvre Anne. Il t'a manipulée et a abusé de toi, il t'a violée en te faisant des menaces. Tu aurais dû m'en parler ou le dire à papa.

— Je pensais qu'il te faisait la même chose et que tu le laissais faire…

— Non, non ! Il s'est bien essayé, l'écœurant, mais un coup de pied bien placé lui a refroidi les intentions, crois-moi ! Je suis grande et forte, moi ! Plus aguerrie aussi. Tandis que toi…

— Maman me manque tellement…

— À moi aussi, ma chouette. Mais elle ne reviendra plus jamais, tu comprends ? Plus jamais… Par contre, elle peut certainement nous aider de là-haut, sur son nuage.

Le premier rayon de soleil qui farfouilla sur le lit des deux sœurs les trouva endormies dans les bras l'une de l'autre, le visage barbouillé de larmes séchées, unies dans la même souffrance et le même désespoir.

Quand vint l'heure du déjeuner, on ne trouva aucune chaise dans la cuisine. Dans la cour, derrière la maison, brûlait un grand feu alimenté par de nombreux débris de chaises. Joseph, bouteille à la main et tenant à peine sur ses jambes, lançait des dossiers et des barreaux dans le brasier. Léontine cria au meurtre en s'apercevant du méfait. Joseph l'accueillit avec un sourire mauvais.

— *Good morning*, la sœur! Sais-tu ce que ça veut dire *Good morning*? As-tu au moins appris ça durant ton *estie* de séjour aux États?

— Joseph, tu es le plus beau dégoûtant de la terre!

— Ah, ça, je ne croirais pas! Je pencherais plutôt du côté d'Armand, ton «pauvre p'tit garçon», non? En tout cas, tu vas être contente, la sœur: je t'ai aidée à te débarrasser de tes chaises. T'auras pas besoin de les vendre, pis tu vas pouvoir *décrisser* plus vite, hé! hé! Dis-moi merci, au moins!

— Sacre ton camp, Joseph Laurin! Pis vite! Disparais de ma vue avec tes deux gribiches avant que j'aille chercher la police. Je ne veux plus jamais te revoir, tu m'entends? Plus jamais!

— Compte sur moi, ma chère! Allez, les filles, on déguerpit! Dépêchez-vous d'aller ramasser vos affaires, ça presse! Toutes vos affaires.

— On s'en va où?

— Pour le moment, on s'en va travailler. Après, on verra.

Personne ne fit attention à Armand qui se lamentait au fond de sa chambre.

29

Le jour de l'incendie du mobilier de cuisine, le travail à la Boott's s'avéra interminable pour les deux sœurs. À l'heure du dîner, quelques âmes charitables partagèrent leur pitance avec elles qui s'étaient présentées sans boîte à lunch. Mais le soir, où mangeraient-elles ? Et où iraient-elles dormir la nuit suivante ? Joseph avait promis de les retrouver à six heures, à la sortie de l'usine, mais pouvaient-elles se fier à lui ? Elles avaient perdu confiance. Ni l'une ni l'autre ne l'avait vu déambuler avec ses bobines dans les ateliers au cours de la journée. Comment allait-il régler le problème ? Demander pardon à sa sœur ? Quémander de nouveau le gîte au presbytère ? Coucher à la belle étoile ? L'hôtel coûtait trop cher, évidemment.

En fin de journée, au premier son de cloche, elles s'empressèrent de quitter l'usine, l'œil aux aguets et le souffle court, à la tête de la horde de travailleurs. Marguerite en voulait à son père pour ces serrements de cœur qui l'avaient oppressée durant toute la journée. Dieu merci ! Pour une fois, Joseph se montra fidèle à sa promesse : il les attendait. En l'apercevant, Anne lança un cri de joie comme si elle ne l'avait pas vu depuis des mois.

— Papa ! Oh ! papa ! Vous êtes là !

De toute évidence, il avait encore bu. Comme il portait des vêtements propres, Marguerite en déduisit qu'il avait dû quitter l'usine plus tôt au cours de la journée. Il sortit fièrement un large coupon de sa poche.

— Ça y est, les filles ! Ma décision est prise, je pars dans trois heures pour Colebrook. Tenez, voici mon billet de train. Je reprendrai mon travail au retour. J'ai averti le contremaître, il a promis de me réembaucher quand je reviendrai.

— Quoi ? Et nous ? Vous n'allez pas encore nous laisser toutes seules, papa ? Non, non, pas cette fois…

— Ne vous énervez donc pas, les grandes. Tout est arrangé. Il ne sera pas dit que je suis un aussi mauvais père que le prétend ma sœur. Pour ce soir, vous allez dormir au presbytère. Monsieur le curé vous attend, vos affaires sont déjà rendues là-bas. Et à partir de demain, des lits ont été retenus pour vous à la Boott's Boarding House située tout près de la compagnie. J'ai même payé votre première semaine de pension.

— Comment ça ? Pourquoi on s'en va pas à Colebrook avec vous ?

— Impossible ! Si vous vous absentez du travail, vous allez perdre votre emploi. Déjà qu'à la Boott's, on me fait la faveur de garder ma place jusqu'à mon retour. Il ne faudrait pas exagérer. Plein d'autres personnes ne demanderaient pas mieux que de récupérer nos *jobs*. De nouveaux immigrants, des Grecs et des Polonais, arrivent à pleins bateaux.

— Mais…

— Arrêtez-moi ce *braillage*, *sacrament* ! Je pars pour quelques jours seulement, le temps d'aller chercher Camille. Je sacre pas mon camp pour la vie, là !

— Vous allez ramener notre sœur ici ?

— Oui, j'ai trop attendu. Il est temps de reformer notre famille et de prendre des décisions. La convalescence de Camille s'éternise inutilement. Ma princesse m'appartient à moi, pas au docteur et à sa femme.

— Et on va habiter où ?

— Dès mon retour, je vais nous trouver un logement dans le Petit Canada. Celui de ma sœur est trop cher pour nos moyens.

Ni Anne ni Marguerite ne savaient si elles devaient se réjouir de cette nouvelle ou s'affliger du départ de leur père. Pas encore remises de leurs émotions de la veille et du matin devant le feu dans la cour, elles se voyaient de nouveau précipitées dans le dénuement le plus total. Deux adolescentes abandonnées à l'autre bout du monde... Mais Joseph avait dit «quelques jours seulement».

Et si Camille n'allait pas mieux? Angelina n'avait pas écrit depuis plusieurs semaines. Et si leur père décidait sur un coup de tête de s'établir à Colebrook? Pourraient-elles le rejoindre? «Bah! se dit Marguerite, la fabrique de chaussures Collins ne vaut guère mieux que les manufactures de Lowell. Ce serait du pareil au même que de retourner vivre à Colebrook...» Et s'il renouait avec Jesse? Ah! ça, les deux sœurs ne demanderaient pas mieux. Le temps passé à la ferme leur paraissait la seule éclaircie depuis la perte de leur mère. Mais il ne fallait pas trop compter là-dessus. Joseph n'aurait pas quitté Colebrook aussi bêtement si la moindre chance de refaire sa vie avec la fermière avait existé.

«Quelques jours seulement...» Marguerite ne cessait de se le répéter. Il fallait y croire de toutes ses forces. Elle jeta un regard attendri sur sa sœur. Pauvre Anne... Quelle nuit elle avait dû passer! Après ce que sa petite sœur avait vécu avec le cousin, l'aînée devait se montrer forte et courageuse. La protéger, surtout. Combien de fois l'avait-il violentée, souillée? Et comment avait-elle pu supporter ces agressions sans rien dire?

Mais était-ce possible de reparler de «ça» entre sœurs? Marguerite sentait la nécessité de vider la question. Hélas, elle ne trouvait pas les mots. On ne discute pas de ces choses-là, c'est trop gênant. Et pour dire quoi? Que ça fait mal? Qu'elle n'aurait jamais dû laisser faire Armand? Pour lui reprocher de ne pas l'avoir crié sur les toits? Elle-même s'était tue quand le garçon avait osé s'essayer avec elle. Elle se sentait trop timide et trop honteuse. Une seule fois, paniquée, elle en avait parlé au curé. Et le père Garin s'en était bien foutu, à bien y songer. Comme si une stupide histoire de banderole dans une parade allait guérir un violeur et arranger les choses à long terme!

Elle se secoua la tête, tentant de se ressaisir. Maudits hommes ! Ce soir-là, elle haïssait tous les hommes de la terre. Tous ! Ces buveurs, ces coureurs de jupon, ces brutes qui affichaient leur supériorité à la force de leurs muscles. Tous ces mâles obsédés par la couchette. De l'âge de quinze ans jusqu'à cent quinze ans, ils ne voyaient dans les femmes que des marchandes de plaisir. Ou ils s'avéraient des pâtes molles complètement dominées par une femme, comme son oncle Léopold, ou ils se comportaient en pères cinglés, comme Joseph, plus préoccupés par le signe de piastre que par le bien-être de leur famille. À vrai dire, plus elle y songeait, moins elle n'avait de doute sur les promenades nocturnes qui avaient eu lieu à l'étage des chambres, dans la maison de la ferme Peel.

Oui, à cette heure précise, elle avait en horreur tous les hommes. Jamais elle ne s'encombrerait de l'un d'eux. Jamais ! Elle vivrait seule, s'il le fallait, et on la traiterait sans doute de « vieille fille enragée » mais qu'importe, en aucun temps un homme ne porterait la main sur le flanc de Marguerite Laurin. La gent masculine n'avait qu'à se le tenir pour dit.

Quelques minutes plus tard, le père et ses filles sonnaient à la porte du presbytère Saint-Joseph. Devant le sourire avenant du nouveau vicaire venu ouvrir, Marguerite réalisa soudain que non, elle n'abominait pas tous les hommes. Si les vertus de transparence et de pureté existaient encore chez eux, c'est chez Antoine Lacroix qu'elles s'incarnaient assurément. Insaisissables, hélas !

❧

Après avoir dégusté un pot-au-feu en compagnie de ses enfants chez le curé Garin, Joseph tira rapidement sa révérence, ne voulant pas manquer son train de nuit. Devant l'affolement des jeunes filles, le père Lacroix entreprit de leur faire visiter la bibliothèque.

— Vous voyez tous ces livres en français ? Ils sont là pour vous. Vous pouvez venir en emprunter n'importe quand et autant que vous en voulez. Tous les soirs et tous les dimanches, les portes de ce lieu restent ouvertes. Plusieurs Canadiens français en profitent, vous savez. Ça fait du bien de lire dans notre langue quand on se sent loin de chez nous. Surtout vous deux, il ne faudrait tout de même pas oublier vos connaissances en français !

— Moi, je n'ai rien oublié, moi, je n'ai rien oublié ! Même que je sais lire en anglais !

— Tu sais ça, toi, ma belle Anne ? Il faudra que tu viennes me l'enseigner, un de ces jours. Parce que moi, l'anglais… Et toi, Marguerite ?

La jeune fille se contenta de hausser les épaules. Le prêtre n'avait-il pas pris en considération son ambition de s'inscrire aux cours du soir, si jamais ils finissaient par débuter ? Ne se rappelait-il pas qu'elle avait terminé son cours primaire et rêvait d'aller à l'école normale pour enseigner ? Dire qu'elle l'avait considéré comme un sauveur ! Drôle de sauveur qui avait oublié le rêve le plus grand de sa protégée !

À mille lieues de se douter des sombres pensées de l'adolescente, le vicaire lui tendit un livre.

— Voici un roman écrit par Honoré Beaugrand en 1878 : *Jeanne la fileuse*. Il raconte l'histoire d'une famille de Canadiens français immigrés dans le Maine, à Fall River. Ça vous fera réaliser que vos difficultés ne sont pas uniques. Il a écrit ce livre en guise de réplique aux détracteurs de l'émigration en affirmant que c'est la misère et l'incapacité des autorités québécoises à résoudre les problèmes qui ont poussé les Canadiens français à l'exil.

— Des détracteurs ?

— Oui, chez nous, ni les politiciens, ni les journalistes, ni les communautés religieuses n'encouragent les Québécois à s'expatrier. On veut garder la jeunesse et son énergie au pays.

Marguerite faillit répondre que ces détracteurs avaient raison, mais elle préféra se taire. Elle prit le livre en se demandant si elle avait envie de le lire. Chose certaine, elle n'avait pas la tête à ça pour le moment. De l'émigration, elle en avait ras-le-bol. Trop d'événements la préoccupaient depuis vingt-quatre heures. De toute manière, dans aucun livre au monde il ne devait être question d'enfants, émigrants ou pas, aux prises avec un père aussi bizarre et instable que le sien.

Anne, elle, dormait déjà, la tête appuyée contre le dossier d'un fauteuil.

— Je vous remercie, mon père, je le lirai plus tard. Pour ce soir, nous nous sentons vraiment très fatiguées. La nuit dernière a été plutôt courte, vous savez, et demain…

Demain, il leur faudrait rentrer au travail à six heures comme à l'accoutumée et le soir, elles devraient se présenter à la maison de pension où Joseph leur avait réservé une place, selon ses dires. Tout cela énervait l'adolescente, et cette insécurité lui donnait envie d'éclater, de supplier quelqu'un de les prendre en charge, elle et sa sœur. Mais elle choisit de se taire.

Le prêtre devina-t-il son état d'esprit ? Il posa la main sur son épaule.

— Tu sais, ma petite Margot… Tu permets que je t'appelle comme ça ? Si quoi que ce soit ne va pas, ne te gêne pas pour revenir sonner à notre porte. Nous sommes trois prêtres qui ne demandons pas mieux que de vous aider. Et puis, il y a la Société Saint-Jean-Baptiste et l'Union Saint-Joseph dont les bénévoles organisent des soirées, des conférences, des concerts. Ils se font un plaisir de servir de dépanneurs à l'occasion. Vous devriez venir aux réunions, vous vous sentiriez moins seules.

Marguerite avait sourcillé. Il l'avait appelée Margot ! Seule sa mère, autrefois, la prénommait ainsi. Comment avait-il pu deviner ? Était-ce là un signe tangible venu du ciel pour lui montrer que Rébecca continuait toujours de veiller sur ses petites filles ? Elle soupira. « Merci, maman. »

— Oui, mon père, on verra… Je vous remercie. Pour l'instant, ma sœur et moi n'avons qu'une chose en tête : dormir.

À la vérité, une pensée unique l'obsédait : se retenir de pleurer devant Antoine Lacroix et aller plutôt verser ses larmes au creux de son oreiller, un oreiller prêté par charité, au fin fond du dortoir d'un presbytère, à six cents milles de chez elle. Là, toute seule, en silence.

Comme sa vie en exil le lui imposait cruellement.

30

En descendant du train, Joseph se dirigea directement vers la résidence du docteur Lewis. Il eut beau actionner la clochette à plusieurs reprises, personne ne vint répondre. Remettant sa visite à plus tard, il s'en fut à l'hôtel Hinman, dans le village voisin de North Stratford, pour louer un cheval.

À vrai dire, l'absence des Lewis faisait son affaire, car ses pensées s'étaient fixées vers la ferme Peel bien longtemps avant de mettre le pied à Colebrook. Son besoin de coucher avec une femme se faisait de plus en plus impérieux. À croire que Jesse lui avait ouvert des sentiers fascinants sur lesquels il ne s'était jamais aventuré auparavant, et qui étaient devenus, à la longue, une douce obsession. À Lowell, il n'avait point connu de femme, et la simple pensée des formes généreuses de la belle Américaine le rendait fou. Pour une fois, pour une seule fois, la fermière ne refuserait pas de se donner à lui, il en avait la certitude en songeant aux jouissances qu'ils avaient partagées clandestinement. La *vlimeuse*, elle avait semblé en profiter autant que lui !

Évidemment, il risquait de se buter à la présence encombrante du fils et des autres enfants. Si le mauvais sort les plaçait face à face, il devrait probablement renoncer à son projet, mais qui sait… Après tout, il ne pouvait pas avoir la malchance invariablement collée aux pieds !

Hélas, elle se trouvait au rendez-vous, cette malédiction qui s'acharnait méchamment sur lui. Ce ne fut ni le fils John, ni Betty ni Terry qui l'accueillirent à la porte de la maison des Peel, mais un grand escogriffe aux cheveux grisonnants, affublé d'une énorme paire de lunettes. Le colosse le regarda d'un air hautain, et Joseph, interloqué, eut peine à prononcer le nom de Jesse.

— *Jesse, please.*

— *Just a moment. Sweetie, there's someone for you !*[22]

Joseph sourcilla. Il avait appelé Jesse *sweetie* ! Pas bon signe, ça ! Ce *sweetie* ne portait-il pas une connotation amoureuse ?

L'inconnu se retourna pendant que Jesse descendait l'escalier, rougissante, les cheveux ébouriffés, plus resplendissante que jamais. Mais l'attention de Joseph resta sur l'homme en salopette et en pantoufles. Il ne fut pas sans remarquer la robustesse de sa nuque et la largeur phénoménale de ses épaules.

— Joseph ! Quelle surprise ! Mais entre donc ! Ainsi te voilà de retour à Colebrook… Comment vas-tu ?

— …

— Puis-je te présenter mon nouvel employé : George ? *George, this is Joseph.*

Elle aurait pu ajouter : « Joseph, mon ancien amant, l'homme qui m'avait fait un enfant et que j'aurais voulu épouser, celui qui a pris le meilleur de moi-même sans s'engager ni prendre la responsabilité de ses actes. » Mais elle ne dit rien de plus. Un brin d'étonnement dans la figure, la belle Jesse préféra se réfugier dans un mutisme poli.

Joseph hocha la tête sans répondre à la main tendue par l'Américain qu'il considérait déjà comme un adversaire. Un employé en pantoufles qui répond à la porte… hum ! Se donnait-elle à cet homme comme elle le faisait avec Joseph, totalement et sans retenue, comme peu de femmes se le permettaient en ces temps

---

22. Un instant. Chérie, il y a quelqu'un pour toi !

où la religion qualifiait l'impudicité de faute mortelle ? Occupait-il une place officielle dans son lit ou se baladait-il la nuit, pieds nus sur le sol glacial entre la grange et la chambre, à l'insu de la grincheuse belle-mère toujours aux aguets ? Au fait, où se trouvait-elle, celle-là ? Dans ses fantasmes, Joseph l'avait commodément évincée tout comme John, le grand fils. Seule Jesse occupait toute la place, une place de reine. Une place de chaude maîtresse.

Le silence devint insupportable. Jesse se racla la gorge et chercha à faire diversion en annonçant, sur un ton dramatique, la mort récente de sa belle-mère.

Joseph réprima un sourire. S'attendait-elle à le voir manifester quelque regret pour la disparition d'une mégère qu'il avait souverainement détestée ? Jesse expliqua pourtant de long en large la perte de madame Peel après une longue maladie. Puis elle parla de ses enfants, de Betty, retirée de l'école pour aider sa mère, de Terry qui avait tellement grandi et ressemblait de plus en plus à son père. John, lui, semblait avoir renoncé aux chantiers pour prendre en main la gestion de la ferme. La jolie donzelle qui devait l'entraîner très loin de Colebrook, et tant souhaitée par Joseph, ne semblait pas exister.

Au regard soudainement troublé de la femme à l'évocation du fils, Joseph devina que tout ne marchait pas sur des roulettes à son sujet, mais il se garda de poser des questions. Tout à coup, ces problèmes-là ne l'intéressaient plus. Jesse n'avait qu'à s'arranger avec ses troubles ! L'escogriffe ne se trouvait-il pas là pour la dépanner ? Lui, Joseph Laurin, semblait ne plus faire partie du décor.

Comme si elle avait perçu sa soudaine animosité, la femme changea brusquement de sujet de conversation et s'informa des filles de Joseph. Elle voyait Camille à l'église tous les dimanches, mais d'Anne et de Marguerite, elle recevait peu de nouvelles.

Joseph répondit évasivement et préféra se retirer, décontenancé par l'étranger appuyé contre le comptoir de la cuisine en train de le dévisager effrontément. Il franchissait promptement le vestibule quand Jesse s'écria sur un ton sans équivoque :

— À très bientôt, mon cher Joseph !

Ces derniers mots ne tombèrent pas dans l'oreille d'un sourd. Ce « À très bientôt » lancé en français avec son accent irrésistible voulait tout dire. Il y décela une invitation sous-entendue, et peut-être même un secret appel au secours. Jesse l'aimait encore, il en avait maintenant la conviction. Elle lui ouvrirait encore ses bras et son lit, elle l'attendrait. Elle l'avait appelé « mon cher Joseph »… Et sur quel ton suppliant avait-elle prononcé son « À très bientôt ! » Hé ! Hé ! le Goliath américain avait dû ne rien comprendre de l'insinuation, ne saisissant sans doute pas un traître mot de français ! « Le plus tôt sera le mieux ! » songea Joseph en refermant la porte derrière lui. Il se promit de revenir très prochainement, en des temps plus favorables, en l'absence de ce nouvel ennemi répondant au nom de George.

De retour à l'hôtel avec l'intention de remettre son cheval de location, il remarqua un petit attroupement près de l'écurie située dans l'arrière-cour. Autour d'eux, un chien hurlait à mort pendant qu'une femme pleurait à fendre l'âme en se tordant les mains, soutenue par deux hommes vêtus de l'uniforme des agents de la paix. À leurs côtés, le gérant de l'auberge et son employé semblaient complètement dépités. Quand il aperçut, gisant par terre, le corps grassouillet d'un homme mort, le visage bouffi et une corde coupée enroulée autour du cou, Joseph comprit la raison de tout cet émoi : on venait tout juste de trouver le palefrenier pendu à une poutre de l'écurie.

Au même instant, une diligence s'approcha et des touristes commencèrent à descendre, valise à la main, sans se rendre compte de l'agitation. Le propriétaire de l'établissement semblait dépassé par les événements. Il avait à loger tout ce beau monde et à remplacer, au plus vite, les quatre chevaux de la diligence. En effet, l'hôtel Hinman constituait, en plus d'un lieu d'hébergement, une halte routière où les diligences s'arrêtaient continuellement pour renouveler les attelages.

Spontanément, Joseph, qui avait reconnu le gérant déjà rencontré lors d'une fête de Noël chez le docteur Lewis, s'approcha pour offrir ses services. Il pourrait prendre soin des chevaux pendant que le patron s'occuperait de ses clients.

— *Mister Loran! You save my life!*[23]

— LauRIN, Joseph Laurin…

En fin de journée, Joseph avait changé les chevaux de trois *coaches* de passage, balayé le plancher et nettoyé les stalles de l'étable, rempli les auges d'eau et de foin et loué deux étalons à des cavaliers d'occasion. Enchanté de son zèle, le patron le fit mander à l'hôtel et lui servit lui-même le meilleur plat du jour : des nouilles garnies de fruits de mer. Une heure plus tard, les deux hommes avaient conclu un marché : Joseph acceptait de faire office de valet d'écurie, pour un salaire rien de moins que faramineux à ses yeux, en attendant que l'hôtel déniche un autre palefrenier.

Ce n'est qu'une fois sur sa couche, étendu sur la paille de la dernière section au fond de l'écurie, que l'image de Camille lui revint à l'esprit. Tant pis ! Après tout, la petite pouvait bien attendre encore quelques jours. Pour l'instant, elle ignorait totalement sa présence à Colebrook.

Il n'allait pas rater une chance de faire un coup d'argent, tout de même !

---

23. Monsieur Loran, vous me sauvez la vie !

31

Anne mâchouillait son *corn beef* en retenant une grimace. Elle avait en horreur cette viande qu'on lui servait presque quotidiennement en alternance avec le bouilli bœuf-chou-navet-carotte. Parfois, des fèves au lard ou de la morue frite faisaient diversion entre la soupe aux pois et le plum cake. Nourriture peu variée mais néanmoins raisonnablement abondante.

La Boott's Boarding House se situait à quelques pas à peine de l'usine. Les travailleuses pouvaient se rendre au travail en deux minutes et revenir à la pension pour le dîner. La clientèle exclusivement féminine provenait de partout mais était représentée en majeure partie par des fermières américaines qui venaient travailler à la ville durant la saison froide et s'en retournaient chez elles pour les travaux d'été. Les chambres, à l'étage, comportaient deux ou quatre lits doubles.

Marguerite et Anne dormaient aux côtés d'une Américaine, mère de famille, qui venait de perdre son mari quelques semaines auparavant. Elle avait décidé de laisser ses petits aux grands-parents pour travailler à la filature et améliorer sa condition financière. L'autre pensionnaire, d'origine irlandaise, était une célibataire dans la quarantaine issue d'une famille immigrée à Troy dans l'État de New York dans les années 1850. Personne ne savait pour quelle raison elle avait quitté son milieu et les siens pour venir travailler à Lowell.

À côté de ces femmes secrètes et peu loquaces, les deux Laurin faisaient figure de petites filles égarées, avalées par le monstre industriel repu d'enfants innocents au nom de la reprise économique américaine.

La maison de pension elle-même imposait une réglementation stricte : repas à heures fixes, couvre-feu à dix heures, interdiction aux invités de monter à l'étage et, bien sûr, aucune intimité permise avec les visiteurs masculins.

Les deux filles Laurin ne tardèrent pas à se faire des amies parmi les rares Canadiennes françaises demeurées seules à Lowell après le rapatriement de leurs familles au pays. La plupart de ces femmes avaient préféré prolonger leur séjour, soit pour mousser leur autonomie et concrétiser leur désir de s'installer définitivement aux États-Unis, soit pour gonfler leur portefeuille. Toutes plus âgées, elles adoptèrent tout naturellement les deux « p'tites de Grande-Baie », bavardant avec elles en français autour de la table ou, le soir, devant la cheminée de la salle de séjour, en feuilletant distraitement des journaux et des revues.

Curieuse habitation que cette Boarding House à la population disparate. Les groupes ethniques, tissés serré, s'y entremêlaient peu malgré leur partage de la même table et des mêmes chambres. On se regardait, on s'observait et, si on se saluait poliment, les rapprochements dépassaient rarement le simple hochement de tête. Cette atmosphère reflétait bien celle du milieu de travail : en général, les ouvrières américaines et irlandaises occupaient les postes supérieurs et mieux rémunérés en raison de leur langue tout autant que de leur ancienneté et leur spécialisation. Les Canadiennes, elles, se repliaient à l'intérieur de leur communauté, se contentant pour la plupart d'emplois sous-payés.

Marguerite déplorait de devoir partager sa chambre avec des étrangères si peu avenantes. Dès le premier jour, elle avait tenté de casser la glace en risquant quelques phrases de politesse en anglais, histoire de démontrer que, fait inusité, elle et sa sœur savaient tenir une conversation dans cette langue. Mais les deux femmes n'avaient pas mordu à l'hameçon. Établir des liens avec des adolescentes francophones ne semblait pas les intéresser même si elles dormaient les unes à côté des autres. Marguerite se consola vite. Après tout, il s'agissait d'une situation temporaire. D'ici deux ou trois jours, leur père allait revenir avec Camille et tous les quatre s'établiraient probablement dans un coin bien à eux. Tout rentrerait enfin dans l'ordre et les Laurin pourraient se réinventer un petit bonheur familial tranquille. Il était temps ! Elle n'en pouvait plus de tous ces changements et ces tribulations.

Hélas, le temps passait et Joseph ne donnait pas signe de vie. Chaque soir, après le travail, les deux sœurs rentraient le cœur battant d'espoir de trouver dans leur casier un message de leur père ou, à tout le moins, une lettre expliquant ce retard imprévu. Marguerite imaginait le contenu : « Votre sœur a encore besoin d'une semaine ou deux de repos » ou, mieux encore, « Je suis en train de chercher un emploi à Colebrook et vous ferai revenir bientôt ». La perspective d'un accident ou d'une maladie de son père ne lui effleurait pas l'esprit. Ni celle d'un retour éventuel sur le bord du Saguenay.

Anne, elle, ne disait rien. Marguerite devinait pourtant chez elle un état de fébrilité qu'elle n'exprimait pas. Depuis les agressions sexuelles du cousin, la petite fille bavarde et joyeuse d'autrefois était devenue passive et repliée sur elle-même.

Au bout d'une dizaine de jours, n'y tenant plus, Marguerite décida d'écrire à Angelina. Que se passait-il donc ? Quel empêchement retenait Joseph là-bas ? Pourquoi ne rentrait-il pas à Lowell tel que prévu ?

Après le souper, les Canadiennes se réunissaient au salon, autour du piano, pour rire et chanter de vieilles chansons françaises. Au début, Marguerite et Anne, plutôt timides et convaincues de la brièveté de leur séjour, n'osaient se mêler à elles.

Un soir, alors qu'elles allaient s'esquiver comme à l'accoutumée dans le parc situé juste en face, une main chaleureuse les retint.

— Eh ! les p'tites ! Restez donc avec nous autres. Venez plutôt chanter, il va pleuvoir de toute façon.

Ainsi débuta une belle prise en charge, par les Canadiennes, de ces « deux enfants abandonnées ». Au fil du temps, ces femmes généreuses en vinrent à faire office de famille, cette famille perdue, morcelée, éparpillée qui, certains jours, semblait ne plus exister dans le cœur des deux jeunes filles. Maternellement, on les bichonnait, les coiffait, leur prêtait des robes ; on les amenait en pique-nique au parc, le dimanche, on leur apprenait à coudre, à broder, à tricoter des mitaines.

L'une d'entre elles, Rose-Marie, les couvait particulièrement. Consciente de leur détresse silencieuse, elle s'appliquait à les faire rire et à les combler de gâteries, un bracelet prêté, un biscuit à la mélasse, un mouchoir brodé, tous ces petits riens qui rendent le quotidien moins morose. Quand Rose-Marie passait son bras autour des épaules de l'une d'elles, cette dernière en frémissait d'aise. « Maman… » Comment ne pas évoquer la chère disparue qui, autrefois, faisait les mêmes doux gestes ? Il y avait maintenant si longtemps que la mort les avait arrachées à elle sans même qu'elles aient eu le temps de lui faire leurs adieux dans la grisaille d'un cimetière. Une éternité !

Tandis qu'Anne, vaille que vaille, semblait s'adapter à sa nouvelle vie, l'aînée masquait difficilement sa détresse. Cinq semaines s'étaient maintenant écoulées depuis le départ de Joseph. Que se passait-il donc qui lui échappait ? Quel mauvais sort leur réservait encore le destin ? Même Angelina n'avait pas répondu à sa lettre.

Un soir, sur l'oreiller, n'y tenant plus, elle annonça à Anne qu'elle allait prendre le train pour Colebrook tôt le lendemain, dimanche.

— Je vais aller me renseigner sur place. Je n'en peux plus d'attendre papa et Camille.

— Comment ça, tu vas prendre le train ? Je veux y aller, moi aussi !

— Non, Anne. Colebrook se trouve à deux cents milles d'ici et je ne pourrai pas rentrer avant lundi soir. Pire, s'il fallait que, pour une raison ou pour une autre, je sois retardée, je n'ai pas envie de te voir perdre ton emploi à la Boott's pour raison d'absence. Ça va assez mal comme ça, on a besoin de cet argent pour vivre.

— Et toi, alors?

— Je m'arrangerai bien si ça se produit. Lundi, tu expliqueras au contremaître que je viens de tomber malade et ne peux me présenter au travail. Mais t'en fais pas, je vais rentrer au plus vite. Je veux seulement savoir ce qui se passe là-bas, tu comprends? Je... je... m'énerve probablement pour rien, mais j'ai besoin de savoir, voilà tout! Rose-Marie va s'occuper de toi.

Loin de réaliser le désarroi de sa sœur, Anne se mit à rechigner, faisant fi des deux étrangères essayant rageusement de trouver le sommeil dans le lit d'à côté.

— Je veux y aller moi aussi, je veux y aller!

— *Will you, please, shut your mouth? At least, speak "American"!*[24]

Même l'Américaine, légèrement plus sociable, fit preuve de peu de tolérance. L'Irlandaise, elle, laissa exploser sa rage.

— *Get out of here! Go back where you belong, you, stupid rolling stones! Silly Chinese of the East!*[25]

Marguerite sursauta. Ces femmes avaient-elles oublié qu'elle comprenait l'anglais et savait traduire leurs insultes? Pourquoi les traiter de «stupides oiseaux de passage» et d'«insignifiantes Chinoises de l'Est»? Ce n'était pas la première fois qu'elle entendait ces expressions. Certains Américains ne se gênaient pas pour les lancer aux Canadiens dans la rue ou au travail. Même l'autre jour, un Irlandais avait refusé de lui céder le passage sur le trottoir en la traitant de ces noms dont elle ne comprenait pas le véritable sens.

Blessée par les invectives des occupantes de la chambre, Marguerite ne sut que répliquer et se contenta de se blottir contre sa sœur autant pour la consoler que pour se rassurer elle-même. Elle ne s'expliquait pas pour quelles raisons ces femmes semblaient les détester. Elles ne leur avaient rien fait, pourtant. Au contraire,

---

24. Voulez-vous, s'il vous plaît, vous fermer la trappe? Au moins, parlez «américain»!
25. Sortez d'ici! Retournez chez vous, stupides oiseaux de passage! Idiotes Chinoises de l'Est!

les « p'tites de Grande-Baie » payaient scrupuleusement leur pension, se montraient discrètes et ordonnées même s'il arrivait parfois à Anne de laisser traîner quelques vêtements. À l'usine, elles mettaient tout leur cœur à l'ouvrage et n'embêtaient personne, quoi ! Qu'avait-on à leur reprocher ? Et, grands dieux, quel rapport pouvait-on établir entre elles, des oiseaux et des Chinoises ?

Le bras autour du corps frêle de sa sœur, Marguerite se retenait pour ne pas leur crier par la tête, à ces baveuses, que si elle en avait le pouvoir, elle enverrait promener l'Amérique entière. Et c'est pour le Canada, là seulement, qu'elle prendrait le train demain matin. Elle les trouvait méchantes et injustes, ces femmes, surtout la rouquine, cette Irlandaise tout aussi immigrée qu'elles. Et tout aussi catholique. À croire que les prêtres irlandais ne prêchaient pas le même Évangile que les prêtres québécois ! L'amour du prochain et la tolérance, la vilaine ne semblait pas connaître.

Malgré le temps qu'elle mit à s'endormir et en dépit des supplications de sa sœur, Marguerite descendit seule et sur la pointe des pieds le grand escalier, à cinq heures le lendemain matin, un sac contenant ses rares effets personnels accroché à son épaule, et elle se rendit d'un pas déterminé à la gare située à quelques rues de là.

Elle allait tirer les choses au clair. Elle allait trouver son père. Il le fallait. À n'importe quel prix.

❧

Elle débarqua finalement du train en fin d'après-midi après six heures et demie de « secouage ». Après quelques mois, même si Colebrook n'avait pas changé, il parut à Marguerite infiniment plus petit et rural que dans ses souvenirs. À part la rue commerciale et quelques artères adjacentes, et malgré ses quelques usines et ses deux clochers, Colebrook faisait davantage figure de grand village que de ville industrielle.

La jeune fille jeta un regard dédaigneux sur la manufacture de chaussures et s'achemina presque à la course jusque devant la maison du docteur Lewis. Elle s'arrêta au bas de l'escalier pour reprendre son souffle. «Ah! mon Dieu, faites que je ne reçoive pas des mauvaises nouvelles!» À travers une fenêtre, on pouvait entendre jouer du piano. D'une main fébrile, elle agita d'abord la clochette, puis frappa trois petits coups timides contre la porte. Une voix de femme retentit.

— *It's closed! The doctor is not here.*[26]

— C'est moi, Marguerite Laurin. Je voudrais voir ma sœur Camille.

Le piano se tut aussitôt et des pas irréguliers résonnèrent sur le plancher de bois. Quand elle entrouvrit la porte, Camille apparut plus grande et plus belle que jamais.

— Camille! Comme tu as grandi! Je ne te reconnais pas!

— *Hi! How are you?* Euh… Salut! Où est Anne? Mais entre, voyons!

La fillette, au lieu de sauter au cou de sa grande sœur, recula d'un pas, paralysée par la surprise. Et sans doute par la timidité. Elle portait une magnifique robe de coton brodé. Ses cheveux sombres ramassés en chignon lui donnaient une allure plus vieille et faisaient ressortir son profil parfait. Une beauté. Joseph ne l'appelait pas sa «princesse» pour rien!

— Comme tu es belle, ma Camille! Comment vas-tu? Il y a si longtemps, il me semble… Est-ce toi que j'entendais jouer du piano. Oh là là! Quel talent!

Une femme inconnue s'approcha et s'adressa à Marguerite en anglais pour lui annoncer que le docteur Lewis et sa femme se trouvaient actuellement en France. La mère d'Angelina était très malade et avait demandé à revoir sa fille avant de mourir. Ils devaient rentrer au bercail au plus tard la semaine prochaine. Elle était la sœur du docteur, et le couple lui avait demandé de s'occuper de leur protégée.

Figée par l'étonnement, Marguerite hésita une seconde avant de s'avancer dans la vaste demeure. Une odeur de parquets cirés la saisit mais s'évanouit rapidement devant la claudication de Camille. Ainsi, la princesse boitait encore… Sans doute devrait-elle garder, pour le reste de ses jours, cette séquelle du terrible accident qui avait

---

26. C'est fermé! Le docteur n'est pas ici.

failli lui coûter la vie. L'adolescente ne put retenir plus longtemps la question qui la hantait. Elle renifla un bon coup et se lança.

— Dis donc, sœurette, as-tu des nouvelles de papa ? T'a-t-il rendu visite dernièrement ? Je suis inquiète, je t'avoue. Voilà un mois et demi qu'il a quitté Lowell sans nous donner de nouvelles, et…

— Papa ? Oui, oui, il est venu me voir à quelques reprises depuis son retour à Colebrook. Le docteur et Angelina l'ont invité à souper deux ou trois fois.

— Comment ça, son retour à Colebrook ? Il devait y rester deux jours seulement !

— Ah ! bon. Il ne nous a jamais dit ça.

— Et à quoi s'occupe-t-il donc, ce cher paternel ? Il avait l'intention de venir te chercher pour t'amener, dès le lendemain, vivre définitivement avec nous, à Lowell.

— Quoi ? À Lowell ? Il n'a pas parlé de ça non plus ! Tu peux aller le voir, si tu veux, il habite à l'hôtel Hinman, à quelques milles d'ici.

— Papa couche à l'hôtel ?

— Mais oui. Il travaille dans l'écurie, juste derrière.

— Quoi ? ! ?

Marguerite bondit sur ses pieds. L'espace d'une minute, elle se crut en plein mauvais rêve. Il s'agissait simplement d'un cauchemar, elle allait se réveiller bientôt et s'acheminer à toute allure vers la Boott's, en compagnie de sa sœur et de son père.

Mais l'air indifférent et bien réel de Camille la ramena vite à la réalité : non, elle ne rêvait pas, son père s'était bel et bien installé à Colebrook en la laissant en plan avec Anne. Cette constatation lui causa un sentiment de solitude insupportable. Elle prit ses jambes à son cou et quitta la belle demeure en s'excusant à peine.

— Bon, bien… salut ! Je repasserai.

Elle n'avait qu'une idée en tête : s'enfuir. Mais pour aller où ?

32

En route vers Lowell, seule et les mains vides, Marguerite se sentait anéantie. Encore une fois, une colère impétueuse et à peine contenue lui embrouillait les esprits. Elle avait envie de casser tout ce qui se trouvait à la portée de sa main, ou de se mettre à hurler comme les loups, la nuit, au creux des montagnes. Pour crier sa révolte, pour vomir sa rage mais aussi pour brailler son dépit, cette immense déception d'avoir été bernée, trompée et, pire, oubliée par son père. Elle et Anne tout autant. Elle et cette petite sœur sans défense, exploitée sans vergogne depuis qu'elle avait mis le pied à Lowell.

Piégées, les sœurs Laurin! Utilisées comme du bétail ou des machines à rapporter de l'argent! Rien de plus! Pour l'amour, pour la tendresse, pour le souci de leur éducation et de leur épanouissement personnel, elles pouvaient repasser. Joseph ne leur avait donné et ne leur donnerait jamais rien de tout cela. Il ne voyait en elles que de la chair à rapporter une enveloppe de paye.

Pour la première fois de son existence, Marguerite se surprit à détester réellement son père au plus profond d'elle-même. Jusqu'à en avoir la nausée. Elle l'aurait tué. Il les avait privées des funérailles de leur mère, il les avait arrachées de leur pays, de leur langue, de leur maison, de leur famille. Et voilà qu'il les dispersait, la benjamine chez des étrangers, les deux aînées délaissées plus au sud dans un monde abrutissant. Et lui, hors de leur vie, se trouvait en train de mignarder des chevaux au fond d'une écurie pour l'amour de son maudit veau d'or… Dieu du ciel!

Jamais elle n'oublierait les premières minutes de leur rencontre. Il l'avait saluée d'un signe de tête, puis il avait ignoré totalement sa présence. Comme si elle représentait l'image du remords incarné! Elle le voyait encore, dans l'étable derrière l'hôtel Hinman, en train de fixer le harnais sur le cou d'une jument, puis de frotter les dorures d'un carrosse. Pâle, dépenaillé, puant le fumier, le nez bourgeonnant et les yeux rougis par l'alcool, il semblait à peine reconnaître sa fille. Ne savait que lui dire et préférait baisser la tête, le salaud!

Valet d'écurie, voilà ce à quoi Joseph Laurin occupait ses jours depuis six semaines sans même songer à ses enfants. Un sans-cœur! Son père n'était rien d'autre qu'un sans-cœur! Un dénaturé! Encore plus fou qu'elle ne l'avait imaginé. Fou à lier…

— Tu comprends, ma fille, au salaire qu'on m'offrait, je pouvais pas refuser. Le propriétaire de l'hôtel se trouvait « mal pris », son palefrenier venait de mourir subitement.

— Et nous, papa? Nous vous attendons depuis des jours et des jours, sans aucune nouvelle. Y avez-vous au moins songé?

— Ben quoi? Vous avez un travail et un logis. Je ne vous ai pas laissées en plan dans le décor, que je sache! Je vous trouve assez grandes pour vous débrouiller pendant un bout de temps!

— Mais vous deviez revenir avec Camille…

— Ah! ma princesse! Pas sûr qu'elle veuille nous suivre de sitôt, celle-là! Bien trop gâtée par le docteur et sa femme! Justement, ils sont en voyage. À mon arrivée à Colebrook, comme personne ne m'a offert le gîte, j'ai décidé de prendre une chambre au *lodge* du village en attendant leur retour. C'est là qu'on a requis mes services.

— Requis vos services? C'est là que vous avez pensé à offrir vos services, vous voulez dire! Vous auriez dû revenir à Lowell, papa. Ou nous faire venir auprès de vous, Anne et moi. À tout le moins nous écrire pour nous aviser. Tout ça n'a pas de sens. Vous ne nous aimez plus, c'est ça, hein ?

— Mais je couche dans l'écurie, Marguerite ! Te vois-tu dormir ici, sur la paille avec ta sœur ? Les propriétaires de l'hôtel ne l'auraient pas permis, d'ailleurs ! Quant à retourner à Lowell, Dieu sait si j'aurais pu trouver un autre emploi là-bas. Tandis qu'ici, c'est l'hôtel qui me fournit la nourriture et le logement.

— L'argent, l'argent, il n'y a donc que ça qui compte pour vous ?

— Avec mon salaire joint aux vôtres, on va se ramasser un joli magot qui va valoir la peine. On va enfin pouvoir recommencer notre vie ailleurs et oublier le passé. J'ai vu un terrain sur le chemin de Dixville…

Ah ? Il avait vu un terrain ? Marguerite ne lui avait pas laissé le temps de terminer sa phrase. Elle avait tourné les talons et s'était dirigée au plus vite vers la gare. L'homme l'avait regardée partir sans protester. À peine poussa-t-il un soupir en entendant la porte de l'écurie se refermer brutalement.

À la vérité, après quelques jours d'embauche à l'écurie, Joseph avait effectivement offert aux patrons de l'hôtel d'occuper officiellement le poste. À peine si des remords de conscience lui avaient effleuré l'esprit. Certes, il aurait dû consulter ses grandes, leur écrire pour leur demander de patienter un peu. Après quelques mois de ce régime lucratif, il disposerait de suffisamment d'argent pour se construire dans la région. Le sacrifice en valait la peine. De cela, il avait la certitude absolue.

Mais il avait sans cesse remis la rédaction de sa lettre au lendemain. Le soir le trouvait complètement abruti, trop épuisé et imbibé d'alcool pour s'armer de courage et intimer à ses enfants, noir sur blanc, l'ordre de demeurer à Lowell pour l'attendre. Le soir, c'est à Rébecca qu'il songeait malgré lui. Le spectre de sa femme morte revenait le hanter comme une obsession et lui reprochait d'avoir donné son corps au feu après la séparation cruelle d'avec ses enfants.

Il enfouissait la tête sous l'oreiller de plumes lancé sur sa couche et en mordait l'enveloppe de coton pour s'empêcher de hurler.

Trouverait-il jamais la paix dans le sommeil? Cette femme diabolique allait-elle, un jour, le laisser tranquille? Il lui arrivait, parfois, de songer à son prédécesseur, ce valet d'écurie trouvé pendu dans l'étable. Et il lui prenait des envies de l'imiter. La paix ne se trouvait peut-être pas ailleurs qu'au bout d'une corde…

Seule la pensée de la maison qu'il allait se construire, entre Colebrook et Dixville, le gardait ancré dans la réalité. Dans son cerveau en déroute, il élaborait des plans, commandait des matériaux et voyait monter petit à petit son «domaine», petit royaume bien à lui où il installerait ses filles et les traiterait en princesses.

Marguerite était montée dans le premier train en partance pour le Massachusetts, folle de rage. Dans quelle autre folie son père allait-il encore les entraîner? Que le diable l'emporte, il n'aurait pas un sou d'elle, Marguerite Laurin, ni d'Anne, elle s'en fit le serment pendant que le paysage défilait devant ses yeux à travers les vitres embuées du train. Insaisissable, le paysage… Insaisissable, son père… Insaisissable, sa vie! Et hors d'atteinte aussi, le bonheur… Mais cela n'allait pas durer, elle se jura de prendre son destin en main.

En cet instant particulier où un rayon de soleil, jailli d'une éclaircie, lui irradia la figure à travers la fenêtre du wagon, Marguerite Laurin perdit toutes ses illusions de jeune fille. Une femme venait de naître à cette minute précise. Une femme en colère et déterminée. Et indépendante. Le tunnel serait peut-être long vers la lumière, mais elle saurait trouver, seule, la route de l'espoir. C'en était fini de ces chimères et de ces attentes insensées qui n'aboutissaient qu'au désenchantement. Elle se répéta cent fois qu'elle saurait se tirer d'affaire, qu'elle était forte et dégourdie, qu'elle n'avait besoin de personne d'autre qu'elle-même pour subvenir à ses besoins, qu'elle pouvait très bien se passer de son paternel complètement coupé de la réalité.

Mais une fois devant Anne qui l'avait attendue toute la journée, elle s'effondra, incapable de se donner une contenance. Même si une femme venait de naître, la petite fille existait encore, existait toujours…

Rose-Marie, la colocataire qui les avait en quelque sorte adoptées, s'approcha d'elle et la prit dans ses bras.

— Viens, ma chouette, viens t'asseoir ici. Quelque chose ne tourne pas rond dans votre vie, n'est-ce pas? Rapportes-tu des mauvaises nouvelles? Anne m'a un peu raconté votre histoire, aujourd'hui. Viens, ma petite Margot, on va jaser.

Margot! Elle aussi l'avait appelée Margot! Comme le père Lacroix, comme sa mère… Elle se mit à sangloter et Rose-Marie resserra son étreinte.

Native de Montréal, la jeune femme travaillait à Lowell depuis cinq ans et n'était jamais retournée chez elle. L'été précédent, elle était tombée amoureuse d'un Canadien français, travailleur d'usine comme elle. Ils allaient se marier d'ici peu et s'établir définitivement à Lowell. Marguerite lui enviait sa sérénité qu'elle interprétait comme du courage. Comment pouvait-elle renoncer définitivement à son pays, à ses coutumes, à ses proches? Comment pouvait-elle envisager de fonder une famille et d'écouler le reste de son existence dans le royaume déshumanisé du veau d'or?

Rose-Marie avait une confiance sans borne dans la vie. Quand son fiancé Paul Boismenu avait entrepris des démarches pour ouvrir un magasin de chaussures, elle avait cru en un avenir prometteur pour leur jeune couple. Situation que ni Marguerite ni Anne n'enviaient malgré la belle histoire d'amour à l'origine.

— Tu sais, Marguerite, les orages ne durent jamais très longtemps, même ceux de l'existence. Le ciel finit toujours par s'éclaircir. Il faut y croire très fort et cesser de pleurer.

— Mais il dure depuis bientôt deux ans, cet orage…

— C'est donc dire qu'il achève! Allons, séchez vos larmes toutes les deux. Ce soir, on oublie tout ça. Je vous emmène à la salle paroissiale. L'Harmonie Saint-Joseph donne un concert et un tournoi de cartes aura lieu ensuite. Je vais vous présenter mon fiancé, vous allez le trouver beau, j'en suis convaincue. Et puis, ça va vous changer les idées et vous faire rêver un peu, pour dans quelques années…

Le prince charmant n'éveilla aucun fantasme romantique chez les deux sœurs mais il se montra si gentil qu'elles furent convaincues d'avoir trouvé de véritables amis en ce couple fort sympathique.

De retour à la Boarding House, enfin seules, Anne arrêta son aînée au pied de l'escalier et lui posa la question qui la brûlait depuis son retour.

— Qu'est-ce qu'on va devenir, Marguerite?

— Je n'en sais rien. Peut-être papa va-t-il réagir et s'occuper enfin de nous? Mais j'en doute. Pour l'instant, on continue comme avant. Moi, je ne veux plus compter sur lui. J'y renonce, Anne, je n'en peux plus. Demain, on rentre à la Boott's comme d'habitude. On verra bien s'il va finir par se montrer, ce fameux arc-en-ciel.

Une fois dans la chambre, Marguerite fit une grimace à l'Américaine et l'Irlandaise déjà endormies dans le lit d'à côté. Elle sentit la rage monter de nouveau.

— Chose certaine, ma chère Anne, on ne va pas dormir encore longtemps auprès de ces deux grognasses qui nous détestent. Elles vont voir que des « rolling stones », ça peut rouler!

— Comment ça?

— J'ai ma petite idée.

❖

Deux jours plus tard, on déménageait les deux « p'tites de Grande-Baie » dans une autre chambre, celle occupée par Rose-Marie et sa cousine. Marguerite était allée voir les autorités et s'était adressée à eux dans un anglais parfait, à leur grand étonnement. Elle joua la carte de la pitié, de l'éloignement prolongé du père, de l'absence de la famille et de l'affreuse solitude, et finit par avoir gain de cause. On accepta gentiment de transférer les deux *poor orphans* dans la chambre de leur nouvelle amie.

Fière d'elle, Marguerite se dit que toutes les représentantes de la gent féminine devraient connaître l'art de la manipulation. Dommage qu'elle ne puisse réussir aussi bien avec son père! Cette victoire la confirma dans sa résolution d'indépendance. À la fin de la semaine, quand le *foreman* leur remit leur salaire, huit dollars soixante pour Anne et dix dollars quarante pour Marguerite, vu son travail plus spécialisé sur un moulin, l'aînée prit possession des deux enveloppes, s'empressa de payer les frais de pension à la tenancière et, avec le reste, entraîna sa sœur dans Market Street.

— Où on va?

— T'aurais pas envie de t'acheter une blouse neuve ou un nouveau châle, toi?

En route vers la rue commerciale, Marguerite se mordit les lèvres pour s'empêcher d'afficher un sourire éclatant. Elle avait la conscience aiguë d'accomplir le premier geste d'adulte de sa vie. Et les adultes, ça sait prendre des décisions et effectuer des choix. Ça sait décider. Ça sait gérer sa vie.

33

Les deux sœurs ne reçurent des nouvelles de Colebrook qu'un
mois plus tard, dans une lettre d'Angelina. La femme du
docteur en mettait trop, Marguerite ne se leurrait pas.

> *Mes très chères enfants,*
> *Dès notre retour de voyage, ma sœur m'a raconté que*
> *Camille avait pleuré toutes les larmes de son corps après votre*
> *visite, Marguerite. Cette affectueuse enfant se languit tellement*
> *de vous…*

Ah oui? Elle ne lui avait même pas sauté au cou, la petite sœur
affectueuse, quand elle l'avait aperçue dans la porte. Marguerite ne
s'en rappelait que trop. Elle avait même commencé à s'adresser à
elle en anglais! Et au moment de son départ, elle ne s'était informée
ni d'Anne ni de savoir si elle-même allait revenir. Elle était retournée avec indifférence à son piano, la pauvre sœurette éplorée qui se
languissait tant… Eh bien! elle n'avait qu'à continuer à piocher ses
sérénades, cela semblait bien lui suffire!

> *…Mon mari et moi-même avons sérieusement discuté*
> *avec votre père du départ de Camille pour Lowell et nous*

avons décidé, d'un commun accord, qu'il serait préférable pour elle de terminer son année scolaire à Colebrook. À son âge, on ne peut pas lui imposer de s'adapter à un nouveau milieu, compte tenu de tout ce qu'elle a vécu, vous comprenez…

Mensonges! Camille avait affirmé à Marguerite n'avoir vu son père qu'à une ou deux reprises durant les six premières semaines de son séjour à Colebrook. Si l'affection de Joseph Laurin pour ses enfants se réduisait à si peu de visites à sa princesse et au néant pour les deux autres, il semblait assez difficile de croire que son souci de leur formation scolaire influençait ses décisions. D'autant plus qu'il n'avait pas hésité une seconde à sortir les deux plus vieilles de l'école malgré leur jeune âge et leur désir de continuer. Voir s'il allait jeter ses plans par terre simplement pour laisser Camille terminer sa première année d'école à Colebrook! Allons donc! Le fait que le couple Lewis s'occupe de l'une de ses filles trop jeune pour lui rapporter de l'argent le libérait de ses obligations de père et faisait largement son affaire. Là se trouvait la vérité, Marguerite n'en doutait pas le moins du monde. D'ailleurs, école publique anglaise de Colebrook ou école publique anglaise de Lowell, quelle différence? Joseph s'en contrefichait, elle en était maintenant convaincue. La seule et unique chose qui intéressait son père était son bas de laine, il l'avait démontré cent fois. Réunir définitivement les trois sœurs sous un même toit pour des raisons sentimentales et humaines ne lui avait jamais de toute évidence effleuré l'esprit.

…Le docteur et moi, nous nous sommes offerts pour garder Camille jusqu'à l'été prochain malgré le parfait rétablissement de sa santé, à part une légère claudication…

Balivernes! Angelina aurait dû plutôt avouer qu'elle et son mari s'étaient follement attachés à la benjamine et ne se décidaient pas à s'en séparer. Ça crevait les yeux! Ils voulaient la garder uniquement pour eux dans leur beau château de riches où leurs heures vides de retraités se trouvaient maintenant comblées par la présence d'une adorable gamine. Situation que Marguerite n'enviait nullement à Camille, d'ailleurs, à part son droit d'aller à l'école. Pour le reste, les beaux tapis, les robes enrubannées, les couvre-lits de soie, la chambre peinte en rose, peuh ! Quoique le piano…

…Votre père a accepté généreusement de rendre service à l'hôtel du village en remplacement de ce pauvre palefrenier disparu prématurément. Il vous reviendra sûrement d'ici peu…

Dieu sait combien de temps durerait ce « d'ici peu »… Quant au « généreusement », Marguerite n'y crut guère. Jamais son père ne laisserait tomber un bon salaire pour l'amour de ses filles restées seules à Lowell. De toute façon, il pouvait bien demeurer à perpétuité à Colebrook, le père ! Ou ailleurs, là où bon lui semblait ! Elle s'en balançait maintenant. Elle n'avait plus besoin de lui et saurait bien s'arranger toute seule. Il avait perdu son respect et sa confiance. Elle avait élaboré un plan et, s'il fonctionnait, ses conditions de vie et celles de sa sœur changeraient avant longtemps. Oh… sans doute pas pour le meilleur, mais assurément pour le moins pire ! Elle en avait longuement parlé avec Rose-Marie et la jeune femme trouvait son idée remarquable. Joseph Laurin pourrait aller au diable avec ses obsessions de richesse et ses stupides feux follets. Ses filles n'auraient plus besoin de lui.

Anne ne comprenait pas grand-chose aux rêves de sa sœur, mais elle voulait y croire de toutes ses forces. En tout cas, elle s'y agrippait comme on s'accroche à une rambarde, sur le bord d'un précipice. En douce et sage petite fille…

34

Calée au fond du vieux divan décoloré de la salle de séjour de la Boarding House, Marguerite feuilletait distraitement *Le Travailleur*, journal publié par des Canadiens français. Un petit entrefilet en bas de page attira son attention :

> *Un jeune garçon d'origine montréalaise se fait arracher une main par une machine à carder à la Merrimack Mill Company. Il a été transporté à l'hôpital où il récupère difficilement.*

Elle ne put s'empêcher de commenter, en frissonnant, ce fait divers à ses consœurs canadiennes-françaises assises autour d'elles.

— Dieu du ciel ! Je travaille sur un engin identique à celui-là, moi. Quelle folie ! C'est à mourir de peur !

Une résidente lui fit écho :

— Je me trouvais justement sur les lieux, à la Merrimack Mill, quand ça s'est produit. C'était pas beau à voir, je vous jure ! Un vrai spectacle d'horreur ! Les cris, le sang, les bouts de doigts éparpillés un peu partout, le gars sans connaissance... Ouille ! Et le maudit patron qui gueulait.

— Comment ça, le patron qui gueulait ?

— Le cher monsieur n'était pas content de voir les moulins arrêtés. Toute une section à ne rien faire pendant trente minutes, tu n'y penses pas ? C'est de l'argent perdu, ça, ma chère ! Le pire, c'est que le pauvre garçon estropié ne pourra plus travailler. Comme d'habitude, on va lui payer une dizaine de dollars d'indemnité et puis, bye ! bye ! Arrange-toi avec tes problèmes, mon ti-Pit, nous on s'en lave les mains. D'ailleurs, ce genre d'accident arrive très souvent. Trop souvent… Personne ne se préoccupe de la sécurité des travailleurs. La seule chose qui compte, c'est le rendement…

Marguerite n'en revenait pas. Certes, elle s'était quelque peu révoltée, l'autre jour, quand une tisserande lui avait affirmé n'avoir reçu que la moitié de son salaire parce que, durant la semaine, elle avait produit trop de « *seconds* », des pièces exigeant seulement quelques petites retouches. Un tisserand qui produit du travail toujours parfait, ça n'existait pas, pourtant. Mais le patron n'aimait pas cette femme. Ou l'aimait trop, le vieux cochon ! Elle avait demandé à changer de département mais on ne l'avait pas écoutée. « Tu n'as qu'à faire tout ce que te dit le boss, un point, c'est tout ! » voilà la réponse qu'on lui avait donnée. Il aurait fallu qu'elle couche avec lui ! Les patrons de l'usine possédaient tous les pouvoirs : celui d'engueuler mais aussi celui de congédier. Ou encore de sous-payer. Ou de posséder celle qu'ils convoitaient. Chose certaine, celui d'exploiter sans vergogne.

Marguerite se garda de raconter l'anecdote des « *seconds* » à la petite assemblée. Cela n'aurait servi qu'à augmenter l'amertume des unes et des autres. L'une des pensionnaires, parmi les plus âgées, tenta de poursuivre le débat.

— On devrait se plaindre !

— T'es pas folle ? Ils vont te mettre à la porte à l'instant si tu te plains. Sont bien indépendants maintenant : de nouveaux immigrants arrivent d'Europe presque tous les jours et ils se montrent moins exigeants que nous. J'ai besoin de travailler, moi, alors je me ferme la trappe.

— Moi, en tout cas, je suis pour l'union des travailleurs. Seuls les syndicats peuvent faire valoir nos droits et voir à notre protection.

Personne ne se donna la peine de répondre. À peine une timide réplique qui tomba à l'eau.

— Si ça te fait rien d'observer la grève durant des jours et des jours, ça te regarde. Moi, je ne peux pas me le permettre.

La conversation tomba à plat et le silence se fit lourd et oppressant. Tout le monde baissa spontanément la tête. Chacune avait vraisemblablement vécu des expériences similaires, accidents ou exploitations injustes, mais aucune n'osait en parler ouvertement. C'était bien beau de défendre les droits des travailleurs mais le premier droit humain universel ne consistait-il pas à pouvoir se loger et se nourrir décemment ?

Au nom de ce droit primordial à la survie, toutes les résidentes n'avaient qu'une seule et unique idée en tête : travailler pour subvenir à leurs besoins essentiels. Par surcroît, la plupart des Canadiens, hommes ou femmes, ne savaient ni lire ni écrire et ne s'en souciaient guère. Comment, alors, gagner leur pain autrement qu'en usine ? Leur pauvreté endémique les amenait à tricher sur l'âge de leurs enfants pour leur imposer des journées harassantes de douze heures d'un travail souvent dangereux au lieu de les envoyer à l'école. D'où la fréquence des accidents. Ces petits analphabètes, dont plusieurs demeureraient amputés, aveugles ou atteints de maladies pulmonaires pour le reste de leurs jours, subissaient alors inconsidérément une panoplie de souffrances, sans parler des blessures psychologiques. Quand l'inspecteur faisait sa tournée de l'usine, on s'empressait de soustraire ces malheureux enfants à sa vue. Il aurait fallu également concéder que les travailleurs canadiens étaient prêts à accepter n'importe quoi pour se sortir de la misère, cette misère trop cruelle, supportée trop longtemps dans un pays natal aux trop longs hivers et aux trop grands espaces. Aux trop nombreuses familles à nourrir, aussi. Il leur aurait fallu avouer qu'ils n'en pouvaient plus…

Marguerite soupira. À bien y songer, Joseph, son père, n'échappait pas à la règle et réagissait comme les autres, rien de plus. Elle et sa sœur faisaient, elles aussi, partie de la génération des exploitées, de celles qu'on sacrifie honteusement pour améliorer supposément les conditions de vie de la famille. Mais de quelles améliorations parlait-on ici? Et pour quelle famille? La sienne totalement éparpillée? Son père bûchait-il moins aux États-Unis qu'au bord du Saguenay, sur la terre paternelle et dans les forêts du Québec? Au moins, là-bas, il parlait sa langue maternelle et vivait chez lui, auprès des siens.

La majorité des compatriotes de Marguerite prétendaient rester aux États pour un certain laps de temps seulement. Des «oiseaux de passage», en effet! Maintenant, elle comprenait mieux le sens de l'expression «*rolling stones*». Cependant, jamais Joseph n'avait émis l'idée de retourner au pays où il ne possédait plus de maison. Léontine n'avait-elle pas mentionné, l'autre jour, qu'elle avait brûlé au lendemain de la mort de Rébecca? Quel avantage y avait-il alors à se tuer au travail comme des bêtes de somme? Marguerite et sa famille allaient-ils vivre de cette manière, en exil pour le reste de leurs jours?

Elle se leva d'un bond, chiffonna le journal et le jeta brusquement dans l'âtre. Que le feu purificateur réduise en cendres le compte rendu des malheurs des immigrants de Lowell! Rien ne servait de gaspiller sa salive à se plaindre. Il n'existait pas d'autre solution que celle de s'enfuir. Pourquoi s'acharner à rester ici? Pour le moment, elle s'y trouvait contrainte, faute de moyens et d'endroit où aller, mais un jour, elle remonterait vers le nord. Quand elle atteindrait sa majorité, à vingt et un ans, elle revivrait au Canada, son pays, sa place à elle sur cette satanée planète. Et elle y entraînerait ses sœurs pour recommencer une nouvelle vie.

Là-bas, à l'instar des autres femmes du Québec, les filles Laurin mettraient sans doute au monde dix, quinze, vingt enfants. Et la dureté de leur vie les poursuivrait assurément, mais, au moins, cette rudesse procéderait de l'ordre naturel des choses et ne serait pas créée artificiellement par des engins machiavéliques sans âme, propres à transformer les humains en machines.

Marguerite se le jura, en cette glaciale soirée d'octobre 1881.

❧

Quelques jours plus tard, survint un autre incident grave qui, cette fois, souleva l'ire de la communauté entière de Lowell. Le triste événement fit la manchette des journaux et devint le sujet de toutes les conversations dans les lieux de rassemblement. Même les curés en parlèrent en chaire.

Hélas, Marguerite fut le témoin involontaire de ce coup du destin au moment où elle allait porter des bobines de fil dans la salle de tissage. Une fille dans la vingtaine vit sa chevelure longue et ébouriffée se faire happer par une courroie qui la souleva dans les airs. Elle resta là, suspendue et sans connaissance, la tête ensanglantée et le visage défiguré, jusqu'à ce qu'on réussisse à la décrocher et à la transporter au St-John's Hospital où elle mourut quelques heures plus tard.

En état de choc, Marguerite s'égosillait comme une perdue. Quelqu'un eut la présence d'esprit de la prendre par la main pour la faire sortir de la salle. Le contremaître, en passant à ses côtés, lui jeta un regard furieux.

— Cette enfant-là va nous rendre fous. Elle énerve tout le monde. Qu'on la ramène chez elle et qu'elle y reste jusqu'à demain matin. Je lui donne congé.

La pauvre Marguerite sanglota toute la journée, obsédée par le corps secoué de spasmes de sa compagne de travail, pendu à côté d'elle. Elle ne cessait de revoir les tendons saillants de son cou, ses yeux fixes et exorbités, sa bouche déformée et écumante, la peau de son visage tellement étirée qu'on n'y reconnaissait même plus les traits. Et tout ce sang qui jaillissait de ses orifices comme une fontaine. Ce maudit sang… Quand on avait réussi à couper les cheveux, le corps était tombé comme une poche de sable, inerte. Des cheveux blonds imprégnés de sang, Marguerite s'en rappellerait toute sa vie.

Le lendemain, quand elle se présenta au travail, elle n'eut pas la force de s'approcher de son moulin à carder. Les jambes flageolantes, elle s'en fut trouver le contremaître et se planta devant lui, pâle comme une morte et incapable de trouver les mots pour traduire son état d'âme. Ce matin-là, la femme en elle avait cédé le pas à la petite fille. Une petite fille fragile, dépassée par les événements. L'homme dut éprouver une certaine compassion pour elle puisqu'il la transféra aux métiers à tisser, non sans lui préciser qu'il s'agissait d'une promotion sans hausse de salaire.

Est-ce cette mort accidentelle ou l'attitude arrogante des autorités qui s'en lavèrent les mains, « la demoiselle n'ayant pas observé la consigne de porter un filet dans ses cheveux », qui déclencha un mouvement de révolte parmi les employés ? On avisa les journaux, on distribua des tracts, on prôna une grève d'un jour de tous les ouvriers de toutes les usines de Lowell en guise de protestation et pour réclamer de meilleures conditions de travail.

Une grande majorité des anglophones, Américains ou Irlandais, adhérèrent au mouvement. Mais, ce matin-là, toutes les pensionnaires canadiennes-françaises de la Boott's Boarding House se levèrent comme à l'accoutumée pour se rendre au travail. Seules les « p'tites de Grande-Baie », appuyées par Rose-Marie, se préparaient à suivre les protestataires. Les yeux écarquillés, Marguerite et Anne regardaient partir les travailleuses une à une pour l'usine.

— Ben quoi ? Vous ne faites pas la grève ? C'est important, il me semble !

— Jamais de la vie ! Des plans pour perdre nos emplois. Prendre une journée sans salaire, on peut pas se permettre ça, nous autres. Pis ça changera rien, vous allez voir.

— Cette fois, on n'a pas le droit de se taire…

Quand elles voulurent rejoindre les grévistes, les deux sœurs et leur amie ne mirent pas de temps à réaliser que seuls les Américains s'agitaient au coin des rues. Aucun francophone ne se trouvait parmi la foule de contestataires qui déambulait le long du canal en agitant des bannières. Un groupe de jeunes remarqua les trois Canadiennes et les montra du doigt en leur criant par la tête.

— *Go home, you, stupid rolling stones ! All of this is your damned fault !*[27]

---

27. Rentrez chez vous, vous, stupides oiseaux de passage ! Tout ça est de votre maudite faute !

Cette fois, Marguerite ne fut pas sans comprendre l'insulte. Effrayée, elle entraîna hâtivement Anne et Rose-Marie vers la résidence où, au moins, elles se trouveraient à l'abri.

— Comment fais-tu, Rose-Marie, pour avoir envie de passer le reste de ta vie dans ce foutu pays ?

— Bah… on travaillera pas toujours à l'usine. Quand Paul ouvrira son magasin, nos conditions vont changer. Nous serons nos propres patrons.

Cet après-midi-là, Marguerite décida d'aller frapper à la porte du presbytère en faisant un long détour par crainte de recevoir des pierres lancées par les grévistes.

35

Antoine Lacroix marchait de long en large derrière le grand bureau du parloir, et sa soutane battait comme les ailes d'un cormoran. Il écoutait Marguerite avec bienveillance en lui lançant de temps à autre un regard plus bleu que jamais. Il avait fallu du courage et de la détermination à la jeune fille pour se rendre jusque devant ce bureau. Cette journée de grève améliorerait peut-être le sort des ouvriers de Lowell, mais avant tout, elle et sa sœur se devaient de trouver une solution à leurs problèmes d'ordre personnel et familial. Ça ne pouvait plus durer comme ça. Elle avait son plan.

Le vicaire, dans sa grande bonté, saisissait l'acuité de la crise. Il avait devant lui les plus malheureuses des orphelines, sans lien actuel tangible avec qui que ce soit aux États-Unis, mis à part un père incohérent, installé à deux cents milles d'elles et décidément incapable ou pas intéressé à remplir son rôle paternel.

— Mes pauvres enfants, selon la loi, vous n'êtes pas majeures et vous demeurez encore sous la tutelle de votre père. Qu'il ne veuille plus s'occuper de vous, ça, c'est une autre affaire. Je me fais un devoir de lui écrire dès aujourd'hui pour tirer les choses au clair. Au fait, vos grands-parents de Baie-Saint-Paul ne pourraient-ils pas vous prendre chez eux ? Avec le consentement de Joseph, naturellement. Ça l'arrangerait probablement pour un certain temps.

— Aux dires de ma tante Léontine au moment de rentrer au Canada, Mémère se trouvait très gravement malade. Sur le point de mourir, semblait-il. Quant à Pépère, je le vois pas prendre soin de nous. Il est pas mal vieux, très vieux, même !

— Je vais tenter de leur écrire, malgré tout. Vous connaissez leur adresse ?

— Euh… non !

— Et vous n'avez pas d'autre famille ailleurs ?

— Oui, bien sûr, il y a tante Hélène au Saguenay, une autre sœur de papa. Elle est venue à la mort de notre mère, mais… Papa n'était pas trop porté sur les relations familiales, et on ne la voyait presque jamais. Ses autres frères et sœurs qui habitent dans Charlevoix, on ne les connaît pas non plus.

— Et cette fameuse Léontine ?

— Ah ! ça, non, jamais ! Mieux vaut rester ici, dans notre situation actuelle, que de retourner au Canada vivre avec elle et ses fils. D'ailleurs, les Gauthier ont quitté Lowell sans laisser d'adresse depuis un bon bout de temps déjà. Et moi, vous savez, le cousin Armand… Écoutez, mon père, j'ai bien réfléchi. Je pense avoir trouvé une solution.

Marguerite se tortilla sur sa chaise et sa nervosité n'échappa pas au prêtre. Non seulement cette jeune fille éclatait de fraîcheur et de beauté, mais elle l'impressionnait par son intelligence et sa force de caractère. Quelle idée brillante allait-elle lui dévoiler ? Anne, elle, préférait se taire, bien calée au fond de son fauteuil, dans l'ombre de sa sœur. Cher petit ange, elle méritait tellement mieux ! Il avait beau avoir consacré sa vie au service des autres, Antoine Lacroix éprouvait parfois un réel sentiment d'impuissance face à certains problèmes. Dans ce cas particulier, il refoulait difficilement l'envie de blâmer la divine Providence pour son indifférence. Mais il chassait bien vite ce manquement à la foi. C'était Joseph qui se montrait insouciant, pas Dieu ! Une solution devait bien exister quelque part, il s'agissait de la trouver.

La voix flûtée de Marguerite vint interrompre ce moment de morosité.

— Dites-moi, mon père, ce projet d'organiser des cours du soir pour les adultes canadiens-français de Lowell tient-il toujours ? À quel endroit cela aura-t-il lieu ? Avez-vous commencé à recruter des élèves ?

— Ah ! mon Dieu, non ! Nous n'en sommes pas là. Loin de là, même ! Mais le projet se concrétise de plus en plus. J'ai justement rendez-vous avec maître Guillet, cette semaine, à ce sujet.

— J'aimerais bien nous y inscrire, ma sœur et moi.

— En quelle année étiez-vous lorsque vous avez quitté le Saguenay ?

— Ma sœur se trouvait au milieu du primaire et moi, je rêvais d'aller à l'école normale, ayant terminé ma septième année à la session précédente. Je me demandais si les religieuses qui enseigneront ici ne nous prendraient pas par charité dans leur couvent, Anne et moi, comme pensionnaires et travailleuses à la cuisine ou quelque chose comme ça. Ça pourrait défrayer notre hébergement et le coût de nos études. Ça se fait au Canada, pourquoi pas ici ? En attendant, nous nous arrangerions pour tenir le coup encore quelques semaines à la Boarding House.

— Hum… Je doute que ça fonctionne, ma pauvre enfant. Il s'agit d'un projet à long terme et nous n'en sommes qu'à l'ébauche. Les quelques semaines dont vous parlez risquent de s'étirer sur des années. Et nous prévoyons, au départ, n'offrir que des notions élémentaires aux adultes, le soir après le travail. Ces cours auront lieu dans un local loué dans les environs ou dans une bâtisse que nous tentons justement d'acheter, mon ami l'avocat et moi. Nous sommes très très loin d'un couvent ou d'un collège avec pensionnat. Dommage… Vous êtes, d'ailleurs, trop instruite pour être admise à ces cours du soir, Marguerite. Pour votre sœur, je ne sais trop, mais certainement pas vous ! Pour continuer vos études, il vous faudrait retourner au pays pour amorcer votre cours classique ou votre école normale dans un couvent québécois comme font tous nos immigrés qui veulent poursuivre leurs études.

— Ah bon…

— Pour le moment, il s'agit d'apprendre à lire et à écrire nôtres. Mais le projet d'une école paroissiale française fait au chemin. Ça aussi, ça viendra sûrement un jour. Dans quelques années, sans doute. Je suis actuellement en contact épistolaire avec mère Joséphine Phelan, de la congrégation des sœurs Grises de la Croix d'Ottawa. Elle a déjà envoyé des religieuses institutrices à la paroisse Immaculée Conception, je ne vois pas pourquoi elle refuserait de répondre aux besoins des Canadiens français d'ici.

— Dans quelques années, dites-vous?

— Eh oui! C'est une calamité de voir nos jeunes aller apprendre l'anglais dans les écoles publiques américaines durant les quelques mois de l'année où ils les fréquentent obligatoirement, y étant tenus par la loi jusqu'à l'âge de quatorze ans. Encore chanceux quand ils y vont et que leurs parents ne contournent pas cette loi pour les obliger à travailler! C'est bien clair que les Canadiens viennent ici uniquement pour faire un coup d'argent.

Un coup d'argent! Marguerite fit la moue. Sans s'en rendre compte, le père Lacroix continua sur sa lancée.

— Tout ça doit cesser au plus vite. Évidemment, ouvrir une école est une question de sous, comme toujours. De gros sous! Il faut trouver un immeuble, intéresser une communauté religieuse, inviter des professeurs, convaincre la société de l'importance de l'instruction. Faire miroiter surtout la sauvegarde de notre langue et de nos valeurs.

Antoine Lacroix s'emportait sans se rendre compte du désarroi de son interlocutrice. Marguerite était devenue pâle et muette. Son merveilleux rêve de retourner à l'école pour se sortir de ce mauvais pas s'envolait en fumée. Un peu plus et elle allait croire qu'un mauvais génie s'acharnait sur elle et sa sœur. Avec quelques années d'études de plus, elle aurait pu devenir maîtresse de poste, secrétaire, comptable. Ou travailler pour une étude de notaire ou dans une banque. Et pourquoi pas enseigner? Elle aurait pu, surtout, devenir indépendante. Odieusement, les murs de l'impasse, au lieu de s'ouvrir comme elle l'avait espéré, continuaient de rester clos. Trop instruite ou pas assez, quelle différence? Elle ne tirerait rien de bon de ce côté-là.

Le père Lacroix s'arrêta net de parler, soudainement saisi par les reniflements de Marguerite partagés par sa sœur qui s'entêtait à ne pas desserrer les dents. Mal à l'aise, le prêtre ne savait comment consoler les adolescentes. Il s'était attaché à elles, et leur situation l'inquiétait. Comment leur père pouvait-il les avoir abandonnées de la sorte? Bien sûr, il était du ressort du prêtre de leur trouver une place dans un orphelinat existant déjà dans une autre ville de la Nouvelle-Angleterre. D'un autre côté, Marguerite avait quinze ans, presque seize, et il doutait qu'on l'accepte dans l'un de ces établissements déjà surpeuplés. C'était différent pour Anne, mais il fallait à tout prix éviter le pire et ne pas séparer ces enfants-là. Il ne pouvait pas, non plus, leur offrir le gîte en permanence au presbytère où on gardait quelques lits disponibles pour les urgences seulement.

Il secoua la tête en signe d'impuissance, cherchant désespérément une solution.

— Anne pourra peut-être s'inscrire à la nouvelle école du soir pour y terminer son cours primaire quand elle ouvrira. En attendant, l'idéal serait de trouver une famille prête à vous prendre sous son aile toutes les deux. À tout le moins, à vous garder en pension. Malheureusement, je n'en connais aucune. Ici, tout le monde s'entasse dans des boîtes à sardines dans le but d'économiser. Et vous, Marguerite, pourquoi ne termineriez-vous pas vos études dans une institution anglophone? Il existe de nombreux couvents américains qui pourraient réaliser votre rêve et vous accepter comme pensionnaire moyennant un certain montant ou un certain travail comme vous venez de le suggérer. Vous semblez bien maîtriser la langue anglaise, voilà déjà un bon atout. La fabrique pourrait même se charger des frais de scolarité pour quelque temps.

— Aller à l'école en anglais? Oh non, ça ne me tente pas! Je n'ai jamais étudié dans cette langue, vous savez… Je veux continuer en français, sinon, pas du tout.

— Mais… j'y pense. Pourquoi ne pas entreprendre vos études en français par correspondance?

Marguerite bondit de sa chaise.

— Par correspondance? Comment ça? Ça existe quelque part?

— Non, je ne crois pas. Mais… on pourrait essayer! J'ai connu une formidable religieuse enseignante lors de ma convalescence dans un couvent de Lévis. Sœur Sainte-Vitaline. Elle pourrait peut-être nous aider. Je vais lui écrire dès aujourd'hui.

— Sœur Sainte-Vitaline, dites-vous? Je la connais! Un nom pareil, ça ne s'oublie pas! Elle s'était montrée tellement gentille envers nous lors de notre passage à Lévis. Cette rencontre nous avait marquées, mes sœurs et moi. Mais alors… Vous voulez qu'on s'en aille à Lévis? Mon père ne nous laisserait certainement pas quitter les États-Unis.

— Non, non, j'ai dit : par correspondance. Vous pourriez continuer votre travail à la Boott's Mills et garder votre chambre à la Boarding House. La religieuse pourrait vous envoyer des travaux scolaires à effectuer durant vos temps libres, et moi, je pourrais collaborer et vous préparer pour les examens. Au moins, une petite lumière apparaîtrait au bout du tunnel. Encore deux ou trois ans et, diplôme en main, vous seriez en mesure de vous chercher un emploi si vous n'avez pas pris mari entre-temps.

Le prêtre ne put s'empêcher de lancer un clin d'œil, mais Marguerite n'écoutait plus. Sœur Sainte-Vitaline… Comment oublier cette femme généreuse qui avait reçu à bras ouverts les trois sœurs orphelines, affolées et trempées par l'orage? La sainte femme, l'espace d'une soirée et d'une nuit, avait fait office d'ange et de mère.

Antoine Lacroix s'était redressé. Il tenait là un formidable projet qui sauverait sans doute ces jeunes filles de l'abattement tout en respectant l'étrange comportement de leur père. Anne, aux cours du soir quand ils débuteraient enfin, et Marguerite, aux études collégiales par correspondance. Leur donner un but, un objectif, en attendant que ce vieux cinglé se décide à revenir à Lowell pour s'occuper d'elles et prendre lui-même les décisions qui s'imposaient à leur sujet.

— Plus j'y pense, ma petite Margot, plus je suis certain que ce projet peut réussir. À la condition que vous soyez prête à travailler fort.

— Pensez-vous ! lança Marguerite, le visage épanoui.

— Sœur Sainte-Vitaline pourrait vous envoyer des travaux, des questionnaires, des devoirs, des lectures, des tests, je ne sais trop ! Nous avons déjà ici une bibliothèque bien garnie. Vous y trouverez une grammaire, une anthologie de la littérature française, un livre de mathématiques, un manuel de géographie et d'histoire générale. Quant à la philosophie, l'histoire sainte et le latin, les documents ne manquent pas et je serai là, moi, pour vous éclairer.

— Mais ça va coûter cher d'enveloppes et de timbres. Je n'aurai pas les moyens. Anne et moi devons payer seules notre pension à la Boott's.

— Teut ! Teut ! Je m'occuperai du coût de la poste et de la pape-rasse avec les fonds de la paroisse. L'Union Saint-Joseph et la Société Saint-Jean-Baptiste n'existent pas pour rien. Il s'agit d'une bonne cause. Que voilà une bonne idée ! Je suis tellement content pour vous, mes petites chouettes !

Le jeune oblat s'approcha et Marguerite baissa les yeux. Elle ne pouvait supporter le bleu intimidant de ce regard. Quand elle se présentait au confessionnal, elle choisissait invariablement le père Lagier ou le curé Gorin. Jamais, pour tout l'or du monde, elle n'aurait voulu confier ses fautes à ce prêtre.

— Le bon Dieu prend soin de vous, mes enfants. Ne vous inquiétez donc pas.

Marguerite se mordit les lèvres et se garda de répondre. Le bon Dieu… Il était temps qu'il se manifeste, celui-là ! Elle réprima un sourire en songeant que si le bon Dieu gardait son œil braqué sur elle à travers le bleu de ces yeux-là, elle ne s'en plaindrait pas !

Anne sembla soudain sortir de sa torpeur.

— Et moi ? Que va-t-il m'arriver ? Vais-je travailler et aller l'école en même temps ?

— On verra en temps et lieu, mon enfant. Pour l'instant, ne peut vraiment changer.

À la vérité, l'« enfant » prenait de plus en plus des allures de jeune fille en dépit de l'air espiègle qui la caractérisait encore. Toujours le sosie de sa sœur avec un peu plus d'éclat de rousseur dans la chevelure, Anne faisait se retourner les regards masculins sans même s'en rendre compte. La moue qu'elle esquissa devant le prêtre en disait long sur son opinion au sujet d'un retour éventuel à l'école.

Bras dessus bras dessous, les deux sœurs retournèrent à la pension, le cœur un peu plus léger malgré tout. Allons! la fin du monde n'était pas arrivée même si pour Anne, il n'existait pas de solution immédiate. Et si le bon Dieu s'en mêlait, il imposerait peut-être à Joseph de reprendre ses responsabilités, qui sait…

Dans la salle de séjour de la Boarding House régnait un brouhaha inhabituel. Quand on raconta que les locataires canadiennes-françaises, qui avaient osé entrer le matin à l'usine malgré l'appel à la grève générale, avaient été huées par la foule des protestataires réunis aux portes des manufactures et que certains grévistes leur avaient même lancé des pierres, Marguerite sentit qu'elle avait pris la bonne décision et n'avait pas perdu son temps, ce jour-là. Quelqu'un s'occupait enfin d'elle et d'Anne.

Un jour, elles allaient se sortir des griffes de toutes les usines du monde entier. Elle ignorait exactement de quelle manière mais, ce soir-là, elle en avait tout à coup la certitude. Bercée de nouveau par l'espoir, elle réussit à s'endormir paisiblement après avoir raconté sa rencontre de l'après-midi à Rose-Marie qui leva les yeux au ciel, incapable de comprendre cet intérêt farfelu pour l'instruction.

36

À l'entrée de la Union Bank de Colebrook, Joseph tomba sur Jesse Peel et sa fille Betty. Les deux femmes enveloppées dans leur crémone marchaient côte à côte, les bras chargés de colis. Même stature, même démarche, même sourire avenant. Betty semblait la réplique exacte de sa mère : aussi ravissante et charmante. Si l'écharpe relevée de Jesse encadrait un visage légèrement fripé par le temps, la teinte rouge du tissu n'en mettait pas moins en évidence son teint de lait illuminé par la brillance des yeux. Des yeux aux couleurs du temps, ni bleus, ni verts, ni gris, mais toujours limpides et transparents. L'espace d'un moment, Joseph Laurin éprouva l'envie de s'y noyer de nouveau. De s'y dissoudre pour oublier le reste de l'existence.

— Joseph ! Quelle bonne surprise ! Toujours à Colebrook ?

— Ma belle Jesse !

Il regretta aussitôt ce cri spontané du cœur. Ne lui avait-elle pas présenté son nouvel amant, le grand escogriffe, comme son employé lors de sa visite à la ferme quelques mois auparavant ? Bien sûr, il y avait eu ce troublant « À bientôt, mon cher Joseph » au moment de son départ, mais il s'était gardé de répondre à la présumée invitation. Après mûre réflexion et quelques cuites, il avait décidé de tirer un trait définitif sur la belle fermière et son effarant pouvoir d'envoûtement. Les femmes, c'était bel et bien fini pour lui. Puisque, de toute manière, le travail agricole continuait de l'horripiler, il valait mieux ne pas renouer avec Jesse. Cette relation ne le mènerait qu'à traire les vaches au fond d'une grange pour le reste de ses jours. Jamais Jesse ne renoncerait à sa ferme.

Et voilà que tout à coup, en ce petit matin frisquet, l'envers de la médaille lui apparaissait dans toute sa splendeur : Jesse la tendre, Jesse la douce, Jesse la magnifique lui souriait de toutes ses dents. Elle se trouvait là, devant lui, jolie à croquer et apparemment heureuse de le revoir, presque offerte. Il se sentit fondre, incapable de reprendre ses esprits, voyant ses résolutions soudainement réduites à néant.

— Comment vas-tu, *my dear* ? Je te croyais reparti à Lowell depuis belle lurette.

— Euh… non !

Betty s'avança et prit la parole en rougissant légèrement.

— Ne me dites pas, monsieur Joseph, qu'Anne et Marguerite se trouvent à Colebrook ! Elles auraient pu venir me saluer, non ?

Joseph se ressaisit et releva la tête avec une certaine arrogance.

— Mes filles demeurent à Lowell où elles travaillent dans une manufacture.

Cette fois, c'est Jesse qui se montra déçue.

— Quoi ? Tu as laissé tes grandes seules là-bas depuis des mois ? As-tu perdu la tête, Joseph ?

— Mais non, mais non ! Elles habitent dans une maison de pension tout à fait sécuritaire, j'y ai vu avant mon départ. Que veux-tu, ici, je dors à la belle étoile ou bien dans l'écurie derrière l'hôtel, et on vient me porter mes repas. Je ne peux tout de même pas les garder avec moi !

— Mais ce sont encore des enfants, Joseph ! Elles ont besoin de la présence de leur père. Pourquoi ne les ramènerais-tu pas chez moi, à la ferme ? Leur chambre au grenier reste toujours inoccupée. Au moins, tu pourrais les rencontrer de temps en temps et veiller sur elles.

— Non ! Mes filles doivent gagner leur vie. Il n'est pas question de renoncer à leur emploi à l'usine. Pour le moment du moins. La situation présente n'est que temporaire, t'en fais pas pour mes enfants.

— Temporaire ? Mais ça dure depuis des mois ! Je t'en prie, réfléchis bien : tes filles sont mineures et tu es tenu par la loi de t'en occuper. Tout ça ne me regarde pas, par contre…

Brusquement, la femme tendre et douce venait de se métamorphoser en avocate du diable, et les yeux rieurs lançaient maintenant des éclairs de fureur.

— Franchement, Joseph, à quoi as-tu pensé en organisant de la sorte l'existence de ta famille ?

— Ça, ma chère, c'est pas de tes affaires ! J'ai un projet sérieux en tête, et il va commencer à se concrétiser dès maintenant, aujourd'hui même.

— Ah bon.

De quoi se mêlait-elle, celle-là ? Décidément, il la préférait en maîtresse plutôt qu'en amie.

Elle n'allait tout de même pas lui dicter sa conduite ! Ni lui infliger des remords ! Des remords, il n'en avait pas besoin. Ça le rendait dingue, les remords, ça lui donnait des visions étranges et effrayantes, proches du délire. Ça le rendait fou ! Après tout, quelques mois loin de ses enfants n'était pas la fin du monde, grands dieux ! De toute façon, il avait son idée en tête. Sans s'en rendre compte, Jesse Peel venait peut-être de lui donner le coup d'envoi dont il avait besoin. Mais il n'avait pas envie de lui en parler. Il préféra changer de sujet.

— Au fait, mes chères dames, puis-je vous aider à porter vos paquets ?

— Non, non, John doit nous reprendre d'une minute à l'autre. Tiens, le voilà justement !

Au tournant de la rue, Joseph reconnut Titan attelé à la charrette conduite par un John plus hautain que jamais. Le jeune homme, en apercevant celui qui aurait pu le faire condamner à l prison l'année précédente, ne daigna pas le saluer. Et cette attitu arrogante plus que n'importe quel autre argument confirma Joseph dans sa décision de maintenir une distance entre sa famille et la famille Peel. Pas question de reprendre le scénario d'autrefois. Le furtif baiser que Jesse déposa sur sa joue ne le fit pas broncher. Cette fois, nulle invitation, précise ou sous-entendue, ne le ferait changer d'idée. Pas même un réel baiser lui rouvrant officiellement la porte. Non seulement cette femme se trouvait indissociable de son domaine rural, mais elle avait un fils pervers auquel il refusait de se confronter de nouveau. Trop risqué. Trop dangereux de dégénérer en lutte à finir. En délit fatal…

— Désolé, Jesse, mais je vais devoir reprendre mon cheval Titan à partir de la semaine prochaine. Il fait partie de mon projet.

La femme devina-t-elle la nouvelle détermination de son ancien amant ? Elle se contenta de hocher la tête et s'empressa de grimper dans la charrette avec l'aide de sa fille pendant que le fils demeurait immobile sur le banc, le regard perdu dans le vague.

Joseph fit une rapide caresse sur le museau de Titan avant de tourner les talons en prononçant un « À bientôt » à peine poli. Nul ne put savoir s'il s'était adressé à Jesse ou au cheval. Et pourquoi pas au fils avec lequel il avait une dette à régler ?

Il ouvrit toute grande la porte de la banque et s'y engouffra d'un pas allègre.

❧

— Alors, marché conclu !

— Marché conclu !

Une solide poignée de main acheva de confirmer l'entente : chaque semaine, le propriétaire de l'hôtel Hinman retiendrait une portion du salaire de Joseph en guise de paiement pour le terrain de deux arpents qu'il venait de lui vendre officiellement à quelques milles au sud-est de Colebrook, sur le chemin de Dixville.

En réintégrant l'écurie, Joseph, malgré la dette qu'il venait de contracter, se sentait l'homme le plus riche de la terre. Et le plus heureux. Enfin, il avait fait un geste concret, enfin il possédait un lieu bien à lui pour construire sa maison. Tant pis pour Jesse qui l'avait sermonné et qualifié de mauvais père. Elle allait voir de quoi il était capable. Les mauvais pères ne construisent pas des maisons pour leurs enfants…

Lui, Joseph Laurin, allait loger ses trois filles bien douillettement dans la jolie maisonnette de bois rond qu'il allait construire sur ce magnifique lot traversé par un ruisseau au milieu de la forêt. Et il allait commencer dès maintenant à couper des arbres et à dessoucher avec l'aide de Titan. Le soir, après son travail à l'écurie, il s'y rendrait pour fendre le bois et préparer les poutres. Sans oublier de brûler les souches.

Quand Anne et Marguerite verraient cela, elles n'en croiraient pas leurs yeux. Tiens, il allait leur écrire pour leur annoncer la bonne nouvelle. Elles se sentiraient rassurées, sachant que leur père, au loin, s'occupait d'elles. Un jour, elles pourraient revenir vivre avec lui à Colebrook dans leur propre demeure. Sachant cela, sans doute accepteraient-elles d'un meilleur gré de lui faire parvenir une partie de leur salaire afin d'aider aux dépenses. Car ce petit paradis deviendrait l'œuvre de toute la famille.

Joseph termina sa lettre un soir, à la belle étoile, en regardant la flamme danser au milieu de son terrain, les yeux pleins de rêve.

37

Le carré de l'hypoténuse d'un triangle rectangle est égal à la somme des carrés des deux petits côtés.

Penchée au-dessus de l'une des grandes tables du réfectoire, à la lueur de la lampe à huile, Marguerite bûchait dur sur son devoir de mathématiques pendant que les autres pensionnaires de la maison dormaient à poings fermés. N'eût été de sa fatigue extrême, elle aurait apprécié ce silence ponctué des craquements de la maison de pension, ces moments de paix où, enfin seule avec elle-même, elle avait le sentiment de bâtir son avenir à petits coups de crayon.

Hélas, l'épuisement semblait avoir raison d'elle. Après douze heures de labeur à la manufacture, elle n'arrivait plus à se concentrer et commençait à se ficher de l'accord du participe passé avec le complément placé avant le verbe. Elle sentait qu'elle ne pourrait tenir le coup encore très longtemps.

Sœur Sainte-Vitaline montrait-elle trop de zèle à lui fournir du travail ou elle, Marguerite, ne savait-elle pas comment s'y prendre ? Après trois mois d'un régime totalement ahurissant, la jeune fille allait s'avouer vaincue : elle ne disposait pas de suffisamment de temps libre pour continuer des études qui la passionnaient mais requéraient trop d'heures de travail. Elle avait beau passer ses soirées et ses dimanches complets le nez dans ses livres, elle n'en pouvait plus. Peut-être ne possédait-elle pas les capacités intellectuelles requises pour maintenir la cadence ? Certains soirs, elle se le demandait, incapable de trouver le repos aux côtés de sa sœur qui, elle, dormait comme un ange. Sa pauvre sœur à qui elle ne donnait presque plus d'attention, faute de temps, et qui ne protestait même pas, sans doute trop épuisée pour réclamer autre chose que son lit après le repas du soir. Dieu merci, Rose-Marie lui tenait maintenant lieu de sœur et d'amie. Presque de mère !

Quelle idée saugrenue, aussi, de s'être lancée dans ces études ! Une entreprise tout à fait vaine, à bien y songer. Ses compagnes de travail la considéraient maintenant comme un oiseau rare, un étrange spécimen qui aimait se casser la tête inutilement alors qu'elles-mêmes ne songeaient qu'au prince charmant qui leur fabriquerait dix ou quinze enfants.

D'un autre côté, la perspective d'abandonner l'humiliait profondément. Un prêtre et une religieuse avaient cru en elle, ils avaient conjugué leurs efforts pour l'aider à réaliser son beau rêve de terminer ses études, et voilà qu'elle se voyait dans l'obligation de démissionner. La situation devenait invivable, l'échec la guettait au bout du chemin. Mieux valait renoncer dès maintenant, elle devait se rendre à l'évidence.

Mais comment l'avouer au père Lacroix ? Cela représentait pour elle une réelle défaite et elle en ressentait de la honte. Après tous ces efforts, il allait se montrer déçu, lui qui semblait si content d'elle.

Un soir, au retour de l'usine, elle trouva justement un mot de la part du vicaire dans son casier de la Boarding House.

Ma chère Marguerite,
Venez au presbytère, un soir, cette semaine, monsieur le
curé et moi avons une proposition à vous faire.
Antoine Lacroix, O.M.I.

Ah ? Une proposition ? La religieuse avait-elle communiqué avec le vicaire pour manifester son insatisfaction ? Mais non, puisqu'il s'agissait d'une proposition, et de la part de monsieur le curé, en plus ! En proie à une curiosité teintée d'inquiétude, Marguerite s'en fut à la résidence des prêtres dès le lendemain. Le père Garin l'accueillit avec obligeance. Il était seul.

— Bonsoir, mon enfant. Vous me paraissez pâle et amaigrie. Est-ce que quelque chose ne va pas ? Vous n'êtes pas malade, j'espère.

Marguerite se redressa. Si jamais elle devait annoncer à quelqu'un son renoncement aux études, c'est au père Lacroix qu'elle le ferait. À personne d'autre.

— Non, non. Je me sens juste un peu fatiguée.

— Avez-vous des nouvelles de votre père ?

— Euh… oui. Justement, la semaine dernière, il m'a écrit pour annoncer qu'il a acheté son fameux terrain de rêve à Colebrook.

— Ah bon. Il a donc l'intention d'installer définitivement la famille là-bas.

— Euh… c'est-à-dire… pas pour le moment. Il n'en parle même pas. Sa préoccupation immédiate est de construire une maison sur cet emplacement. Une maison en rondins, a-t-il précisé.

— Quelle bonne idée ! Il vous rappellera quand la résidence familiale sera terminée, je suppose.

Elle n'allait tout de même pas raconter au curé que, dans sa lettre, Joseph, avant même de lui demander de ses nouvelles, lui avait ordonné, sur un ton péremptoire, de lui envoyer chaque semaine une partie de sa paye et de celle de sa sœur afin de défrayer le coût des fondations de la maison, « *se paradis qui seras le notre et pourras enfin abrité notre nouveau bonheur familliale* », avait-il écrit.

« Bonheur familial, hum ! » avait elle songé en lisant ces mots remplis de fautes et porteurs d'illusions auxquelles elle ne croyait plus. Son bonheur, elle allait se le fabriquer elle-même et sans son père. Elle ne compterait plus jamais sur lui. Et qu'il se le tienne pour dit : il ne recevrait plus jamais une cenne d'elle. Ni d'Anne. Elle se chargerait d'y voir.

Devant le mutisme de la jeune fille au sujet du regroupement de la famille à Colebrook, le curé hésita à poursuivre la conversation. Il semblait chercher ses mots et ne cessait de caresser nerveusement sa barbe. Marguerite prit les devants, emportée par son avidité de connaître la raison de cette convocation.

— Le père Lacroix a laissé un mot pour moi, hier. Vous voulez me rencontrer ?

— Malheureusement, Antoine a dû s'absenter, appelé d'urgence au village voisin. Mais peu importe, la proposition dont il vous parle me concerne surtout, moi, même si l'idée vient de lui. Euh… Vous continuez toujours vos études par correspondance ?

— Pour le moment, oui. Mais je trouve cela très fatigant. Le soir, quand je reviens de l'usine, je n'en mène pas très large, je vous avoue. À ce sujet, j'aimerais…

— Justement, ma fille, à ce sujet, je voudrais vous offrir un poste de secrétaire dans un bureau que j'ai loué derrière l'église, situé plus près des paroissiens que ce presbytère d'une paroisse voisine dont nous devons nous contenter pour le moment, mes vicaires et moi. Un jour, Dieu m'entende, les prêtres francophones posséderont leur propre résidence.

Stupéfiée, Marguerite n'osait interrompre le prêtre parti sur sa lancée.

— Vous possédez déjà une bonne base d'instruction, vous êtes brillante, vous continuez d'approfondir vos connaissances et surtout, surtout, vous parlez anglais, ce qui s'avère une rareté parmi nos paroissiennes en provenance du Canada.

— Excusez-moi, mon père, et malgré votre respect… Secrétaire pour qui ?

— Pour moi ! Secrétaire de la paroisse Saint-Joseph !

Elle faillit tomber de sa chaise. Elle n'en revenait pas ! Marguerite Laurin, secrétaire du curé ! À son âge ? Après tout, n'était-ce pas vers seize ans que les jeunes institutrices entamaient leur carrière dans les écoles de rang de la province de Québec ? Ou que les femmes commençaient à mettre des enfants au monde ? Pourquoi pas assumer un emploi dans un bureau ? Eh bien ! Pour une proposition, c'en était tout une ! Elle soupçonna le père Lacroix d'être l'auteur de cette idée géniale. Tel que promis, il ne les avait pas abandonnées.

Le curé lui expliqua qu'il se trouvait débordé de travail malgré l'aide apportée par ses deux assistants qui avaient à se déplacer chaque jour du presbytère de la paroisse Immaculée Conception jusqu'à ce bureau. Une secrétaire bilingue pourrait voir à sa correspondance en anglais avec ses confrères irlandais de l'église voisine ou l'archevêque du diocèse de Boston. Elle aurait également à rédiger ses lettres de négociations avec les sœurs Grises pour organiser la venue d'institutrices francophones d'ici un an ou deux afin de fonder une école paroissiale véritablement française, puis elle devrait taper sur du papier officiel les pourparlers au sujet de l'achat d'un édifice. Il ne fallait pas oublier les communiqués aux autorités civiles et aux sociétés communautaires anglophones ou francophones de plus en plus nombreuses à Lowell. Elle devrait aussi préparer avec lui le feuillet paroissial, organiser des conférences, recopier les sermons, établir le compte rendu des activités paroissiales pour l'archevêché de Québec et la maison mère des pères oblats de Marie-Immaculée. Les rapports financiers, les communiqués de la fabrique, les contacts avec les organismes responsables de l'agrandissement de l'église relevaient certainement d'un travail de secrétaire. Bref, le curé n'arrivait plus à s'occuper lui-même de ces tâches et à célébrer simultanément le culte, ses paroissiens devenant de plus en plus nombreux à Lowell. Il n'en pouvait plus, en dépit de l'aide apportée par ses acolytes et la bonne volonté des paroissiens.

Marguerite non plus n'en pouvait plus et elle ouvrait grand les yeux, persuadée de ne jamais arriver à remplir toutes ces tâches en même temps.

— Je vous offre le double de votre salaire à l'usine. Et vous aurez droit à tous vos samedis et dimanches, à la condition de terminer les études que vous avez déjà entreprises, bien entendu.

Bouche bée, elle ne savait que répondre, croyant rêver. Elle allait se réveiller tantôt, dérangée par les ronflements de la résidente de la chambre d'en face.

— Alors, ma petite demoiselle, ça vous intéresse ?

— Évidemment, mon père ! Mais je crains de ne pas être à la hauteur. Ai-je la compétence voulue pour accomplir tout ce travail ?

— Une Canadienne française bilingue qui sait bien lire et écrire s'avère une perle à mes yeux. Et le père Lacroix vous a chaudement recommandée. Je vous fais confiance, allez ! Quand croyez-vous pouvoir commencer ?

— Quand vous voudrez, mon père. Demain, si vous le désirez.

— Parfait ! On va vous installer un pupitre en face de la grande fenêtre. Vous allez pouvoir y travailler tranquille. Vous savez taper à la machine ? Nous venons justement de nous procurer une magnifique Remington. Quelle remarquable invention !

— Euh… non, mais je suppose que ça s'apprend facilement.

⁕⁎

Quand Marguerite annonça la bonne nouvelle à Rose-Marie, celle-ci se mit à rire.

— Ah bien, tu parles ! C'est vraiment la journée des miracles, aujourd'hui ! Mon fiancé vient tout juste de signer l'offre d'achat d'un espace commercial dans Middle Street. D'ici quelques semaines, Paul pourra ouvrir officiellement sa boutique de chaussures.

— Oh là là ! Quelle bonne nouvelle !

— J'imagine déjà l'enseigne au-dessus de la porte : *La Par-botte*. Qu'en penses-tu ?

— Hum… très original ! Un peu étrange, par contre…

— Tu ne comprends pas ? Par-botte est un mot qui ressemble à barbotte tout en évoquant une sorte de chaussure. Espérons que les clients mordront à l'hameçon et viendront acheter non seulement leurs souliers mais aussi leurs bottes. C'est grâce aux bottes que nous deviendrons riches. Ah ! Ah !

Les deux femmes s'esclaffèrent et tombèrent dans les bras l'une de l'autre, rejointes par Anne qui ne savait pas trop si elle devait se réjouir ou s'attrister de voir sa sœur quitter la Boott's Mill.

— T'en fais pas, ma petite Anne, avec le double de mon salaire, tu pourras probablement quitter l'usine d'ici peu et retourner à l'école publique de jour. Pour toi aussi, il s'agit d'une excellente nouvelle.

Marguerite se mit à rire, d'un rire étrange et nerveux. Un rire mouillé. Elle ne savait plus si elle riait de joie, ou de soulagement, ou d'épuisement.

Et pourquoi pas de bonheur ?

38

Il était passé dix heures du soir quand Rose-Marie, alarmée, décida d'aller chercher le médecin. Marguerite, trop énervée, semblait dépassée par les événements et s'en remit à son amie.

— On ne peut pas attendre à demain matin ?

— Non ! Si ça continue comme ça, cette enfant-là ne passera pas la nuit. Elle va finir par mourir étouffée.

Assise dans son lit parmi un monceau d'oreillers, Anne, les yeux hagards, soulevait la poitrine avec effort, cherchant désespérément l'air, la respiration sifflante et fort oppressée. On pouvait l'entendre râler comme une moribonde jusque dans la cuisine, à l'étage au-dessous. D'abominables quintes de toux la secouaient toutes les cinq minutes. On aurait dit qu'elle allait exploser. Si tout avait commencé par un petit rhume anodin, la situation se détériorait maintenant d'heure en heure depuis le matin. Il fallait agir de toute urgence.

Le médecin n'avait pas encore gravi les marches de l'escalier que déjà il avait posé son diagnostic : crise d'asthme aiguë. Dès son entrée dans la chambre, il empoigna les oreillers et les lança hors du lit.

— Il faut la sortir d'ici et la transporter au plus vite à l'hôpital. Je gage que cette enfant-là travaille dans une fabrique de textile ?

— Euh… plus maintenant. Elle est retournée à l'école publique depuis un mois.

— Ses poumons ne supportent pas les fibres de coton. Je vois des cas semblables à longueur de journée. Une vraie calamité !

— Mais ici, à la Boarding House, il n'y a ni mousse ni poussière de fibres qui traîne. Pas plus qu'à l'école, d'ailleurs.

— C'est ce que vous croyez ! Vous sortez toutes de l'usine avec la peau, les cheveux et les vêtements remplis de fibres. Non seulement vous en respirez des tonnes, mais vous en rapportez des tonnes dans cette maison, continuellement. Regardez-moi ces édredons poussiéreux et ces oreillers de coton bourrés de plumes. Rien de pire pour une bonne crise ! Allez, viens-t'en, ma petite, on s'en va à l'hôpital, ça presse ! Et pas question de retourner à l'usine ni de revenir habiter ici.

Marguerite, au bord de la panique, s'entêta à suivre Anne malgré les protestations de Rose-Marie.

— Recouche-toi. Sinon, tu n'arriveras pas à faire ta journée demain.

— Toi non plus. J'y vais ! C'est ma sœur, après tout ! J'aurai une bonne raison pour m'absenter, monsieur le curé comprendra.

Marguerite n'en revenait pas de constater à quel point ses conditions de travail avaient changé depuis qu'elle occupait le poste de secrétaire de la paroisse Saint-Joseph. Six mois déjà ! Elle n'avait pas vu filer le temps dans cette atmosphère de respect et de bonne entente avec ses patrons. Évidemment, elle ne se sentait pas toujours sûre d'elle et appréhendait plus que tout les erreurs de syntaxe ou d'orthographe, même si elle observait scrupuleusement les consignes du prêtre pour la rédaction des lettres sur la nouvelle machine à écrire.

Petit à petit, elle s'était approprié les lieux et imprégnée de l'atmosphère quiète, aux antipodes de la manufacture bruyante et empoussiérée. Elle y avait fait tranquillement sa place, de plus en plus à l'aise au fil des semaines. Les trois prêtres allaient et venaient sans cesse, occupés par leur ministère. Ils se montraient patients et compréhensifs, à l'opposé des contremaîtres de l'usine. Elle n'avait qu'un regret : elle ne se sentait pas en mesure d'assumer seule les coûts d'un appartement, contrairement à son rêve et malgré son bon salaire. Pour un certain temps, à tout le moins, celui d'accumuler quelques économies, il lui fallait encore loger à la Boarding House avec sa sœur.

Elle se consolait à la pensée qu'Anne, acceptée *in extremis* à l'école publique quelques semaines auparavant, avait quitté la manufacture avec un plaisir évident. Cependant, elle semblait mal s'adapter à l'école anglophone. Pour calmer ses inquiétudes, Marguerite se disait que trop de changements étaient survenus en peu de temps dans la vie de sa sœurette. Sur la fin de ses treize ans, elle dormait mal, pleurait pour un rien, s'obstinait à ne pas faire ses devoirs, refusait d'obéir à sa sœur en lui criant par la tête qu'elle n'était pas sa mère. Marguerite ravalait sa salive, écrasée par trop de responsabilités. N'eût été de la présence de Rose-Marie et de Paul, elle se serait effondrée depuis longtemps. Le père Lacroix avait bien envoyé quelques lettres à Joseph, mais ce dernier s'était contenté de répondre sur un ton sans réplique qu'il s'attelait justement à la tâche de leur construire un foyer. Qu'on lui donne au moins le temps, bon Dieu de la vie ! Antoine avait haussé les épaules, ne voyant là aucune perspective de solution.

La consigne du médecin de quitter à tout prix la maison de pension venait tout chambarder. Il ne manquait plus que ça ! Tapie dans l'ombre, au fond de la chambre, Marguerite, au bord de la panique, saisit dans sa poche le petit ange de porcelaine que le père Lacroix lui avait apporté un jour. « Pour placer sur votre bureau. Il sera votre ange gardien… » avait-il dit, tout content de sa surprise. Marguerite le regardait souvent, cet ange minuscule aux dimensions symboliques d'un guerrier protecteur, et elle s'adressait à lui comme à un compagnon de travail, un être tangible, capable de l'entendre et de la réconforter. Il lui arrivait même de le garder au fond de sa poche ou de son sac, certains jours, comme le chrétien porte sa médaille miraculeuse ou un policier garde son arme.

En cette nuit d'enfer, elle y songea et le pressa secrètement sur son cœur. « Mon ange, sauve ma petite sœur, sauve ma petite sœur ! »

On enveloppa Anne secouée de spasmes et dont la respiration devenait de plus en plus difficile, et on la déposa dans la voiture du médecin. L'air pur et humide de l'extérieur lui procura un certain soulagement. Mais l'effet fut éphémère. Une fois au St-John's Hospital, on craignit pour sa vie en dépit des grands bacs d'eau chaude qu'on venait remplacer régulièrement autour du lit afin de produire une chaleur humide. Même les gorgées de café fort qu'on l'obligeait à avaler toutes les demi-heures ne donnaient pas de résultats. À un moment donné, on décida de faire venir le prêtre pour lui administrer le sacrement des mourants. Effondrée, Marguerite souhaita ardemment voir apparaître le père Lacroix qu'elle considérait comme son ami. Mais c'est l'autre vicaire qui se pointa.

Après avoir terminé ses onctions, le père Lagier posa une main lourde sur l'épaule de Marguerite.

— Ma belle enfant, il faudrait aviser votre père de l'état grave de votre sœur. Je vais lui écrire un mot, si vous voulez, et le remettrai à un passager du train de six heures vers Colebrook, dès demain matin. Connaissez-vous une adresse où on pourrait le rejoindre de toute urgence ?

La jeune fille n'hésita pas longtemps et répondit d'une voix ferme :

— Non !

Non, elle n'allait pas lui donner l'adresse, ni d'Angelina, ni de Jesse, ni celle de l'hôtel Hinman où Joseph préférait prendre soin des chevaux plutôt que de ses filles, simplement parce que ça s'avérait plus payant. C'était son choix, il n'avait qu'à s'arranger ! Elle ne ferait plus jamais appel à lui. Elle n'avait plus besoin de lui. Et si Anne mourait en son absence, il n'aurait qu'à ronger son frein dans le coin de son étable ou sur son maudit terrain. Marguerite et Anne Laurin n'avaient plus de père depuis des mois. Elle se racla la gorge avant de répéter sa réponse, comme si elle voulait la confirmer d'une voix plus accentuée.

— Non, j'ignore où notre père se trouve…

« …Comme mon père ignore où je me trouve, moi, en ce moment même, dans cet hôpital, auprès de ma sœur mourante. Qu'il aille au diable !… » Marguerite garda ces dernières pensées pour elle, convaincue qu'Anne ne mourrait pas. Maintes fois, elle avait été témoin de telles crises respiratoires et sa sœur s'en était toujours bien tirée. Elle s'approcha du lit, s'empara de la main glacée de la malade et lui murmura à l'oreille :

— Ne pars pas, Anne, je t'en supplie, ne pars pas. Ne me laisse pas toute seule, toi aussi…

Comme si elle avait entendu les supplications de sa sœur, Anne tourna légèrement la tête vers elle et la fixa d'un regard vitreux.

— Il est où, papa ? Je veux voir mon papa.

— Il… il est à Colebrook, Anne.

Cette question fouetta Marguerite à la manière d'une gifle monumentale. Sa sœur devait sûrement divaguer, abrutie par les médicaments et le manque d'air, elle qui, depuis longtemps, avait même renoncé à prononcer le mot « papa ». À la longue, l'aînée lui avait transmis sa rancœur, traitant Joseph de père dénaturé et de profiteur. Depuis des mois, elle refusait de lui envoyer de l'argent et ne répondait même plus à ses lettres. Son seul regret était de ne pas voir Camille.

Et voilà que placée en équilibre précaire entre la vie et la mort, Anne le réclamait brusquement, en toute innocence. Marguerite sentit qu'elle n'avait pas le droit de lui refuser cette présence dans de telles conditions. Elle se devait de marcher sur son orgueil et d'avouer son mensonge au vicaire. Auprès d'une mourante, il n'y avait de place ni pour la haine ni pour le mensonge, la vie le lui faisait réaliser cruellement. Rongée par le remords, elle se tourna vers le prêtre et s'agenouilla avec humilité.

— Pardonnez-moi, mon père, parce que j'ai péché. Je vous ai menti, tout à l'heure, au sujet de l'adresse de mon paternel. Je sais où il habite. Depuis longtemps, j'entretiens de la haine envers lui. Une haine terrible…

❦

Joseph ne vint pas à Lowell, mais le lendemain soir, un passager du train en provenance de Colebrook se présenta au St-John's Hospital avec, en main, un paquet adressé à mademoiselle Anne Laurin. Le colis contenait une courte pousse de sapin dans un pot de terre cuite, accompagné d'un petit mot :

> *Ma chèr Anne,*
> *Tient bon, ma chéri, tient bon ! Voici un petit arbre qui pousse sur le terrin de notre futur maison. De le voir grandir te donneras du courrage. Cré-moi ton avenir sera plus heureux avant lontemps. Votre misère achève, mes enfant. J'ai presque finis de déboèser la place. Le paradis des Laurin… Bientot, je vais commencé a construire notre maison, celle qui abritera notre nouveau bonheur. Le père Lagier a promit de m'envoyé de tes nouvelles par le train à tout les jour. Je les attendrez avec impatience. Camille va bien, elle t'embrasse. Donne un bec à Margerite pour moi.*
> *Ton père*

En lisant ces mots, Marguerite ne put s'empêcher d'éprouver un regain de rage. Son bec, il pouvait le garder ! Comme s'il n'était pas capable de venir le donner lui-même ! Depuis le temps qu'ils ne s'étaient pas vus ! Comme si d'aimer ses enfants consistait à dessoucher une étendue de terre à des centaines de milles de distance pendant que sa fille mourante le réclamait ! Comme si d'attendre des nouvelles rédigées sur un bout de papier qu'un prêtre remettrait à un étranger en partance pour Colebrook suffisait ! Son amour paternel ne valait même pas le bout de branche qu'il avait eu le front de lui envoyer. Comme si un bout de branche pouvait remplacer la présence d'un père…

Elle recommença à le détester.

39

Anne mit plusieurs jours à se rétablir de cette crise majeure. On préféra la garder à l'hôpital plus longtemps au lieu de risquer de la renvoyer à la Boarding House. Marguerite se sentait déconcertée. Où allaient-elles loger toutes les deux ? Le médecin s'était montré formel : pas question d'y retourner.

Bon prince, monsieur le curé avait offert d'assumer les frais d'hospitalisation puis d'héberger momentanément les deux sœurs au presbytère, le temps de leur trouver un gîte raisonnable. Anne allait maintenant à l'école et ne rapportait plus d'argent, et le prix des logements avait monté dernièrement. Comment allaient-elles se débrouiller ?

C'est Rose-Marie et son amoureux qui trouvèrent la solution miracle. Paul venait de perdre l'unique employée de sa boutique de chaussures et se devait de la remplacer. La pauvre femme, mère de famille, venait d'apprendre qu'elle souffrait de tuberculose et devait subir une longue cure dans un sanatorium de la région. Le fiancé se tourna vers Anne. Malgré son jeune âge, elle savait écrire, lire, compter, elle se présentait bien et maîtrisait l'anglais. Il ne prit pas le temps de réfléchir et lui offrit spontanément le poste de vendeuse. Estomaquée, Anne ne savait comment réagir et se garda d'émettre des réserves.

— Vous pouvez compter sur moi !

Au premier abord, Marguerite ne vit pas là une solution. Pourquoi encore retirer sa sœur de l'école ? Elle ne terminerait donc jamais son cours primaire ? Mais devant la réaction de son aînée, Anne n'hésita pas à tirer son épingle du jeu sur un ton sans équivoque.

— J'irai à l'école du soir quand elle ouvrira, voilà tout. Si ça me tente encore… Rien de moins certain ! Pour le moment, j'aimerais mieux travailler pour Paul.

Devant l'enthousiasme manifeste de sa sœur, Marguerite comprit vite que non seulement cette idée l'emballait, mais qu'elle n'avait vraiment plus d'intérêt pour l'école. De surcroît, le logement au-dessus du magasin s'avérait suffisamment vaste pour qu'on puisse le séparer à l'aide d'une cloison et y aménager deux petits appartements indépendants. Les deux sœurs loueraient l'un d'eux tandis que les futurs mariés habiteraient l'autre en attendant qu'un bébé vienne animer leur nid d'amour. Ce partage des lieux aiderait le jeune couple à défrayer les coûts de la nouvelle entreprise. Rose-Marie, quant à elle, préférait conserver son emploi de contremaîtresse à la Boott's, poste assez bien rémunéré et rarement attribué à une Canadienne française. De toute manière, elle avait l'intention de mettre de nombreux enfants au monde, ce qui l'obligerait à rester à la maison avant longtemps.

— Vous nous sauvez la vie ! s'écria enfin Marguerite.

Rose-Marie prit les jeunes filles par les épaules et leur sourit affectueusement.

— Enfin, il vous arrive des bonnes choses ! Il était temps, vous ne trouvez pas ?

Évidemment, Anne devrait d'abord se remettre de sa crise d'asthme. La tournure des choses faisait son affaire. Après tout, elle grandissait et trouvait plus normal de gagner un salaire que de passer ses journées sur les bancs d'une école publique où, au milieu d'enfants anglophones beaucoup plus jeunes, elle se morfondait et regardait passer les heures en soupirant. Elle se jura de devenir la meilleure vendeuse de Lowell. Paul n'en reviendrait pas !

Le fiancé de Rose-Marie s'empressa de bricoler un petit logis à côté de celui qu'il préparait pour sa fiancée et lui. Bien sûr, le réduit ne payait pas de mine avec ses deux pièces exiguës et son ameublement restreint. Mais quelques touches de couleur sur les murs dénudés, une jolie lampe à huile et quelques bouquets de fleurs des champs le rendirent suffisamment attrayant pour que les deux sœurs aient envie d'y commencer une nouvelle existence.

Quand vint le temps de déménager leurs rares effets, Marguerite, sous le regard impassible et silencieux de sa sœur, jeta délibérément à la poubelle la plante envoyée par Joseph. Pas question de donner une place chez elles au souvenir arrogant de leur père au moment même où elles allaient gravir le premier véritable échelon sur le chemin de l'autonomie.

Anne recouvra finalement la santé et on put bientôt fixer le moment de son entrée comme vendeuse au magasin La Par-botte. Elle avait beau fanfaronner, la veille, elle n'arriva pas à fermer l'œil. Le lendemain, Paul s'empressa de la rassurer.

— Je te fais confiance, ma belle Anne. Tout va bien se passer, t'en fais pas.

L'adolescente aimait beaucoup son nouveau patron. Peu loquace et plutôt replié sur lui-même, le jeune homme dégageait tout de même une force calme et paisible. Elle se demandait s'il lui arrivait de s'emporter ou d'exploser. Éprouvait-il parfois des désirs, des passions, des colères ? Rose-Marie n'en parlait guère. Néanmoins, auprès de lui, Anne se sentait en sécurité. Si jamais elle commettait des erreurs, il saurait se montrer compréhensif, contrairement aux brutes qui géraient les usines de textiles. Rien de mal ne pouvait plus lui arriver.

Après un tour du propriétaire, Paul décrivit en détail la marchandise du magasin et expliqua la procédure à suivre.

— Ce n'est pas compliqué, tu vas voir. Tu n'as qu'à vendre la bonne pointure. Mais n'accepte que de l'argent comptant en mon absence, compris ? Quand le client est reparti, tu ranges les billets de banque dans le petit tiroir sous le comptoir de l'arrière-boutique et tu gardes précieusement la clé dans l'échancrure de ton soutien-gorge.

Anne se sentit rougir mais n'osa répliquer.

— Bon, moi, je te laisse. J'ai des courses à faire. Je reviens vers midi.

— Quoi ? Vous me laissez toute seule ? Comme ça, tout de suite ?

— C'est lundi matin, Anne. Il ne viendra probablement personne.

Paul faisait erreur. Il venait à peine de partir qu'une jeune femme se présenta derrière un landau transportant des jumeaux. Oubliant son rôle de vendeuse, Anne se précipita sur les bébés.

— Ah ! qu'ils sont mignons ! Euh… Bonjour, madame.

— Je cherche une paire de souliers pour moi. Quelque chose d'assez habillé.

— Nous venons de recevoir d'adorables bottines pour enfants en passe d'apprendre à marcher. Solides, confortables et jolies, en plus.

— Je viens pour moi, mademoiselle.

— Excusez-moi. Je vais tout de même vous les montrer.

Une demi-heure plus tard, la cliente ressortait en pressant sur sa poitrine un énorme sac contenant une paire d'escarpins et un assortiment de bottines. Fière de sa première victoire, la jeune fille raccompagna la femme jusque sur le trottoir et, dans l'espoir de voir Paul surgir pour lui raconter son exploit, elle s'appuya un instant contre la porte. Deux Américaines s'approchèrent de la vitrine et se mirent à faire des commentaires sur les souliers exposés sans lui porter attention. Anne prit une grande respiration et se lança.

— *Please, ladies, get in ! I'll show you all we have.*[28]

Étonnées de voir une Canadienne s'adresser à elles en anglais, les deux femmes acceptèrent de bon gré de pénétrer dans la boutique. Quelques minutes plus tard, elles en ressortaient les bras chargés de boîtes.

---

28. S'il vous plaît, mesdames, entrez ! Je vais vous montrer tout ce que nous avons.

Après leur départ, Anne, bien malgré elle, fut prise d'un fou rire. Comparée au travail d'usine, la vente de chaussures lui paraissait du bonbon. Allons, la vie semblait vouloir prendre une autre tournure. La bonne, cette fois. Ce n'était pas trop tôt!

À l'instar de sa sœur, elle se mit à croire au bonheur.

40

Assise sur un banc de parc, les yeux fixés sur la rivière, Marguerite mâchouillait nonchalamment un brin d'herbe en regardant distraitement couler les eaux tumultueuses de la Merrimack au pied du barrage. En ce premier beau dimanche de mai, elle avait décidé de fermer ses livres pour aller se promener tranquillement dans la nature. Ah! humer les premiers effluves du printemps, écouter le chant des oiseaux appelant leurs petits, lever le nez et sentir sur son visage la douce et tiède caresse du soleil… Certains jours, elle trouvait que les États-Unis ressemblaient tout de même un peu à son Québec.

La vie avait enfin repris un semblant de cours normal. Son travail de secrétaire à la paroisse lui laissait suffisamment de temps pour continuer tranquillement ses études avec sœur Sainte-Vitaline, même sans l'assistance du père Lacroix. Le jeune vicaire ne manquait pourtant jamais de s'en informer gentiment quand il la croisait, et cette sollicitude s'avérait un atout précieux au cœur de la jeune fille. Quelqu'un se préoccupait d'elle et s'intéressait à ses projets, quelqu'un lui tendait la main. Évidemment, le lien qu'elle entretenait avec le prêtre n'allait pas plus loin, mais sa présence, même conventionnelle, revêtait une importance capitale.

D'un autre côté, ses rapports avec Rose-Marie, animée de sentiments maternels pour ses deux petites locataires, étaient davantage de l'ordre mère-fille malgré leur mince différence d'âge. Il n'était pas rare que la nouvelle épouse et son mari partagent leur repas du soir avec les voisines d'à côté. On se racontait les péripéties de la journée, on riait, discutait, et Marguerite éprouvait enfin le sentiment de vivre une certaine forme de vie de famille. Quant à Anne, elle adorait son travail au magasin et battait des records de vente. Elle avait recommencé à vivre.

« Si seulement notre existence pouvait toujours durer comme ça… » songeait Marguerite, appuyée au garde-fou au-dessus de la rivière.

— À quoi songez-vous, chère dame ?

Un jeune inconnu s'était doucement approché d'elle à son insu et lui adressa la parole en français. Marguerite, perdue dans ses pensées, sursauta à tel point que le garçon éclata de rire.

— Je gage que vous rêviez au prince charmant. Eh bien ! belle damoiselle, me voici !

Le garçon retira son chapeau de paille et effectua une révérence princière. Ce geste déclencha, à son tour, le rire chez la jeune fille qui décida de jouer le jeu.

— Ah ! monseigneur, effrayez-vous toujours ainsi les jouvencelles sur votre route ?

— Pas toutes, ma chère dame ! Seulement les plus jolies ! Me permettez-vous de prolonger cette conversation ?

— Je vous en prie, messire…

Ainsi démarrèrent les premiers balbutiements d'une tendre aventure. Simon Lacasse habitait toujours chez ses parents, originaires de Batiscan, parmi ses huit frères et sœurs. Cette famille, comme toutes les autres familles, représentait le modèle type de la race d'immigrés canadiens-français. On était venu ici pour faire de l'argent, rien de plus, et on travaillait le plus grand nombre d'heures possible. Simon n'échappait pas à la règle familiale et s'y pliait volontiers. Disposant, par contre, d'une bonne instruction grâce aux enseignements de sa mère, il détenait, à dix-huit ans, un poste enviable de technicien à la Lowell Machine Shop. Brillant, curieux, débrouillard, il avait appris son métier sur le tas. À la compagnie, on avait vite décelé ses capacités et mis ses talents à profit. Il bénéficiait donc d'un salaire raisonnable. Malgré son adaptation rapide au mode de vie américain, il ne voyait pas son avenir ailleurs qu'au Canada, à l'instar de la plupart de ses compatriotes.

Auprès du garçon généreux et empathique, Marguerite oubliait sa condition de jeune fille perdue. De nature optimiste, Simon possédait un bon sens de l'humour et réussissait à la faire rire, elle qui n'avait pas ri depuis la mort de sa mère. Le dimanche, ils allaient souvent marcher au bord du canal ou assistaient à des conférences et des concerts à la paroisse.

Un soir, il l'avait invitée à retourner au parc où ils s'étaient rencontrés. Appuyé à la rambarde, il lui avait expliqué le fonctionnement des écluses, juste en face. Avec force détails, il avait raconté comment le fort débit de l'eau alimentait les turbines pour faire tourner les arbres de transmission d'énergie aux moulins à tisser. Mais maintenant, on utilisait de plus en plus les machines à vapeur qui, en même temps, chauffaient les bâtisses durant l'hiver.

Marguerite ne disait mot, plus obnubilée par le regard franc et serein du jeune homme que par son savoir. Elle aimait sa désinvolture, cette force morale qu'il dégageait et la quiétude dont il l'imprégnait à chacune de leurs rencontres. Elle se laissait bercer par sa voix chaude et enveloppante qui l'entraînait sur des sentiers inexplorés.

Mais soudain, il s'arrêta net de parler et tourna vers elle ses yeux ambre brûlants de ferveur. Sans qu'elle s'y attende et sans lui demander la permission, il se pencha et posa doucement ses lèvres sur les siennes en la prenant dans ses bras. Elle sentit un frisson lui traverser le corps. Étrangement, elle n'avait pas envie que la bouche humide du garçon s'éloigne d'elle. Au contraire, elle aurait voulu qu'il l'embrasse partout, sur le visage, puis dans le cou, puis sur la nuque et sur la poitrine. Et puis, et puis…

Soudain, elle se ressaisit et se releva brusquement.

— Non, Simon, il ne faut pas aller plus loin que ça. C'est péché. Venez, il vaudrait mieux rentrer.

Il n'avait pas protesté. N'avait pas, non plus, prononcé les mots d'amour auxquels une jeune fille aurait pu s'attendre dans de telles

gouverne ou comment on les gouverne. Ils gagnent tout ce qu'ils peuvent gagner sans se soucier du nombre d'heures de travail; ils vivent le plus qu'ils le peuvent comme des mendiants... pour emporter hors du pays tout ce qu'ils peuvent ainsi mettre de côté... Soit dit en passant, ils ont besoin de s'amuser et, en ce qui concerne les hommes, s'amuser consiste à boire, à fumer et à flâner...

Il ne faut pas s'étonner que des gens aussi sordides et aussi vils éveillent chez leurs patrons des sentiments correspondants. Les patrons pensent que plus longues sont les heures de travail pour ces gens-là, mieux c'est... et que tout doive être fait en fonction de la catégorie la plus basse.[29]

Honnêtement, Marguerite devait bien admettre qu'il existait un fond de vérité dans ce rapport. Son père en était la preuve vivante. Elle et Anne n'avaient-elles pas joué elles-mêmes un rôle bien involontaire dans ce triste portrait de leurs compatriotes? Et Léontine et sa famille? Et les Maltais qui les avaient accueillis à leur arrivée à Lowell? Et la famille de Simon Lacasse? Et ces milliers de travailleurs qui s'acheminaient en toute hâte vers les usines, une heure avant l'aube? Et ces paroissiens mal attifés qui se prosternaient pieusement dans l'église Saint-Joseph, le dimanche, quelle était leur raison de vivre, au fond? Pas autre chose qu'amasser de l'argent!

— As-tu vu ça, Marguerite? C'est une honte! Ils ont beau mentionner la vaillance des Canadiens au travail, ils se gardent bien de préciser à quel point nos gens sont sincères dans leur désir de se sortir de leur pauvreté et comment ils se montrent fidèles à leurs engagements. À la Merrimack Mill's, sur les cent soixante-quinze tisserandes spécialisées de la section *Fancy works*, cent cinquante sont des Canadiennes. Cela, on ne l'a pas rapporté. Pourquoi rabaisser

29. Extraits du rapport publié par le Bureau des statistiques du travail de l'État, janvier 1881, cités par François Weil dans *Les Franco-Américains*, éd. Belen, 1989, chapitre IV. «Crises et croissance, 1880-1910», p. 117.

les Canadiens français au niveau de la nation chinoise, comme des païens ? Ils exagèrent, ces Américains, tu ne trouves pas ?

La jeune fille sursauta. Le père Lacroix la tutoyait pour la première fois. Mais, furieux, il la regardait sans la voir ni attendre sa réponse, son poing crispé martelant le coin du pupitre et faisant tressauter le petit ange.

Les rencontres de la secrétaire avec Antoine Lacroix se faisaient rares. En général, le jeune prêtre travaillait à l'extérieur, « sur le terrain » comme il le disait lui-même, visitant les malades, dépannant les familles, organisant des conférences et, par-dessus tout, travaillant d'arrache-pied avec le père Garin et maître Guillet à l'instauration d'un institut canadien-français à Lowell où l'on offrirait enfin les fameux cours du soir dont il parlait depuis longtemps. Projet à long terme qui avait traîné quelque peu en longueur, et qui allait enfin se concrétiser d'ici peu, dans un édifice de la Common Street.

— Ah ! ça ne va pas rester comme ça ! Ils ne réalisent pas, ces imbéciles, qu'en nous critiquant de la sorte, ils entretiennent le feu de notre patriotisme. Ce genre de texte va contribuer à nous resserrer encore davantage, tu vas voir. Les Canadiens français vont survivre, coûte que coûte ! Les auteurs du rapport semblent oublier que nous sommes ici depuis très peu de temps. Marguerite, prends en dictée mon texte de protestation et fais-le parvenir à cette adresse. Tu es prête ? Alors, voici :

M. Ferdinand Gagnon,
Journal « Le Travailleur »
Worcester

Monsieur,
Nous rejetons chacune des accusations contenues dans le rapport de Boston et protestons avec véhémence contre les insinuations faites à l'égard des Canadiens français. De quel droit ose-t-on traiter de Chinois de l'Est nos concitoyens dépourvus de tradition ouvrière et sans expérience de la revendication ? Nous qualifions d'injurieux ce compte rendu

sur notre race vaillante et docile, dotée d'un puissant sens moral et religieux.

Marguerite tapait sur sa machine à une vitesse inouïe, absorbant avec peine les paroles que le prêtre débitait d'une voix amère non dépourvue d'agressivité. Le jeune homme, imposant dans sa soutane noire et les mains jointes derrière le dos, marchait de long en large devant la table de travail de la secrétaire. On aurait dit un animal en cage. Marguerite eut de la difficulté à se concentrer, subjuguée par tant de flamme et de hardiesse.

Antoine Lacroix en avait long à dire, en effet. Soudain, il s'arrêta net et finit par s'asseoir, à bout de souffle.

— Margot, je… Excusez-moi! Je dicte sans doute trop vite et ne fais nullement attention à vous. Je suis désolé.

— Mon père, je suis d'accord avec ce que vous dites, mais si vous pouviez seulement ralentir un peu le débit…

Quand leurs regards se rencontrèrent, la jeune fille se sentit profondément troublée et baissa les yeux. À cause de leurs statuts respectifs, elle ne se trouvait pas et ne se trouverait jamais sur la même longueur d'onde que le prêtre. Un religieux et une jeune fille n'ont rien en commun sinon leur foi profonde en Dieu. Mais s'ils appartiennent à la même race, ils peuvent au moins partager un élan de patriotisme. Rien d'autre, à la vérité… Elle poussa un discret soupir. Son état d'âme présent n'avait rien à voir avec le bien-être joyeux qu'elle éprouvait, depuis quelque temps, quand Simon Lacasse, le gai luron, venait lui conter fleurette. Un étrange affolement s'empara d'elle et l'envie la prit de s'enfuir, là, tout à coup, bêtement, sans trop savoir pourquoi.

— Marguerite? Vous voilà dans la lune, à des milles d'ici!

Le père Lacroix posa la main sur le bras de la jeune fille pour la secouer un peu. Mais il ne la retira pas, et elle perçut cette pression comme une brûlure. Un malaise silencieux s'installa dans la pièce. Marguerite avait l'impression que le temps venait de s'arrêter. Pourquoi Antoine Lacroix ne lui parlait-il plus? Se sentait-il confus, lui aussi?

Finalement, le prêtre enleva sa main précipitamment comme s'il venait de réaliser l'étonnante audace de son geste. Il toussota légèrement avant de briser enfin le silence devenu insupportable.

— Je te… je vous le jure, Margot, ça ne va pas en rester là ! Le Bureau a offert de recevoir les Canadiens français en audience à Boston, à la suite de ce rapport. Je vais demander au père Garin de m'y envoyer comme représentant religieux de Lowell. Il faut réfuter ces accusations et insister sur le sens de l'obéissance et l'ardeur de nos compatriotes. La qualité de leur travail également. Nos élites prônent maintenant la naturalisation depuis l'échec du rapatriement. On n'en parle pas assez !

Le troublant moment d'intensité était bel et bien terminé, emporté par la passion et le sentiment patriotique du père Lacroix. Il valait mieux qu'il en soit ainsi. Marguerite soupira de soulagement. Mais était-ce bien du soulagement ? Elle tenta de retrouver ses esprits et de s'intéresser à la conversation.

— Du rapatriement ? Que voulez-vous dire ?

— Pendant une dizaine d'années, les dirigeants du Québec ont fait campagne et fortement suggéré à leurs ouailles exilées de rentrer au bercail. Après tout, le Canada est leur pays. Mais ça n'a pas marché. La moitié des familles rapatriées sont revenues ici, aux États-Unis. Saviez-vous que des agents américains vont faire de la propagande au Québec ? Ils font évidemment miroiter l'appât du gain et la vie facile. Au fond, ce n'est pas nécessaire. Les Québécois n'ont qu'à écouter les vantardises de ceux qui reviennent et, surtout, à les regarder y retourner pour avoir envie de partir, eux aussi.

L'espace d'une seconde, Marguerite imagina sa tante Léontine se réinstaller en Nouvelle-Angleterre avec ses fils. Ah ! non, pas ça ! Elle prit soudain parti pour le rapatriement. Mais l'oblat, inconscient de l'agitation de son interlocutrice, enchaîna.

— Nos élites, médecins, notaires, curés, religieux, journalistes, même les hommes d'affaires ont raison. Au moins, une fois naturalisés, les Canadiens français pourraient voter et être représentés au gouvernement.

Le charme était définitivement rompu. Le père Lacroix était retourné à son sujet et Marguerite, complètement redescendue des nuages. Évaporé, le moment de bienheureuse confusion où elle avait failli se laisser emporter sur les eaux pures de l'océan bleu. Des eaux trop pures. Et inaccessibles à jamais. Il était même défendu d'y rêver. Mieux valait se tourner définitivement vers Simon.

Quand le prêtre eut terminé sa diatribe, et que la Remington eut cessé son cliquetis, il enfila sa cape et se contenta de la saluer froidement. Elle répondit silencieusement par un signe de tête évasif.

Trop périlleuses, ces eaux-là…

42

Ce matin-là, quand elle se présenta au secrétariat, Marguerite trouva une enveloppe en provenance de Colebrook, New Hampshire, adressée à Marguerite Laurin, Boott's Boarding House, Lowell, Mass. Ah?… Une pensionnaire de la résidence avait dû venir la porter à son bureau.

Elle reconnut immédiatement l'écriture de son père. Pas une seule fois, Joseph ne lui avait redonné des nouvelles depuis sa fameuse lettre lui réclamant de l'argent à la suite de l'achat d'un terrain. Après sa première rencontre avec lui derrière l'hôtel Hinman, elle avait vainement attendu un mot d'excuse ou de regret de sa part. À tout le moins une demande de nouvelles à son sujet et celui de sa sœur. Après la crise d'asthme d'Anne et l'envoi d'une pousse de sapin, il n'avait plus redonné signe de vie. Rien! Comme si elles n'avaient pas existé sinon pour servir à rapporter du *cash*! Et voilà qu'au bout de nombreux mois de silence, monsieur réapparaissait dans le décor. Qu'avait-il donc à lui dire? Qu'il se fichait d'elles? Elles le savaient déjà! Que Camille n'allait pas bien? Que pouvaient-elles y faire? À la longue, la petite sœur était devenue une sorte de créature lointaine et quasi imaginaire grandissant dans un vase doré à deux cents milles de ses sœurs.

disputes, des mots criés par la tête. Elle n'avait rien connu de semblable. Les Laurin semblaient vivre dans l'harmonie.

Chose certaine, jamais elle n'avait entendu Rébecca se plaindre lors du départ de son homme vers les chantiers. L'enfant regardait sa mère lui envoyer un baiser de loin, puis se retourner ensuite vers la maison en prenant ses filles par la main, contrairement aux mères de ses petites amies qu'elle entendait réciter des litanies de lamentations en voyant partir leur mari. Au cours de l'hiver, Rébecca parlait rarement de Joseph et les enfants en venaient presque à oublier son existence.

Ainsi avaient tourné les saisons dans la vie de la petite Marguerite. Aujourd'hui, à cause de cette lettre inattendue, tout cela se bousculait dans sa tête. Elle caressa l'ange de porcelaine du bout des doigts. «Dis donc, mon ange, comment dois-je réagir? Soit je réponds vaguement et poliment à la lettre, soit je lance tout ça au feu et n'en parle plus. Aux feux follets, tiens!… Ou bien je m'en vais à Colebrook me jeter dans les bras de mon père en lui disant que je l'aime, ce dont je ne suis plus certaine.» Alors? L'indifférence, la haine ou le mensonge? Parce que le pardon… L'ange fixait Marguerite, son sourire figé et sa petite étoile dorée sur le front. «D'accord, espèce d'ange de mon cœur, tu as gagné! Je vais choisir le pardon. Le vrai. À tout le moins vais-je essayer.»

Le soir, avant de se mettre au lit, elle sortit la lettre de son sac et la présenta à Anne.

— Tiens, papa nous invite à Colebrook.

✦✦

Les deux voyageuses se dirigèrent chez Angelina dès leur arrivée. Cette fois, on les attendait. Marguerite avait annoncé leur visite pour le premier samedi de décembre. Il avait été entendu qu'elles dormiraient chez le docteur Lewis avant de reprendre le train pour Lowell, tôt le dimanche matin.

Spontanément, Camille sauta au cou de ses sœurs, mais une certaine gêne s'installa aussitôt. La fillette avait grandi et son teint de brunette contrastait avec la blondeur de ses grandes sœurs. Quoi se raconter, ou plutôt, quoi partager quand on vit de façon tellement différente ? Quand la vie facile et l'abondance se confrontent au travail ardu et à la solitude ? Quand la tendresse et la sécurité font face à l'abandon ? Quand un reste d'enfance se compare avec de trop précoces responsabilités d'adulte ? Quand d'un côté se trouve l'amour, et de l'autre, l'indifférence…

Angelina perçut le malaise et s'efforça de casser la glace.

— Dis donc, Camille, si tu faisais visiter ta chambre à tes sœurs ?

Les filles n'eurent pas le temps de grimper à l'étage qu'on sonna à la porte. Joseph, proprement vêtu, boîte de chocolats à la main, se présenta, rouge de confusion. Marguerite faillit tendre la main pour recevoir les friandises, mais il les offrit spontanément à Angelina. Son père ne changerait jamais !

— Tenez, ma chère dame, pour toutes vos bontés. Je ne saurai jamais vous remercier assez…

Puis il se pencha sur ses filles comme s'il les avait vues la veille et déposa un baiser sur le front de chacune. Mais, après quelques secondes d'hésitation qui parurent une éternité à Marguerite, il les entoura de ses bras un peu raides. Si Anne se mit à larmoyer d'émotion, Marguerite, elle, resta de bois.

— Comme vous ressemblez à votre mère, mes filles ! Toi, surtout, Marguerite…

Le docteur sortit une bouteille de whisky et en versa un verre à Joseph.

— Vous saurez apprécier ce liquide à sa juste valeur, mon cher Joseph ! Il va vous remettre de vos émotions. Quant à ces jeunes demoiselles, je suppose qu'elles n'ont pas encore atteint l'âge de goûter aux plaisirs de l'alcool.

Marguerite faillit rétorquer : « Trop jeunes pour l'alcool mais assez vieilles pour subvenir à leurs besoins ! » Elle tourna sa langue huit fois plutôt que sept. Une obscure pointe de rancœur envers son père lui piquait encore l'esprit. Tôt ou tard, une discussion s'imposerait et elle risquait de s'avérer houleuse. Trop facile de régler les problèmes avec un simple baiser sur le front. Après tout, Joseph se devait de leur rendre des comptes.

L'occasion de discuter se présenta en effet le lendemain matin, au milieu du fameux terrain situé dans le rang menant à Dixville, pas très loin de Colebrook. Étroite étendue de terre pentue et recouverte d'arbres, entourée d'une clôture de pierres empilées les unes sur les autres disparaissant sous la neige… Au centre, un espace réduit complètement déboisé semblait destiné à recevoir les fondations. Avant qu'une maison parfaitement habitable ne se dresse à cet endroit, il s'écoulerait beaucoup de temps. Marguerite, qui pourtant ne connaissait rien au défrichement et à la construction des maisons, en fut convaincue.

— Vous savez, papa, nous sommes maintenant adaptées à Lowell et nous nous y plaisons beaucoup. J'adore mon travail de secrétaire et Anne, celui de vendeuse. D'ici peu, elle s'inscrira peut-être à l'école du soir. Moi, je poursuis toujours mes études par correspondance. Notre logement est minuscule mais confortable. Paisible surtout, après la galère chez Léontine et ensuite à la Boarding House. Vous auriez dû acheter un terrain à Lowell, mon cher papa, pas à Colebrook.

— Pourquoi faire ? Pour retourner travailler dans ces maudites usines où on traite les humains comme du bétail, comme tu dis si bien toi-même ?

— Et à Colebrook, où pensez-vous que nous allons gagner notre vie ? Vous vous rappelez la manufacture de chaussures ? Usine pour usine… Dans ce cas, papa, pourquoi ne pas retourner chez nous au Canada ? Cabane en bois rond pour cabane en bois rond…

— Y a pas assez de travail au Canada, fille ! La misère, pour moi, c'est fini, tu comprends ? F-I-N-I…

— Et si vous veniez chercher une autre sorte d'emploi à Lowell, alors ? Concierge, commis, homme à tout faire, je ne sais trop. Vous pourriez même ouvrir un commerce comme notre ami Paul, ou encore offrir vos services de palefrenier à l'une des auberges de la ville. Il existe sûrement un travail pour vous là-bas. Il s'agit de chercher.

— Non ! C'est ici que je vais installer mes pénates, sur ce terrain qui dorénavant m'appartient. Pas ailleurs, est-ce clair ? Et quand notre maison sera terminée, et je dis bien « notre » maison, vous viendrez vivre ici, toi et tes sœurs. Je ne changerai pas d'idée pour l'amour de vos caprices.

— De nos caprices ! ? ! Avez-vous bien dit « vos caprices » ? Vous en avez de bonnes, papa ! Puisque vous voyez les choses de cette manière, je pense que la discussion est close. Anne et moi allons reprendre tranquillement le train pour Lowell.

— N'oubliez pas que vous êtes mineures toutes les deux. Et pour longtemps encore…

Marguerite se mordit les lèvres pour ne pas crier et ne pas se lancer sur son père à grands coups de poing et de coups de pied. D'instinct, elle vint se serrer contre Anne qui ne disait mot, et elle en ressentit une grande force intérieure. Brusquement, elle faisait corps avec celle qui partageait silencieusement ses aspirations depuis si longtemps. Sa petite sœur qu'on avait déracinée tant de fois, celle qu'on avait scandaleusement violée, celle qui avait failli mourir sans que son père daigne se déranger…

Heureusement, depuis qu'Anne travaillait au magasin, l'aînée la voyait se transformer, devenir plus sûre d'elle, plus épanouie, plus joyeuse. Plus elle-même… Tout ce qui avait contribué à briser la naïve petite fille commençait à disparaître dans la nuit du passé. Les crises d'asthme n'existaient presque plus et des jours plus gais ensoleillaient leur vie. Non, elle n'allait pas renoncer à cette renaissance pour l'amour de son père et de ses stupides lubies. Si quelqu'un de la famille agissait par caprice, c'était bien lui !

Cette fois, au moment du départ, Joseph se garda de demander à ses filles de lui envoyer de l'argent. Sur le quai de la gare, il se contenta de les embrasser silencieusement du bout des lèvres en tenant par la main une Camille en larmes.

Le train se mit en branle et Marguerite, déchirée, eut l'impression de s'acheminer concrètement vers une nouvelle étape de sa vie au fur et à mesure que le convoi l'éloignait de ce père impénétrable et de sa jeune sœur devenue une inconnue. En ce moment précis, elle fit sciemment le choix de leur tourner le dos. Prenait-elle la bonne décision? Seul l'avenir le dirait.

À ses côtés, Anne reniflait sans prononcer une parole, engoncée dans son siège. Marguerite regretta de ne pas lui avoir demandé son avis. Les deux sœurs auraient pu quitter leur père sur des promesses de retrouvailles plus régulières. Et pourquoi pas un projet d'avenir? S'il avait vraiment voulu les avoir auprès de lui à Colebrook et sauvegarder ce qu'il restait de liens familiaux, il aurait pu proposer de chercher un lieu où les loger. Et promettre de leur trouver un emploi. Mais Joseph Laurin n'avait rien dit de tout cela. Rien à part ressortir les mêmes promesses évasives de construction de maison, ressassées sur tous les tons.

Ce soir-là, Marguerite retrouva avec un certain soulagement leur appartement de Middle Street, en haut du magasin. Des rideaux de dentelle ornaient l'unique fenêtre et une jolie nappe à carreaux verts recouvrait la table. Elle jeta une bûche dans le minuscule poêle de fonte et il se mit à ronronner en peu de temps.

Tout à coup, elle se sentit bien. Elle se sentit chez elle. Pour la première fois de sa vie, elle réalisait qu'elle avait un chez-soi, un petit nid qui lui appartenait enfin et qu'elle ne devait qu'à elle seule. Sans aucun lien avec Joseph Laurin. Alors un grand sentiment d'indépendance l'envahit. Plus jamais elle ne laisserait quelqu'un réduire cette liberté matérielle et morale si durement gagnée.

On frappa quelques coups discrets à la porte. Rose-Marie passa la tête dans l'entrebâillement.

— Alors? Ça s'est bien passé?

— Oui! euh… c'est-à-dire…

— Dis donc, tu n'as pas trop l'air dans ton assiette, toi!

— Merci pour ton amitié, Rose-Marie…

Sans se concerter, les deux sœurs se jetèrent dans les bras de leur amie qui les serra contre elle sans plus poser de questions. Elles n'auraient pas pleuré davantage si elles avaient su qu'en ce moment même, en cet instant précis, Joseph, ivre mort et à moitié vêtu, faisait la chasse aux feux follets sur la neige, au milieu de son terrain.

Une heure plus tard, pendant qu'Anne se mettait au lit, Marguerite plongea tête première dans ses livres. Cette fois, elle n'éprouva aucune difficulté à se rappeler la formule de l'hypoténuse, malgré la fatigue du voyage.

Dès le lendemain du retour de Colebrook, Simon se présenta à la porte des sœurs Laurin. Après un chaste baiser sur la joue de Marguerite, il demanda aussitôt des nouvelles.

— Alors, comment va votre père ? Et votre sœur ?

Sachant qu'elle pouvait lui faire confiance, elle lui raconta tout sans lui épargner les détails, et il lui offrit une écoute attentive. Simon Lacasse aurait gagné le prix de la gentillesse. Sensible, toujours prêt à rendre service malgré sa réserve naturelle, il continuait de fréquenter Marguerite de plus en plus assidûment. Elle ne s'en plaignait pas. Au contraire ! Elle aimait son visage ouvert, ses épaules larges et la chaleur de ses mains quand il caressait les siennes. Elle appréciait surtout son empressement à l'aduler et à la dorloter.

Auprès de lui, elle se sentait devenir une femme. Et cette femme, belle et désirable, prenait le pas sur l'adolescente en révolte qu'on avait exilée là où elle ne voulait pas. Les baisers des deux amoureux se faisaient de plus en plus brûlants et bousculaient leurs principes moraux. Malgré tout, elle arrivait à résister aux avances du fringant garçon. Même si le jeune homme représentait un excellent parti pour fonder un foyer, elle ne se sentait pas prête à se lancer dans une telle aventure. Pas maintenant. Trop d'événements avaient ébranlé sa sérénité, ces dernières années. Avant de s'engager sur ce chemin à sens unique que constituaient des épousailles officielles et la fondation d'une famille, elle avait besoin de faire le point et de reprendre pied.

— Si vous m'aimez vraiment, Simon, il vous faudra patienter et m'attendre. Je suis mineure et mon père ne me laissera jamais partir hors des États-Unis avant mes vingt et un ans.

— Mais je vais lui demander officiellement votre main, à votre père, voyons! Il ne pourra pas me la refuser.

— Je voudrais d'abord terminer mes études, vous comprenez?

— Je vous attendrai, mon amour, le temps qu'il faudra, même si je ne vois pas à quoi serviront ces satanées études.

— Vous avez raison, elles s'avéreront probablement inutiles, mais je veux continuer, je ne sais trop pourquoi. Sans doute pour réaliser mon rêve d'enfance. Et me convaincre que le destin n'aura pas démoli tout ce qui comptait pour moi. Je veux gagner sur ce point-là, vous comprenez? Au moins sur ce point-là : obtenir ce fameux diplôme qui me permettrait d'enseigner. Je suis certaine que, de là-haut, ma mère m'approuve et se sent fière de moi. Je n'enseignerai peut-être jamais, mais je veux avoir le loisir de le décider moi-même. Il me faut remporter cette victoire-là, Simon, pour arriver à me sentir enfin libre.

— On n'a pas besoin d'autant d'instruction pour élever des enfants, pourtant…

— Je sais, je sais.

Lui, habituellement si compréhensif, ne pouvait-il pas partager son rêve? Au moins lui! Quelqu'un au monde, à part le père Lacroix, ne pouvait-il pas lui donner raison, pour une fois? L'encourager, une seule petite fois? Même Rose-Marie ne s'expliquait pas cet acharnement à terminer ces fameuses études. Marguerite se contenta de soupirer. Personne ne la comprendrait donc jamais? Elle éprouva soudain le poids immense de la solitude.

Comment aurait-elle pu se douter que le lendemain matin, le père Lacroix viendrait frapper à la porte de son bureau, dans un grand état d'excitation?

Chapitre 43

— Marguerite, Marguerite, devinez quoi ! Savez-vous combien nous avons récolté d'inscriptions, hier, pour les cours du soir de notre cher Institut de l'enseignement canadien-français qui débuteront le mois prochain ?

— Aucune idée !

— Croyez-le ou non, nous avons reçu quatre cents inscriptions !

— Mais… c'est une bonne nouvelle, ça ! Nos gens ne sont pas tous des imbéciles ni des bornés comme le prétendait le rapport de l'autre jour, vous voyez ! Plusieurs travailleurs sont ouverts à la connaissance et veulent sans doute rattraper le temps perdu.

— Marguerite… euh… avec un si grand nombre d'élèves, nous manquerons de professeurs. J'ai parlé au père Garin, et il s'est montré compréhensif. Le généreux homme fait passer ses paroissiens avant lui-même.

— Que voulez-vous dire ?

— Pour que les Canadiens français puissent s'instruire, il se dit prêt à se passer de sa secrétaire si jamais elle est intéressée à devenir officiellement professeur à l'Institut.

— Moi ? Enseigner à l'école du soir ? Vous êtes sérieux ? Est-ce que je rêve ? Je ne possède pas les compétences, voyons !

— Vous pourriez commencer avec les débutants, ceux qui ne connaissent pas la première lettre de l'alphabet. C'est à vous de décider. Pourvu que vous promettiez de terminer vos études par correspondance, vous serez acceptée comme professeur, au même salaire qu'à la paroisse.

Abasourdie, Marguerite ne savait pas si elle devait rire ou pleurer. Elle, Marguerite Laurin, enseignante ! Le rêve de sa vie ! Elle prit le parti de rire mais les larmes jaillirent malgré elle. Le père Lacroix, ému, sortit un mouchoir propre de sa poche et le lui tendit gentiment.

— Je m'excuse, mon père, il m'arrive tant de choses depuis quelques mois. Je ne sais plus où j'en suis.

— Tout va bientôt se tasser, ma belle Marguerite. Je vous l'avais dit que le bon Dieu s'occuperait de vous. Vous le méritez tellement !

— Le bon Dieu et vous, mon père…

Antoine Lacroix se contenta de sourire avec bienveillance.

GARANT DES FORÊTS
INTACTES

L'impression de cet ouvrage sur papier recyclé a permis
de sauvegarder l'équivalent de 71 arbres de 15 à 20 cm
de diamètre et de 12 m de hauteur.

Marquis imprimeur inc.

Québec, Canada
2009